Antoine de Saint Exupéry

in Bildern und Dokumenten

Antoine de Saint Exupéry schrieb seinen Nachnamen ohne Bindestrich,
weshalb dies in dieser Ausgabe ebenso gehandhabt wird.

EDITION OLMS AG
Willikonerstr. 10
CH-8618 Oetwil am See / Zürich
Switzerland
Mail: info@edition-olms.com
Web: www.edition-olms.com

ISBN 978-3-283-01178-9

Übersetzung: Stefanie Kuballa-Cottone
Lektorat: Beate Vogt
Satz der deutschen Ausgabe:
Weiß-Freiburg GmbH – Graphik & Buchgestaltung

Verantwortlich: Gaëlle Lassée
Redaktion: Julie Légère et Eugénie de Paillette,
Colette Malandain
Layout: www.keppyroux.com
Herstellung: Murielle Meyer, Louisa Hanifi-Morard,
Vincent Herizi, Christelle Lemonnier
Litho: Bussière, Paris

Bibliographische Information
der Deutschen Bibliothek
Die Deutsche Bibliothek verzeichnet
diese Publikation in der
Deutschen Nationalbibliografie;
detaillierte bibliografische Daten
sind im Internet über
http://dnb.ddb.de abrufbar

Printed in China

Antoine de Saint Exupéry

in Bildern und Dokumenten

Alain Vircondelet

Mit einem Vorwort von Martine Martinez Fructuoso

Privatarchiv Consuelo de Saint Exupéry

EDITION OLMS ZÜRICH

Inhalt

Vorwort

Lange Zeit war ich der Meinung, Antoine de Saint Exupéry sei ein Schriftsteller und Held des Zweiten Weltkriegs gewesen, der im Kampf gefallen ist. Wie viele andere auch, hatte ich *Nachtflug*, *Flug nach Arras* und natürlich *Der Kleinen Prinz* gelesen, den ich als Kind sogar einmal in einem Theaterstück zu Weihnachten gespielt hatte.

Doch dann hat mich die Macht des Schicksals über einen Umweg wieder auf seine Spur geführt, durch meine Heirat mit José Martinez Fructuoso, dem Universalerben von Consuelo de Saint Exupéry. So habe ich nach und nach, durch die Augen seiner Frau, den Schriftsteller und vor allem den Menschen kennengelernt, der er war. Durch private Notizen, Briefwechsel und vor allem durch das von seiner Frau gehütete Privatarchiv habe ich, noch bevor ich seine Werke erneut gelesen hatte, entdeckt, daß der Mythos Saint Exupéry nichts mit dem realen Menschen zu tun hatte. Ich empfand die Art und Weise, wie er manchmal dargestellt wurde, als wolle man ihn ein zweites Mal sterben lassen, denn das war nicht der echte Antoine de Saint Exupéry. Er war nicht nur Pilot, Schriftsteller und Held, er war auch Mensch, einfach nur ein Mann, in seiner ganzen Vielschichtigkeit, seinem Schmerz, seinen Zweifeln, seiner Freude, seinem Ehrgefühl, seinem Mut, seiner Beharrlichkeit und der Liebe zu seiner französischen Heimat.

Sein Weg von Lyon nach New York führte ihn durch Marokko, Argentinien, Guatemala, Kanada und so viele andere Länder, bescherte ihm ein derart intensives Leben, daß man, wenn man sich dafür interessiert, viel über Geschichte, Geographie, Mathematik, Literatur, Luftfahrt und Philosophie lernen kann. Ihm, der von einem Leben als einfacher Gärtner träumte, gelang es innerhalb recht kurzer Zeit, so viele verschiedene Disziplinen, Künste und Berufe auszuüben, daß sich mir der Vergleich zu den russischen Schachtelpuppen aufdrängt, die man unter der Bezeichnung Matrjoschka kennt: Von der größten bis zu kleinsten, birgt jede eine weitere Facette und neue Geheimnisse seines ehrgeizigen Lebensweges. Indem er sein Dasein auf diese Weise unterteilt, gelingt es Antoine de Saint Exupéry, mehrere Leben zu leben, von denen eines so glanzvoll ist wie das andere.

Die erste Puppe, die größte, steht für das Kind Antoine. Sie ist entscheidend für den Schriftsteller und sollte ihn auch als Erwachsenen nie loslassen. «Man hält Ausschau, man hofft, man wartet. Mit der Mutterliebe macht das Leben dir ganz zu Beginn ein Versprechen, das nie eingelöst wird.» Dieses Gefühl des Verlassenseins, das Romain Gary in seinem Roman *Frühes Versprechen* (frz. *La Promesse de l'aube*) so trefflich beschreibt, sollte Antoine de Saint Exupéry sein ganzes Leben lang in sich tragen. Diesem gelobten Land sollte er immerzu sehnsuchtsvoll hinterherjagen und es in den Momenten schlimmster

Angst wie ein auf ewig verlorenes Paradies heraufbeschwören. Sein daraus resultierendes Unvermögen, der Gegenwart etwas abzugewinnen, erklärt sich aus der Bedeutung, die er der Erinnerung beimißt, besonders der Erinnerung an das Glück.

Die nächste Matrjoschka-Figur enthält den Flieger, den einstigen Kindheitstraum. Sie verkörpert die harte Realität eines gefahrvollen, unsicheren Lebens, das Antoine voller Entschlossenheit und Mut auf sich nahm, ohne dies jemals zu bereuen, und von dem ihn auch zahlreiche Unfälle nicht abbringen konnten. In derselben Puppe steckt der Luftpost-Pionier, der fähig war, bei schlimmstem Wetter die Anden zu überfliegen, um seinen Freund Henri Guillaumet aufzusammeln, dessen Flugzeug im Eis abgestürzt war.

Das folgende Püppchen steht für den Soldaten, den aus *Flug nach Arras* und den der letzten Mission, für den von Amerikanern und Franzosen hochdekorierten Offizier, der seine nach New York geflüchteten Landsleute überreden wollte, in die US-Armee einzutreten, um gegen den Feind zu kämpfen. Auch wenn dieser Aspekt nicht ausreichend gewürdigt wird: Antoine de Saint Exupéry hat mit seinem Einsatz sowohl militärisch als auch moralisch zum Sieg Frankreichs beigetragen. Jene, die, aus Trotz oder feiger Rache, in Frankreich oder in New York, den Schriftsteller mit Vorwürfen überschüttet haben, waren im Unrecht. Hinter dem Soldaten ist noch der tollkühne Testpilot zu erkennen, der beim Probeflug eines Wasserflugzeugs beinahe ertrunken wäre und so teilweise seine Todeserfahrung vorwegnahm.

Sein Schriftstellerleben, das sich in der nächsten Figur verbirgt, ist ebenso wichtig wie das Pilotenleben und hängt direkt von diesem ab: Antoine de Saint Exupéry erklärte gerne, er könne nur erzählen, was er erlebt habe. Dicht neben dem Schriftsteller kauert der Dichter, der ein Talent für klassische Lyrik hat, aber auch surrealistische Verse schreibt, in denen es manchmal um einen Propeller geht, der an seine Stirn geheftet ist und sich im Leerlauf dreht. André Breton, der ihm in New York eher Feind als Freund war, hätte das bestimmt gefallen ... Und wir dürfen den Filmemacher nicht vergessen, der Drehbücher schrieb und mit großen Regisseuren wie Jean Renoir oder Raymond Bernard zusammenarbeitete. Eine Anfrage von Julien Duvivier mußte er mit Bedauern ablehnen, da er an die Front abberufen wurde. Schließlich gibt es noch den Journalisten, der als Kriegsreporter ebenso eindringlich über den spanischen Bürgerkrieg schrieb wie er als Berichterstatter der Konferenzen in den Mittelmeerländern glänzte.

Eine dieser russischen Figuren birgt den Taschenspieler, der sich gerne hinter seinen Kartentricks versteckt, um sich in Gesellschaft nicht unterhalten zu müssen und seine Umgebung besser beobachten zu können. Und den Schachspieler, der imstande ist, während des Fluges eine Partie mit einem Freund zu spielen, der ebenfalls gerade ein Flugzeug steuert. Consuelo erzählte, ihr Mann sei ein schlechter Verlierer gewesen, wenn er jedoch eine Partie gewann, verbreitete sich diese Neuigkeit rasch, vom einen Ende der Luftpostlinie zum anderen. In dieser Matrjoschka steckt auch der Physiker, der nächtelang unzählige Blätter mit mathematischen Formeln, Gleichungen und geometrischen Formen füllt, der Wissenschaftler, der Erfinder, der so unterschiedliche Themen wie Fernsehtechnik oder die Rotation eines Flugzeugpropellers studiert und sogar erfolgreiche Patente anmeldet.

Noch tiefer im Innern, in einer noch kleineren Figur, verbirgt sich sein Innenleben, seine Freund- und Liebschaften, seine Ängste und Leidenschaften. Unter seinen Freunden finden sich alte Kameraden aus der Kinder- und Jugendzeit, zum Beispiel Charles Sallès, den Antoine im Internat im schweizerischen Fribourg kennenlernt, oder Henry de Ségogne, mit dem er sich etwas später, im Lycée Saint-Louis, anfreundet. Diese Jugendfreunde bleiben ihm bis zu seinem Tod 1944 treu. Auch die Freunde, die er als Erwachsener gewinnt, sind wichtig, vor allem, wenn sie seine Leidenschaft für die Fliegerei teilen; wie im Falle von Henri Guillaumet, mit dem ihn eine sehr starke und vollkommen vorbehaltlose Freundschaft verbindet. Neben den freundschaftlichen Beziehungen prägt ihn natürlich sein Liebesleben, genauer gesagt, sein Leben als Verführer. Sein erste Liebe, Louise de Vilmorin, ist nicht, wie es die Legende will, seine einzige Leidenschaft geblieben. Nachdem Loulou ihm den Laufpaß gegeben hatte, hat Antoine sich einigermaßen schnell getröstet – er hatte begriffen, daß sie nicht füreinander gemacht waren. Mehrere Frauen haben eine Zeitlang gehofft, zur Meistgeliebten aufzusteigen, aber Antoine gibt in seinem letzten zu Lebzeiten veröffentlichten Buch, *Der Kleine Prinz*, eine ganz eindeutige Antwort: Ungeachtet all der anderen Rosen, war nur eine einzige in seinem Leben wirklich von Bedeutung, jene Rose, für die er sich verantwortlich fühlte, die auf dem Rollfeld auf ihn wartete, wenn er von seinen gefährlichen Luftpostflügen zurückkehrte, jene, die auch in New York noch auf ihn wartete, als er von dort in den Krieg zog und schließlich nicht mehr zurückkam.

Denn ganz im Inneren all der Schachtelpuppen, wenn alle Figuren geöffnet wurden, bleibt eine übrig. Eine Frau, die von weit her gekommen ist, wie das Samenkorn, das auf dem Planeten des Kleinen Prinzen zum zarten Sproß und schließlich zur Rose wird. Consuelo, die Antoine de Saint Exupéry in Buenos Aires kennenlernt, wurde 1931 seine Frau und blieb es bis zu seinem Tod. Antoine hat also viele Jahre lang das Leben eines verheirateten Mannes geführt. Er hat sich dieser Aufgabe auf seine Art angenommen, indem er ungeschickt versuchte, den geleisteten heiligen Schwur zu erfüllen: die Frau, die er geheiratet hatte, niemals zu vergessen oder zu verleugnen. Das Ehepaar Antoine und Consuelo war wie eine Verbindung aus Luft und Feuer – das eine kann nicht ohne das andere existieren, aber durch ihre Unterschiedlichkeit sind sie sich gleichzeitig fern und nah. So blieben sie zusammengeschweißt bis zum Ende, trotz Antoines schwierigem Beruf, trotz des Krieges und trotz vereinzelter Verleumder und Neider aus dem nahen Umfeld. Auch nachdem ihr Mann 1944 verschollen war, gab Consuelo ihn nie wirklich auf.

Somit steht Consuelo für die letzte Matrjoschka-Figur, jene, die sich nicht öffnen läßt und um die alle anderen geschachtelt sind. Bis zu ihrem Tod 1979 hielt sie die Erinnerung an ihren Mann in Ehren, dessen Erbe in seinen Schriften fortlebt. Dazu wollen auch wir, José Martinez Fructuoso und ich, beitragen, und diesem Mann den bedeutenden Platz zukommen lassen, den er in unserer Gesellschaft verdient. Ganz im Sinne dieses ahnungsvollen Satzes aus seinem posthum veröffentlichten Werk *Citadelle* (dt. *Die Stadt in der Wüste*): «Auf der Spitze des höchsten Turms der Zitadelle habe ich erkannt, daß weder das Leid noch der Tod an der Seite Gottes noch die Trauer selbst zu beklagen waren. Ist doch der Verstorbene, wenn man sein Gedenken in Ehren hält, gegenwärtiger und mächtiger als der Lebende.»

Martine Martinez Fructuoso

MUSTERKNABE, ENFANT TERRIBLE:

DER TRAUM DES ENGELS

(1900

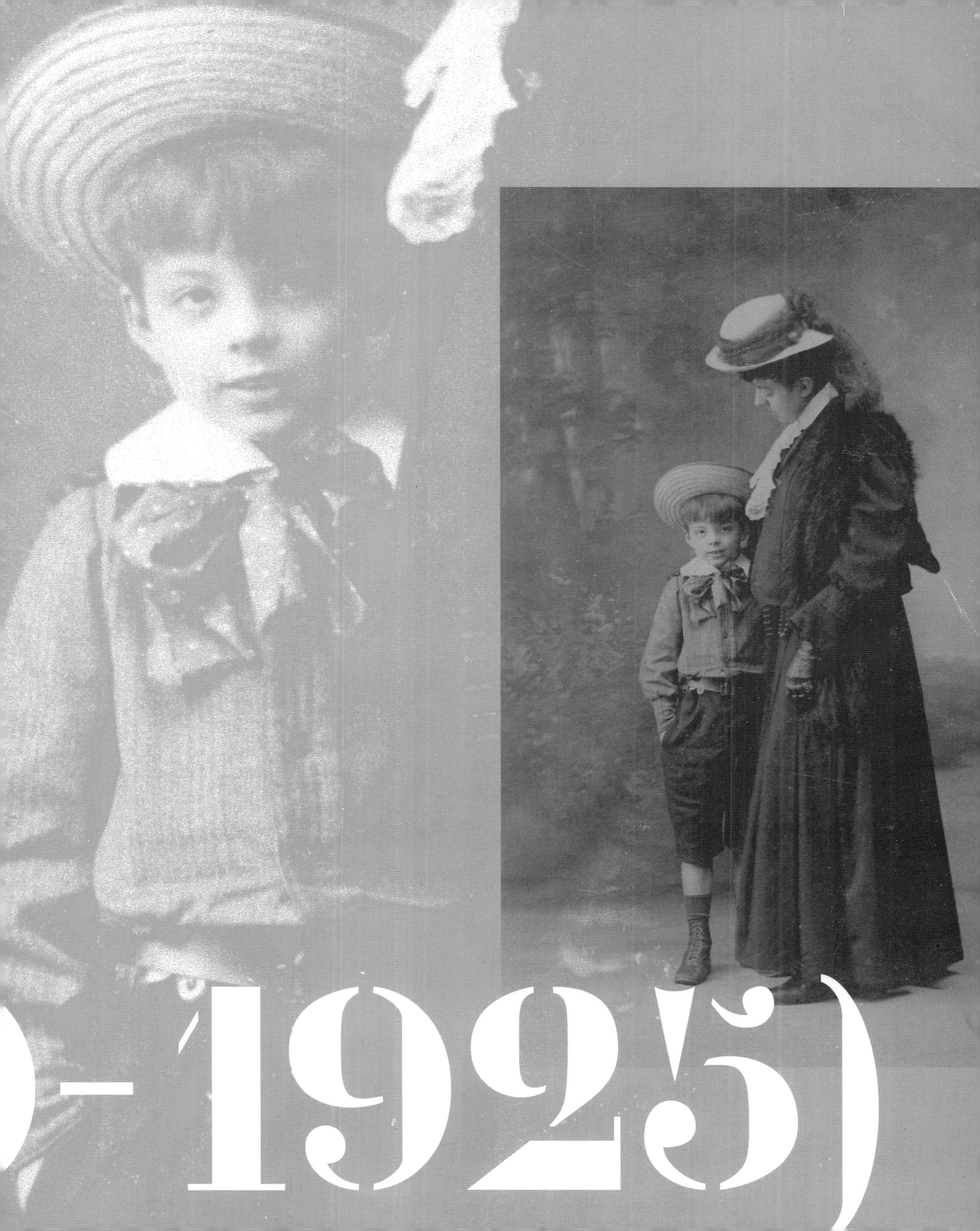
-1925)

Portrait Antoines um 1905.

Vorangehende Doppelseite: Antoine de Saint Exupéry und seine Großtante, Madeleine de Fonscolombe, in La Môle, um 1906.

EINE KINDHEIT WIE IM MÄRCHEN. Sehr bald beginnt Antoine de Saint Exupéry sie zu idealisieren, als wollte er ihr dadurch ihre Flüchtigkeit nehmen. Immer wieder knüpft er an sie an, sagt zum Beispiel gerne: «Ich stamme aus meiner Kindheit.» Doch es ist keineswegs sicher, daß alles sich so abgespielt hat wie in seiner Erinnerung. Nicht, daß er eine trostlose, einsame Kindheit gehabt hätte, ganz im Gegenteil, sie scheint vergnügt gewesen zu sein, er war umgeben von geliebten Menschen. Doch trotz der fröhlichen Jugend befällt ihn dumpfe, hartnäckige Melancholie. Die neuerfundene Kindheit wird Gegenstand der Fiktion. Durch veröffentlichte Briefwechsel und Erzählungen bemühen sich Simone, die Schwester, und Marie, die Mutter, die gesegnete Zeit in Saint-Maurice zu verklären. Eine Reminiszenz an die Werke der Comtesse de Ségur? Die gleichen «braven Kinder», der gleiche «süße kleine Teufel», die gleichen «mustergültigen Kinder», ein einfaches und bescheidenes Leben auf dem Schloß, christliche Prägung, ein freundlicher Umgang mit den Bediensteten … Aber diese Zeit kann nicht völlig sorglos gewesen sein. «Licht und Schatten» hätte sein Beinahe-Zeitgenosse Albert Camus gesagt …

«Ich stamme aus meiner Kindheit. Ich stamme aus meiner Kindheit wie aus einem Land.» *Flug nach Arras*

«Aber sag dir einfach, meine liebe Mama, daß du mein Leben mit Annehmlichkeiten angefüllt hast, wie es niemand sonst hätte tun können. Und daß du die ‹erquickendste› aller Erinnerungen bist, jene, die am meisten in mir wachruft. Und der kleinste, belangloseste Gegenstand von dir macht, daß mir warm ums Herz wird, deine gestrickte Weste, deine Handschuhe – mein Herz ist es, das sie beschützen.» Briefe an die Mutter

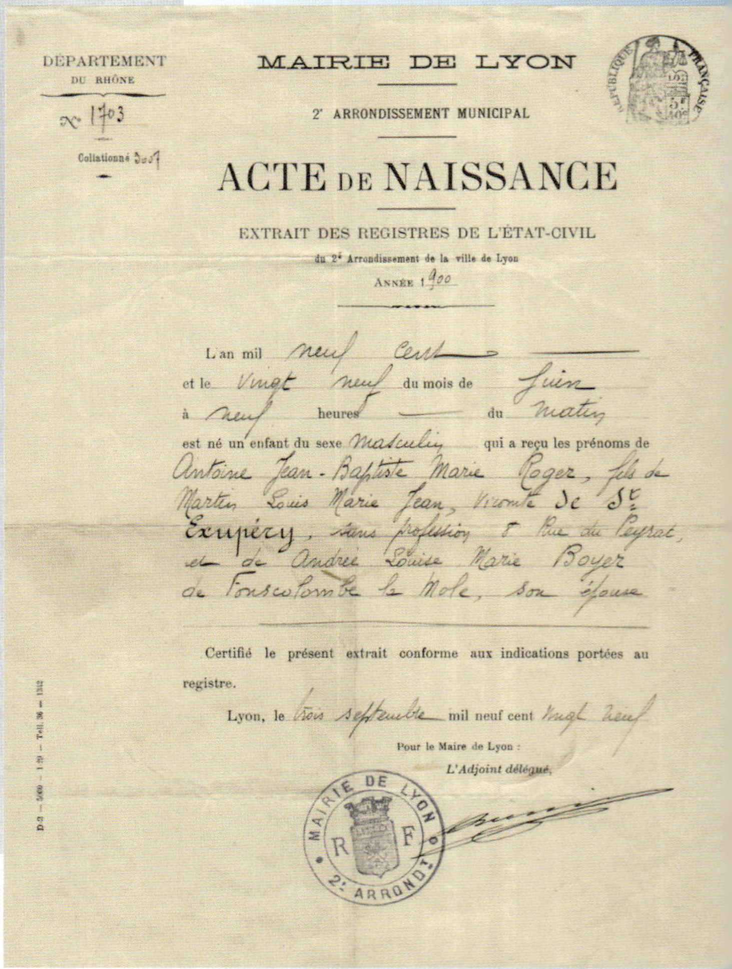

DÉPARTEMENT
DU RHÔNE

№ 1703

Collationné 3007

MAIRIE DE LYON

2ᵉ ARRONDISSEMENT MUNICIPAL

ACTE DE NAISSANCE

EXTRAIT DES REGISTRES DE L'ÉTAT-CIVIL
du 2ᵉ Arrondissement de la ville de Lyon
ANNÉE 1900

L'an mil neuf cent
et le vingt neuf du mois de Juin
à neuf heures — du matin
est né un enfant du sexe masculin qui a reçu les prénoms de Antoine Jean-Baptiste Marie Roger, fils de Martin Louis Marie Jean, Vicomte de St Exupéry, sans profession 8 Rue du Peyrat, et de Andrée Louise Marie Boyer de Fonscolombe le Mole, son épouse

Certifié le présent extrait conforme aux indications portées au registre.

Lyon, le trois septembre mil neuf cent vingt neuf

Pour le Maire de Lyon :
L'Adjoint délégué,

MAIRIE DE LYON
R F
2ᵉ ARROND^T

D-3 — 500 — 1-29 — Tell. 36 — 1312

Der abwesende Vater

«Gerade kam ich nach Hause und fand deinen Brief. Er leistet mir Gesellschaft. Du kannst dir sagen, Mama, selbst wenn man nicht schreibt, selbst wenn man ein unartiger Junge ist, ist nichts so kostbar wie deine Zuneigung. Aber das sind unaussprechliche Dinge, von denen ich noch nie wußte, wie ich sie sagen soll, und doch ist es ganz tief in mir, so sicher und beständig. Ich liebe dich, wie ich nie einen Menschen geliebt habe.» Briefe an die Mutter

Es herrscht ein seltsamer Mangel an Männerfiguren im Leben und Werk Antoines. Diese signifikante Leerstelle rührt zweifellos vom frühen Tod des Vaters 1904 und vom nicht weniger frühen Dahinscheiden seines Bruders François im Jahre 1917. Phasenweise bevölkern ein paar Onkel und ein Pfarrer seine Kindheit, die jedoch hauptsächlich von Frauen geprägt wird: Tante, Mutter, Schwestern, Gouvernante, Hausmädchen. Dieser Mangel hat zweifelsohne zu dem Gefühl des Verbanntseins beigetragen, das er immer mit sich herumtragen sollte, dem Eindruck, sich in einer finanziell mißlichen, permanent instabilen Lage zu befinden. Saint Exupéry reagiert darauf mit einem oft exzentrischen Boheme-Leben, als wolle er das Schicksal herausfordern, einem Bedürfnis nach Heldentum und der Überhöhung einflußreicher Persönlichkeiten zu Helden, von Mermoz bis Guillaumet. Er möchte sich selbst übertreffen, wie um sich dadurch des großen Abwesenden würdig zu erweisen. Der Vater wird zum Richter und Zeugen seiner Schwächen und seiner Versuche, diese zu überwinden.

Ein Ausspruch Saint Exupérys mag dieses Grundgefühl in Worte fassen: sein toter Vater sei für ihn zum «Gebirge» geworden. Dieser sehr plastisch formulierte Gedanke läßt auf die große innere Not schließen, die sich dahinter verbirgt, und beschreibt in gewissem Sinne Antoines Leben: Tatsächlich ist das Bergmotiv sein Leben lang und sein gesamtes Werk hindurch sehr präsent. Wenn der Vater zum «Gebirge» wird, ist es die Aufgabe des Sohnes, dieses Gebirge herauszufordern, es mit ihm aufzunehmen und darüber hinauszuwachsen, damit sein Vater stolz auf ihn sein kann, bevor er von einem Erdrutsch verschüttet wird ... Über die scheinbar glückliche Kindheit schiebt sich still und leise der schicksalhafte Schatten des Vaters. Er weckt die Schwermut im kleinen «Sonnenkönig», wie die Mutter ihn nennt, die von der Dunkelheit in ihm und dem heimlichen Schmerz nichts weiß. Sein abenteuerliches Leben sollte zum Spiegel seiner tiefgreifenden Verunsicherung werden.

Marie de Saint Exupéry, geborene de Fonscolombe, Antoines Mutter.

Oben rechts: Antoine und seine Geschwister

Darunter: Geburtsurkunde Antoine de Saint Exupérys. Er kommt am 29. Juni 1900 in Lyon zur Welt.

Verwunschene Orte: La Môle und Saint-Maurice

Mit beiden Orten verbindet Antoine besonders intensive Erinnerungen. Mehr noch als die Gebäude, ziehen ihn die Parks und Gärten der beiden Anwesen in ihren Bann. Den einen bevölkern Eukalyptusbäume und Pinien, den anderen fast schwarze Tannen, die seine Phantasie beflügeln und ihm Geschichten einflüstern. Diese Orte sind für ihn von fundamentaler Bedeutung, sie sind seine Verankerung in der Welt, lebenslange Bezugspunkte. In seiner sehr umfangreichen Korrespondenz hat Antoine immer wieder, gegenüber seiner Mutter oder anderen, betont, wie wichtig für ihn das Haus ist, in dem er aufgewachsen ist. Ganz intuitiv ergreift er von diesen Orten gedanklich Besitz, bemächtigt sich ihrer, ohne die ihnen innewohnende Seele zu verletzen. Der schon immer feinsinnige Antoine erspürt das Wesentliche der Dinge (das bekanntlich unsichtbar ist) ganz deutlich, braucht aber – genauso wie Marcel Proust, der im Hinblick auf das Schreiben und den Zeitbegriff einige Berührungspunkte zu ihm aufweist – die Macht der Steine, er braucht, was sie im Lauf der Jahrhunderte verkörpern, ihre unendliche Last, als Gegengewicht zur Zufälligkeit der Welt mit ihren Unsicherheiten und falschen Werten, die jeder Ewigkeit beraubt und zur absoluten Banalität verurteilt sind. Dem unvollendeten Babel, dessen Eitelkeit und Ehrgeiz die Bibel das sichere Scheitern prophezeit, setzt er dauerhafte Werte entgegen, feste Orte, die kein Ereignis der Weltgeschichte jemals entwerten könnte. So kommt es, daß Antoine später, als Marie de Saint Exupéry sich gezwungen sieht, das Château Saint-Maurice zu verkaufen, zwar eine Weile traurig ist, ihn aber der reale Verlust des Anwesens nicht lange erschüttert, da er den Ort bereits in einen unauslöschlichen und unzerstörbaren Mythos verwandelt hat … Das Schloß wird zu einem Teil der Legendenwelt seiner Kindheit.

Das Château La Môle, am Golf von Saint Tropez, war weniger bedeutungsvoll für ihn, aber er lernt dort einige lebenswichtige Lektionen und sammelt grundlegende Erfahrungen: die Weite der sternenklaren Nächte, die Gewalt des Mistral und das unendliche Blau des Mittelmeers. Zum Anwesen von Tante Tricaud, nicht weit von Lyon und von Bergen umgeben, zwischen Alpen, Jura und Dombes, ist die Bindung stärker. Hügel und Weinreben und vor allem ein Park, den er kraft seiner magischen Vorstellungskraft und seiner Träume verwandelt … Der Park lebt in ihm weiter wie ein machtvolles Bild, die große Bühne, von der alles kommt, wo alles angefangen hat. Alles? Die Sehnsucht, woanders zu sein, die Lust zu fliegen und der Schwerkraft zu trotzen, dort zu gewinnen, wo Ikarus verloren hat, den Menschen in der großen weiten Welt zu begegnen, die Sterne zu berühren …

Oben: Château Saint-Maurice-de-Rémens im Département Ain, im Südosten Frankreichs.
Darunter: Im Château La Môle (Département Var), das Antoines Großmutter mütterlicherseits gehörte, verbrachte er einen Teil seiner Kindheit.

«Irgendwo gab es einen Park voll dunkler Tannen und Linden, und dort stand ein altes Haus, das ich sehr liebte. Es war nicht wichtig, ob es in weiter Ferne war oder ganz nah, daß ich mich nicht darin wärmen oder Schutz suchen konnte, denn jetzt gerade war es nur ein Traum. Aber die Tatsache, daß es existierte, reichte aus, um meine Nacht mit seiner Gegenwart zu erfüllen.»
Wind, Sand und Sterne

Saint-Maurice-de-Rémens.
Rechts oben: Antoine in Saint Maurice, um 1907.

«Ich war nicht mehr dieser gestrandete Körper, ich wußte wieder, wo ich hingehörte, ich war das Kind aus diesem Haus, angefüllt mit Erinnerungen an seine Gerüche, an die Kühle seiner Flure, an die Stimmen, die es mit Leben erfüllt hatten. Sogar das Gequake aus den Froschteichen klang in meinen Ohren. Ich brauchte all diese Erinnerungen, um wieder zu mir zu kommen, um zu erkennen, was ich in der Wüste alles* nicht *riechen und hören konnte, um einen Sinn in dieser Stille zu finden, die selbst tausendfach aus Stille bestand und in der sogar die Frösche schwiegen.» *Wind, Sand und Sterne*

Spiele im Park

Legendär sind sie geworden, verklärt im milden Lichte der Erinnerung von Antoines älterer Schwester Simone, die in einem schmalen Band namens *Fünf Kinder in einem Park* versucht, das alltägliche Leben auf Schloß Saint-Maurice zu rekonstruieren. Eine Photographie, wie sie für die Zeit um 1900 typisch ist, zeigt die fünf Lokkenköpfe nebeneinander aufgereiht. Die Aufnahme zeugt von der liebevollen Eintracht, die unter den Geschwistern herrschte. Antoine, soviel ist sicher, nimmt in diesem Universum die Position der «Sonne» ein, denn er ist die Seele dieser Gemeinschaft. Phantasiebegabt, spielfreudig, immer hellwach und voller Poesie, verzaubert er seinen Bruder und die Schwestern. Er verwandelt dabei den eigentlich unspektakulären Park in einen magischen Ort. Die Natur ringsherum, die Obstbäume und das Gewächshaus, sind wundervolle Orte, derer Antoine sich bemächtigt, um sich Geschichten auszudenken und die Welt neu zu erfinden.

Sein Geist ist stets hellwach, er macht immerzu neue Entdeckungen. Simone erinnert sich an «die kleine Fabrik in seinem Schädel ... kaum ist die Ernte eingefahren, gärt es schon wieder und treibt aus». An den Spielen sind meist alle beteiligt: Theaterszenen und Pantomime, Ball- und Kartenspiele, Schach, Lyrik- und Reimwettbewerbe. Aber es gibt auch Spiele, bei denen die Kinder mehr für sich allein sind, wenn sie Baumhäuser bauen, sich einsame Verstecke suchen oder auf dem Speicher heimlich kleine Altäre für ihre Schätze basteln ... Antoines Schätze sind seine Werkzeuge und der kleine Motor, an dem er arbeitet.

Auch die Haustiere werden ins Spiel integriert. Die Kaninchen werden aus ihren Ställen geholt und von Antoine und seinen Schwestern an verwunschene Orte gebracht ... Sie spielen mit Mäusen, die sie in große Schachteln stecken und beobachten, füttern und ärgern. Antoine ist sogar im Besitz einer weißen Ratte, mit der er sich zu unterhalten pflegt. Lange Spaziergänge sind ihm ein Graus, ebenso Spiele in größeren Gruppen. Er fährt nicht gern Fahrrad, schwimmen haßt er. Er ist empfindlich, dünnhäutig, fühlt sich unwohl in diesem großen, tollpatschigen Körper. Seine ausgeprägte Stupsnase verleiht ihm ein verträumtes Aussehen: Trägt der Junge mit der Himmelfahrtsnase den Kopf in den Wolken? Auf jeden Fall träumt er schon von den Sternen ...

Oben:
Saint-Maurice-de-Rémens; Marie de Saint Exupéry mit ihren fünf Kindern im Park von Saint-Maurice.

Rechts: Antoine bei einem Fest in Saint-Maurice, um 1912.

«Wir hatten uns das Spiel selbst ausgedacht, weil wir den Spielen der anderen mißtrauten. Es wurde an Gewittertagen gespielt, wenn wir, nach den ersten Blitzen, am Duft der Dinge um uns und am plötzlichen Beben der Blätter erkannten, daß der Wolkenbruch unmittelbar bevorstand. […] Vom äußersten Ende des Parks rannten wir los, immer auf das Haus zu, die Rasenflächen entlang, bis wir ganz außer Atem waren. Die ersten Tropfen eines Gewitterschauers sind schwer und fallen weit verstreut; wer zuerst getroffen wurde, hatte verloren. Dann der zweite. Dann der dritte. Dann die anderen. Der letzte Überlebende entpuppte sich als Liebling der Götter und war unverwundbar! Er hatte das Recht, sich bis zum nächsten Gewitter ‹Ritter Aklin› zu nennen …» *Flug nach Arras*

Ritter Aklin

Der Dachboden ist gut für Regentage. Sobald die Sonne scheint, sind wir im Park. Aber wir haben auch ein Amphibienspiel, das bei Gewitter gespielt wird …», erzählt Simone. Wenn große schwarze Wolken den Himmel bedecken und den Park verdunkeln, machen sich die Geschwister bereit, «Ritter Aklin» zu spielen, ein Spiel, das Antoine erfunden hat. Nach dem Vorbild der Schwalben, die, spitze Schreie ausstoßend, den Himmel durchpflügen, mit knatterndem Flügelschlag, der an das trockene Geräusch eines zuklappenden Fächers erinnert, gilt es, kreuz und quer durch den Park zu rennen, um den ersten großen Regentropfen auszuweichen. Das Gewitter grollt und entlädt sich schließlich, ein Platzregen geht hernieder. Jeder will sich zwischen den Tropfen hindurchschlängeln und läuft im Zickzack die Alleen entlang. Wer als erstes die Außentreppe des Schlosses erreicht, wird zum Ritter geschlagen. Antoine brilliert in diesem Spiel, er ist Aklin, der Ritter mit dem irgendwie teutonisch klingenden Namen, der Held des großen Parks von Saint-Maurice. Er sollte sich lange Zeit an dieses kleine Heldenepos erinnern. Natürlich in den «schweren Stunden», auf den einsamen Aéropostale-Flügen, während der Nachtflüge, bei denen er sein Leben riskiert, ohne jemals Angst zu verspüren, oder auch während der Aufklärungsflüge im Krieg, mit denen er betraut wird, über Arras zum Beispiel, während der großen Schlacht, die er kämpft. Die Flugzeuge wirbeln in alle Richtungen wie einst die Schwalben: Da erinnert er sich an das Spiel vom Ritter Aklin, hält sich daran fest, beschwört alle Geister der Vergangenheit. Sie kommen herbei, stehen ihm bei in dieser schweren Prüfung. So glaubte Saint Exupéry immer an die magischen Kräfte der wiedergefundenen Kindheit – Quellen, die seinen Durst löschten, Nahrung, die ihm neue Energie gab. Heldentum ist geboten, nicht aus Eitelkeit heraus, sondern aus der Notwendigkeit der Selbstbeherrschung, des Sieges über seine Schwächen und auch, um der Unsicherheit des Lebens zu entfliehen, den Brüchen und Verwerfungen, die den Menschen schwächen. Die Erinnerung an die Kindheit ist in doppelter Hinsicht Zuflucht: einerseits Hingabe an die Liebe jener sorglosen Tage, andererseits Rüstung und Panzer zum Schutz vor allen Gefahren.

Das Gefühl des Verlassenseins, die Abende im großen Salon

Diese Kindheit bleibt jedoch nicht von seelischem Kummer verschont. Wenn sie, wie Simone es ausdrückt, «Heimat» ist, so ist sie auch Exil. Sie ist ein Zauberreich, aber auch Einsamkeit und Angst. Die Abwesenheit des Vaters, auf die bald die des Bruders folgen sollte, seine ausgeprägte Empfindsamkeit, die er von Kindesbeinen an hatte, dieser insektenhafte Spürsinn, die frühe Einsicht in die scheinbare Absurdität der Existenz und die Vergänglichkeit der Dinge, die Unmöglichkeit des Zusammenseins (was zum großen Problem seines Lebens als erwachsener Mann werden sollte) verstärkten das Gefühl der Leere, die sich nicht füllen läßt, das schmerzliche Verlustgefühl. Die Mutter liebt er über alle Maßen, sie ist das Idealbild seiner Liebe, die einzigartige Verkörperung der Frau, mit der – außer Consuelo – alle Frauen kollidieren, die in Antoines Welt treten und die er nie wirklich, voll und ganz zu lieben vermochte. Die metaphysische Problematik zeigt sich bereits dort, im scheinbar so friedlichen Schloß La Môle und auf Schloß Saint-Maurice, am Fuße des Jura. Alles scheint perfekt, heiter und sicher, aber Antoine durchlebt bereits die ersten Qualen einer sorgenvollen Unruhe, einer Einsamkeit, die vom Anbeginn der Welt kommt. Das Zubettgehen in den Mansardenzimmern von Saint-Maurice hat für ihn nichts von einem willkommenen Moment der Ruhe. Oft ruft er nach seiner Mutter, wie der kleine Marcel in Prousts *In Swanns Welt*. Manchmal kommt sie, nicht immer. Er lauscht auf das Geräusch ihrer Schritte im Gang, das Rascheln ihres Seidenkleides, wenn es die Wände streift. Undeutlich hört er das Stimmengemurmel aus dem großen Salon, die endlosen Kartenspiele, denen sie sich widmet. Häufig vergißt sie, noch einmal nach ihm zu sehen, so sehr nimmt die Konversation mit Tanten, Onkeln und Freunden sie in Anspruch. Das Brummen des kleinen blauen Ofens neben ihm hindert ihn am Einschlafen … Alle Kindheitsfotos Antoines zeigen ihn mit diesem etwas abwesenden, gedankenverlorenen Blick, offenbaren den Ernst, den der merkwürdige Junge an den Tag legt.

Unten: Musikunterricht im Salon von Schloß Saint-Maurice. Antoine und Marie-Madeleine spielen Geige. Rechts: Im Internat in Fribourg/Schweiz, bei den Marianisten.

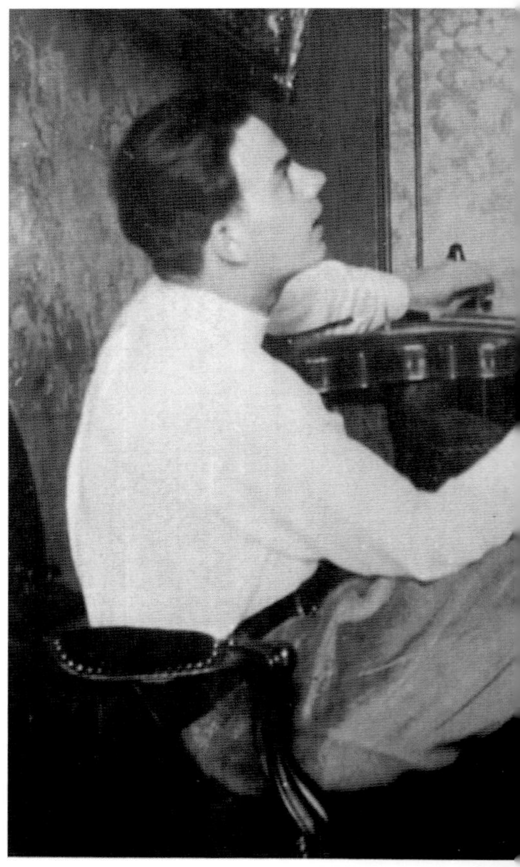

*«**Der Tod ist mir egal, aber ich will nicht, daß die geistige Gemeinschaft befleckt wird. Ich wünsche mir, daß wir alle an einem weißgedeckten Tisch zusammensitzen.**» Briefe an die Mutter*

In der Kapelle von Saint-Maurice

Das kleine Bauwerk im neogotischen Stil, wie sie Ende des 19. Jahrhunderts häufig zu sehen waren, steht am Eingang von Schloß Saint-Maurice. In die Schwelle sind einige Worte eingraviert, die man etwa mit «Dorthin laßt auch uns gehen» übersetzen könnte. Gemeint ist höchstwahrscheinlich der Himmel, an den die Geschwister voller Inbrunst glauben. Die Comtesse de Tricaud, die so gastfreundliche Tante, die Marie und ihre Kinder bei sich in Saint-Maurice aufgenommen hat, läßt ihren geliebten Nichten und Neffen eine sehr katholische Erziehung angedeihen. Jeden Tag bewegt sich eine kleine Prozession zur Kapelle, wo zusammen mit den Hausangestellten die Vesper gesungen wird. Der Pfarrer von Saint-Maurice, Pater Montessuy, kommt täglich ins Schloß. Bei Tisch ist stets für ihn gedeckt, er nimmt die Beichte auf dem Schloß ab, nimmt am Familienleben teil, kümmert sich um die religiöse Unterweisung der Kinder, schätzt das Kartenspiel und ist einem Gläschen Alkohol hier und da nicht abgeneigt … Er strahlt Autorität aus, in seiner Soutane, wird von allen respektiert und fördert mit seinen Predigten und Geschichten aus der Heiligen Schrift die dichterische Phantasie der Kinder. Damals ist Antoine sehr empfänglich für Religiöses. Aus dieser frommen, von regelmäßigen Kirchgängen geprägten Kindheit rührt seine spätere Vorliebe für Rituale, die Achtung vor der Tradition, die Sehnsucht nach dem Sakralen und das Verlangen nach dem Jenseits.

«Ich kann nicht an mein Fleckchen Heimat denken, ohne mich schrecklich danach zu sehnen. Und ohne mit geballten Fäusten inmitten all dieser Menschen zu stehen und an den Duft der Linden von Saint-Maurice zu denken, an den Geruch der Schränke, an deine Stimme, an die Öllampen aus Agay.» *Briefe an die Mutter*

Im Internat Sainte-Croix in Le Mans

Links oben:
Simone und Gabrielle vor der Kapelle von Saint-Maurice.

Darunter:
Schloß Saint-Maurice.

Antoines Schulzeit in Sainte-Croix beginnt am 7. Oktober 1909 und endet im Juni 1915. Sechs schwierige Jahre, die er mit Melancholie und Traurigkeit erträgt. Die dort herrschende unerbittliche Disziplin, das ausschließlich männliche Umfeld, die Unduldsamkeit und die religiöse Strenge machen sein Heimweh nach Saint-Maurice groß – daß seine Mutter nicht bei ihm ist, erscheint ihm unerträglich. 1922, als er seinen Militärdienst absolviert, schreibt er ihr diesen aufwühlenden Brief: «Es stimmt, heute Abend bin ich so traurig, daß ich weinen könnte. Es ist nun mal so, daß du mein einziger Trost bist, wenn ich traurig bin. Als ich klein war, kam ich einmal, mit meinem großen Ranzen auf dem Rücken, schluchzend nach Hause, weil ich bestraft worden war, weißt du noch, in Le Mans – und ein einfacher Kuß von dir hat mich alles vergessen lassen. […] In deinem Haus fühlte ich mich geborgen, man war in Sicherheit in deinem Haus, ich gehörte einfach nur dir, das war gut.» Diese Worte sagen viel über seine seelische Not. Das Bedürfnis, das Antoine immer wieder dringlich zum Ausdruck brachte, war das nach Sicherheit.

Die Mutter und das familiäre Zuhause werden zu seinen bevorzugten Sehnsuchtsobjekten. Ein Brief aus der Zeit in Le Mans bestätigt sein Heimweh: «Liebste Mama, ich möchte dich wiedersehen», schreibt er ihr am 11. Juni 1910. In Le Mans, wo seine Kameraden ihn wegen seiner großen Füße Tatane («Quadratlatschen») rufen und ihm wegen seiner Himmelfahrtsnase den Spitznamen Pique-la-Lune («Mondpieker») verpassen, tut er sich nur im Französischunterricht hervor. Ansonsten ist er ein unordentlicher Schüler, häufig flegelhaft und mürrisch, der sich nicht für das Leben an der Schule interessiert. Seine Empfindsamkeit ist seine innere Zuflucht. Das streng religiöse Leben, die fast militärische Disziplin und, als Externer der Internatsschule, die asketischen Abende mit seinem Großvater väterlicherseits hätten seine Feinfühligkeit zerstören können. Aber er wußte sie zu bewahren, wenngleich sich seitdem etwas Unaussprechliches, Düsteres über ihn gelegt hatte. Als hätten diese Jahre in den engen Mauern des Internats seine Lebensfreude getrübt, einen Schatten auf sein kommendes Leben geworfen und das unaufhaltsame Verrinnen der Zeit vorweggenommen …

Die Flugtaufe

Juli 1912: Es sind Ferien und Antoine verbringt den Sommer im Kreise seiner Geschwister in Saint-Maurice. Sie erfinden Spiele, machen Fahrradtouren. Das Flugfeld von Ambérieu, wenige Kilometer vom Schloß entfernt, übt eine besondere Anziehungskraft auf Antoine aus. Zusammen mit seiner Schwester klettert er über den hohen Zaun des Parks und läuft über Feldwege zu den Hangars mit den Flugzeug-Prototypen. Der Unternehmer Berthaud hat mit Hilfe des Know-how der polnischen Brüder Wroblewski-Salvez ein neues Flugzeug mit einem relativ starken 70-PS-Motor entwickelt. Seit Tagen träumt Antoine davon, in dieser Maschine mitzufliegen, aber der Mechaniker vor Ort redet es ihm aus, weil er weiß, daß Madame de Saint Exupéry dies nie und nimmer erlauben würde. Doch Antoine ist ein Dickschädel und gibt so schnell nicht auf. Eines Morgens erscheint er auf dem Flugplatz und erklärt dem jungen Salvez, der selber erst seit wenigen Wochen Pilot ist, ganz unverfroren, seine Mutter habe ihm endlich erlaubt, seine Flugtaufe zu machen. Salvez willigt ein und läßt Antoine ins Flugzeug steigen. Kurz darauf fliegen die beiden eine Runde über das Gelände. Antoine ist begeistert, er empfindet den Moment als heilig: «Taufe» ist für ihn kein leeres Wort, er verbindet damit etwas Göttliches; die Taufe macht ihn zum Teil einer Gemeinschaft. Zwölf Jahre ist er alt. Vielleicht wurde seine Berufung zum Piloten in diesem Augenblick geboren. Doch noch grundlegender ist das Erwachen eines Bewußtseins, das dort seine Prägung erhielt. Der Traum des Ikarus beginnt Gestalt anzunehmen, wird in ihm leibhaftig, entwickelt sich zum Ausgangspunkt seiner Empfindsamkeit und seines Lebens. Er hat sich den Elementen ausgeliefert, der Macht des Windes, den unbeschreiblichen Sinneseindrücken der Vögel, dem Heldenmut des Piloten, welcher über sich selbst hinauswächst und für die Erhabenheit des Menschen steht, seine Apotheose. In *Südkurier* wie in *Nachtflug*, in *Wind, Sand und Sterne* wie in *Flug nach Arras* vertieft er diese erste, intensive Erfahrung, die ihn nicht nur mit den Menschen verbindet, sondern auch mit kosmischen Kräften. Mit dem Universum. Jener Sommertag ist ein Tag der Offenbarung. In gewisser Weise hat sich für ihn an jenem Tag der Traum des Ikarus erfüllt.

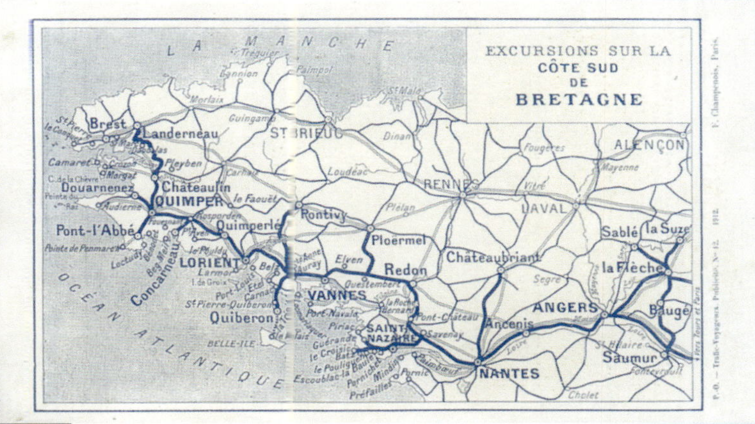

Ganz oben:
Das Flugzeug, in dem Antoine zusammen mit dem jungen Piloten Gabriel Salvez seinen Jungfernflug absolviert hat.
Links: Antoine in Carnac, in jenem Sommer des Jahres 1912.
Oben: Kartenausschnitt aus einer Werbung für Reisen in die südliche Bretagne.

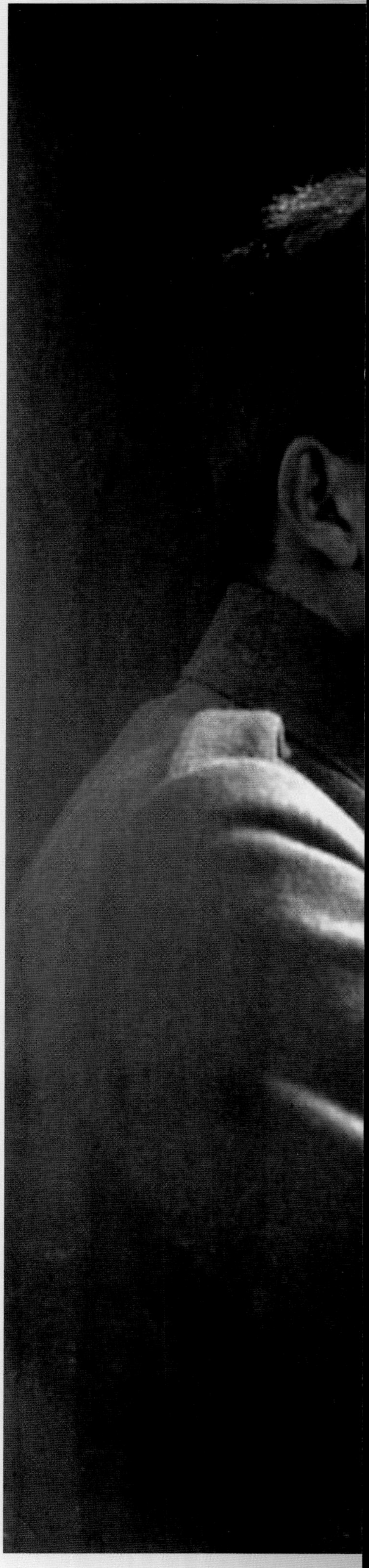

Antoine, um 1917.

Im Internat in Fribourg

Antoine trifft im November 1915 im Internat in der Villa Saint-Jean ein, einige Wochen nach dem offiziellen Unterrichtsbeginn, und bleibt bis zum Ende des Schuljahres 1917. Das Institut wird von marianistischen Ordensbrüdern geleitet. Es herrscht eine strenge, aber wohlwollende Disziplin, nicht zu vergleichen mit jener im Collège Saint-Croix in Le Mans. Und auch wenn der süße mütterliche Friede von Saint-Maurice fern ist, fühlt er sich den Seinen nahe, ist doch sein kleiner Bruder François mit ihm im Internat untergebracht. So wird die Villa Saint-Jean für Antoine zu einem Ort, an dem er sich sicher fühlt und wachsen kann. Die Lehrer sind nachgiebig und behandeln ihre Schüler mit Respekt. Abgesehen vom üblichen Pflichtunterricht wird viel Sport getrieben. Antoine ist kein Freund von Gemeinschaftssport, läuft aber gerne Schlittschuh auf der Sarrine, dem Flüßchen, das durch Fribourg fließt. Die ländlich-rustikale Atmosphäre (zum Beispiel sehen die Schlafsäle der Schüler wie Almhütten aus) vermittelt das Gefühl, zwar nicht wirklich in den Ferien, aber doch an einem friedvollen Ort zu sein. Antoine ist nach wie vor ein mittelmäßiger Schüler, fällt jedoch durch gute Aufsätze auf, und seine literarischen Versuche machen Fortschritte: Er schreibt kurze Gedichte, von denen eines die Flugtaufe thematisiert, die ihn so stark geprägt hat. Er verfaßt sogar eine kleine Operette, *Le Parapluie* («Der Regenschirm»), die er seinem Klavierlehrer in Lyon widmet.

Ein Hauch Saint-Maurice scheint die Villa Saint-Jean zu durchwehen. Es gibt Ähnlichkeiten im Klima und in den Farben, als seien die berühmten Tannen im Park seiner Kindheit, rund um «die weiße Villa unter den Pinien», die er in *Südkurier* beschreibt, nur einen Steinwurf entfernt. Doch Antoine wird das permanente Gefühl der Verbannung und Einsamkeit nicht los, das aus dem finsteren, tiefernsten Ausdruck spricht, den sein Gesicht manchmal annimmt. Er hat den Eindruck, niemals wieder ganz zu den Seinen «dazugehören» zu können, niemals Teil dieser geistigen Verbundenheit zu sein, nach der er sich sehnt und die er nicht erreichen kann. Und obendrein herrscht Krieg. Antoine, der in Fribourg Deutsch lernt, ist wenig empfänglich für diese Sprache, wie auch für andere Fremdsprachen. Französisch bevorzugte er in einer Art

«Doch manchmal träume ich von einem Leben, in dem es ein Tischtuch gibt und Obst, Spaziergänge unter Linden, vielleicht eine Frau, ein Leben, in dem man die Leute freundlich grüßt, wenn man sie trifft, statt auf sie zu schießen, in dem man sich nicht mit zweihundert Stundenkilometern im Nebel verirrt, in dem man über weißen Kies läuft statt über endlosen Sand. All das ist so fern!» *Briefe an die Mutter*

intuitivem Patriotismus und einem Wunsch nach Zugehörigkeit. Doch das Verlassenheitsgefühl bleibt bestehen. Die beiden einzigen heute veröffentlichten Briefe, die er in Fribourg geschrieben hat, zeugen von seiner Verunsicherung: «Ich erwarte dich voller Ungeduld», schreibt er seiner Mutter, die, zur Verzweiflung Antoines, ihren Besuch verschiebt. Etwas Verhängnisvolles wohnt diesen Jahren inne: Der Krieg, die Einsamkeit, das Fehlen der Mutter, die Krankheit von François, der an Gelenkrheumatismus leidet, stürzen ihn in eine Art Depression, die von nun an sein latenter Gemütszustand werden sollte. Der Schlagschatten seiner inneren Sonne läßt beunruhigende Lichter in ihm aufflackern, die er nur schwer verbergen kann. Die Religion ist ihm in jener Zeit eine Stütze; er praktiziert sie eifrig, zuerst auf Antrieb der Marianisten-Brüder. Die Heilige Jungfrau Maria, Namensstifterin dieser Ordensgemeinschaft, wird jeden Tag verehrt. Aus jener Zeit rührt eine gewisse Marienfrömmigkeit, die Antoine bis zu seinem Tod bewahrt und ihn, zusammen mit seiner Frau Consuelo, 1940 sogar nach Lourdes führt, wo er in das wundertätige Wasserbecken eintaucht. An Pfingsten 1917 kehrt er ein letztes Mal für ein paar Tage der Besinnung in die Schweiz zurück, in die Nähe von Luzern, an den Vierwaldstättersee. Von diesem Aufenthalt gibt es sogar ein Photo: Es zeigt Antoine mit zwei anderen Internatsschülern auf einem steinernen Portal sitzend, mit dem See im Hintergrund. Antoine ist 17 Jahre alt. Seine Jugend ist bereits umwölkt von dramatischen Ereignissen, Sorgen und innerer Unruhe. Wie der Zermürbung durch die Zeit entgehen? Wie zur Klarheit der Jugend zurückfinden? Er erkennt die Erbarmungslosigkeit der Zeit, versteht, daß man sie nicht zurückdrehen kann. Ein Wunschtraum sollte daraus erwachsen, vielleicht sogar eine Geschichte.

Unten: Antoine, um 1907.
Rechts: François, Antoines jüngerer Bruder, auf dem Totenbett.

Der Tod des Bruders

Am 10. Juli 1917 stirbt Antoines Bruder François im Alter von 14 Jahren an den Folgen einer schweren Erkältung. Dieses erste bewußte Zusammentreffen mit dem Tod – Auftakt zu einer ganzen Folge von Verlusten, die er erleiden sollte – hallte noch lange in Antoine nach. Die ursprünglichste aller Trennungen, die Entbindung, war bereits die erste Vorahnung. Geborenwerden heißt auch sterben, sich für immer in die Welt geworfen fühlen. Diese metaphysische Zerreißprobe sollte unauslöschliche Spuren in ihm hinterlassen. Er hatte sehr an seinem um zwei Jahre jüngeren Bruder gehangen und ihn stets beschützt. In Fribourg, fern der Mutter, der Schwestern und des heimatlichen Schlosses, fühlt er sich verlassen, verloren. François' Tod sollte dieses Gefühl noch verstärken. Während seines Todeskampfes verhält sich François wie ein Heiliger und sagt tröstende Worte. Antoine bewahrt sie im Gedächtnis, sie sind seine Wegzehrung, um im Leben voranzukommen: keine Angst vor dem Tod haben, da er sowieso unumkehrbar ist; wenn der Körper schwach wird, ist der Geist umso wacher und macht sich auf, das große Abenteuer des «Wesentlichen» zu erkunden. Er merkt sich François' Ratschläge und bedient sich ihrer wie Talismane, Wege zum Seelenheil. In der bemerkenswerten Erzählung *Flug nach Arras* beschreibt er, wie ihm der Geist seines Bruders erscheint, als er sich während eines Aufklärungsflugs verloren glaubt und keine andere Lösung sieht, als die Seinen heraufzubeschwören, die Kindheit, die glücklichen Tage, wie um dadurch dem Feind zu trotzen. «Man stirbt nicht. Die Angst vor dem Tod ist eine Einbildung: Man fürchtet das Unerwartete, die Explosion, man fürchtet sich selbst. Den Tod? Nein. Da ist kein Tod mehr, wenn man ihm begegnet. Mein Bruder sagte zu mir: ‹Vergiß nicht, das alles aufzuschreiben ...› Wenn der Körper zerfällt, kommt das Wesentliche zum Vorschein. Der Mensch ist nur eine Verknüpfung aus Beziehungen. Beziehungen sind für den Menschen alles, was zählt. Den Körper, den alten Klepper, läßt man liegen. Wer denkt im Tod an sich selbst?» Der leibhaftige Tod, der in seiner Erinnerung weiterlebt wie die Wirklichkeit jener Tage, als Antoine angeblich höchstpersönlich seinen kleinen Bruder auf dem Sterbebett photographiert haben soll. Sind es jene beiden Photos, die uns heute vorliegen? Eines von ihnen zeigt das sehr feierlich geschmückte Totenbett; die zusammengebundenen Vorhänge des Baldachins geben den Blick auf einen Betthimmel aus Damast im Stile Napoleons III. frei.

Für Antoine wurde dieses Photo zu einer regelrechten Ikone, er bewahrte es sein Leben lang bei seinen persönlichen Papieren auf, neben einem Bildnis der Thérèse de Lisieux: eine Heilige und ein «Heiliger», denen er sein Leben und seinen Kummer anvertraut und denen er göttliche Kräfte zuspricht. Beide beschützen und retten ihn mit unsichtbarer Hand vor seinen eigenen Dämonen. Als er *Der kleine Prinz* schreibt, im Sommer 1942 in den USA, in Bevin House, kommen ihm François' Worte spontan in den Sinn. Er legt sie seinem Helden in den Mund: «Mein Stern wird für dich einer der Sterne sein. Wenn du mich gern hast, dann wirst du alle Sterne gern anschauen. Alle werden sie deine Freunde sein. (...) Es wird aussehen, als wäre ich tot, und das wird nicht wahr sein ... Du verstehst. Es ist zu weit. Ich kann diesen Leib da nicht mitnehmen. Er ist zu schwer. Aber er wird daliegen wie eine alte verlassene Hülle. Man soll nicht traurig sein um solche alten Hüllen.» Es ist nicht ausgeschlossen, daß es François' weise Worte waren, die Antoine dazu gebracht haben, zu fliegen und die Sterne besuchen zu wollen. Das Pilotendasein als Möglichkeit, dem geliebten Bruder nah zu sein ...

«Weißt du noch, Paula, in den Märchen aus meinen Kindertagen mußte der Ritter schreckliche Prüfungen bestehen, um zu einem geheimnisvollen, verzauberten Schloß zu gelangen. Er erklomm Gletscher, er überquerte tiefe Schluchten, er durchkreuzte verräterische Absichten. Endlich tauchte das Schloß vor ihm auf [...]. Er sah sich schon als Sieger ... Ach, Paula! Man kann eine alte Märchenerfahrung nicht hinters Licht führen! Das war immer der schwierigste Teil ... So laufe ich nun, wie einst, zur blauen Stunde, auf mein Feuerschloß zu.» *Flug nach Arras*

Unauslöschliche Erinnerungen

Ein wahrer Schatz an Bildern und Erinnerungen bevölkert Antoines Gedankenwelt bis zu seinem Tode. All seine Wurzeln liegen in seiner Kindheit, für ihn die Zeit eines unerschütterlichen Glücks, über deren Verlust er jedoch untröstlich ist. Auf das Verstreichen der Zeit, die Heftigkeit des Krieges, die Ungerechtigkeit, als deren Opfer er sich fühlt, reagiert er mit Entsagung. Von dem Zeitpunkt, an dem er 1943 in den Krieg zieht, bis zu seinem Tod im Juli 1944 spielt Spiritualität eine zentrale Rolle in seinem Schaffen. Abkehr, aber auch Entäußerung, ein Verlangen nach Wüste, sogar Todessehnsucht. Für die allerletzte Prüfung – die für ihn wie ein Gang zum Scheiterhaufen ist, eine Selbsthingabe, ein Opfer an das, was größer ist als er und von ihm Gott genannt wird, obwohl er keine spezielle Religion daran festmacht – wappnet er sich lediglich mit ein paar Worten, ein paar starken Motiven, die ihm dabei helfen sollen, dem Tod entgegenzutreten. Alle haben einen Bezug zur Kindheit; sie heißen «der Geschmack von Weihnachten», das Brummen des Ofens, die großen Tannen, das ozeangroße Bett der Mutter und das absolut faltenfreie weiße Tischtuch, Symbol eines anderen Letzten Abendmahls. Das Ideal, seine Suche nach dem Engel, sein Bedürfnis nach Reinheit, alles hat mit der Kindheit zu tun. Mit dieser geistigen Wegzehrung absolviert Saint Exupéry seine letzten Aufklärungsflüge. Er ruft sie herbei wie zum Gebet, weil sie seine schützende Rüstung sind und seine einzige Rettung. In diesem Zusammenhang ist auch die schöne Passage aus *Flug nach Arras* zu sehen, wo er sich mit Paula, seinem Tiroler Kindermädchen, unterhält. Die Erinnerung an diese Verbindung macht sein Inneres wieder heil und fügt die beiden Enden seines Lebens wieder zusammen. Der Gedanke an Paula beruhigt und tröstet ihn, und vor allem vermittelt er ihm ein Gefühl der Zugehörigkeit.

Ein seltsamer Student

Vom Lycée Saint-Louis in Paris bis zur École Bossuet, wo er nach dem Internat in Fribourg seine Studien fortsetzt, feilt Antoine an seinem Auftreten als Bohemien. Der Krieg dauert länger als geplant, und um die Langeweile zu vertreiben, beeilt er sich, seinen Militärdienst hinter sich zu bringen. Er kann es kaum erwarten und fürchtet schon, der Krieg könne vorüber sein, bevor er eingezogen wird. Er will seinen Beitrag leisten, will teilnehmen und kämpft mit seiner ewigen Angst, nicht anerkannt zu werden. Seine Familie wählt die École Navale für ihn aus, die Marineakademie, die auch «la Royale», die Königliche, genannt wird, weil die Schülerschaft hauptsächlich aus jungen Männern adliger oder großbürgerlicher Herkunft besteht. Für die Mutter, die den Tod eines weiteren Sohnes nicht ertragen könnte, war das entscheidende Argument der Ruf der Marineakademie, in Kriegszeiten relativ wenige Verluste zu haben. Also: an die Navale mit ihm! Aber Antoine bereitet sich so gut wie gar nicht auf die Aufnahmeprüfungen vor. Er hätte es nicht besser anstellen können, um durch die Prüfungen durchzufallen: Paris, sein Fernbleiben vom Unterricht, die «Liebchen», denen er Besuche abstattet, die einsamen Spaziergänge zu den Bouquinisten; er genießt die Opernbesuche mit der Prinzessin von Belgien und die Gesellschaft der aristokratischen Eliten bei seiner Cousine Yvonne de Lestrange, mag aber gleichzeitig auch die zwielichtigen Orte, wo sich ihm ganz andere Lebensgeschichten offenbaren. Stets ist er von einem melancholischen Grundton bestimmt, einer durchdringenden Traurigkeit und von dem Gefühl, von der wilden schöpferischen Energie, die in ihm ist, nicht alles zu geben. Er hat Freunde und Kameraden, verkehrt mit vielen Menschen, geht aber zu niemandem eine tiefere Bindung ein. Sein Charakter zeichnet sich deutlich ab: Er ist entgegenkommend, froh, in Gesellschaft zu sein, vergnügt und sogar zu Späßen aufgelegt, aber nichts liebt er so sehr wie die Einsamkeit und das Lesen. Materielle Dinge sind ihm gleichgültig, aber er ist stolz auf seinen Namen und verkündet ihn gerne. Immer wieder wird er von unaussprechlichem Schmerz hinweggerissen, von dem er nicht ablassen kann. So erlangt er schon früh eine für sein Alter ungewöhnliche menschliche Tiefe, in der sich Überschwang mit Einsamkeit paart, Eitelkeit mit Bescheidenheit, Sehnsucht nach Stille mit geräuschvollem Nachtleben. Er zeichnet viel, karikaturenhafte Figuren, lustige kleine Szenen. Er liebt es, diese spontanen Skizzen in seine Briefe einzustreuen: Sie machen seine Worte lebendig und bringen ihn zum Lachen. Das innige Bedürfnis, den Seinen nahe zu sein, quält ihn unablässig. Eine weitere Konstante ist der stete Lobgesang auf die unvergleichliche Mutter, aber auch seine Anforderungen an sie: «Schreib mir jedenTag. [...] Schick mir eins [ein Photo von Gabrielle, genannt Diche], gleich heute abend! Sofort!»

In Saint-Maurice, am Ende der Kindheit.

DER FLIEGER:

DER TRAUM VON IKARUS

(1926

1944

Juni 1917. Der junge Antoine de Saint Exupéry während eines Spaziergangs am Vierwaldstättersee in der Schweiz.

Vorangehende Doppelseite: Antoine de Saint Exupéry, photographiert von John Phillips für die Zeitschrift Life.

OHNE JEDEN EHRGEIZ BEREITET SICH ANTOINE auf die Eingangsprüfung der Marineakademie vor. Wasser, Meer, Ozean sind seine Sache nicht. Mond und Sterne sagen ihm mehr zu als Meeresböden ... Seine Ausbildung verläuft chaotisch. Mit der Disziplin nimmt man es im Pariser Lycée Saint-Louis am Boulevard Saint-Michel, wo er den Vorbereitungsunterricht besucht, 1917 nicht mehr so genau. Den Schülern, die darauf warten, eingezogen zu werden, steht der Sinn nicht nach Büffeln. Antoine entwickelt sich zum Unruhestifter im Unterricht. Seine Verfehlungen dringen bis zu seiner Mutter vor, der er reumütig mehr Konzentration und Ernsthaftigkeit gelobt. Und plötzlich wendet sich das Blatt: Sein Eifer wächst, er mausert sich zum diszipliniertesten Offiziersschüler seiner Klasse. Antoine bereitet sich freudig auf die mögliche Einberufung vor und stellt in seinen Briefen eine patriotische Begeisterung zur Schau, von der seine Mutter ganz gerührt ist. Doch kurz vor seiner Mobilisierung wird der Waffenstillstand unterzeichnet. Große Enttäuschung macht sich breit, die sich auch auf seinen geplanten Eintritt in die Marineakademie überträgt. Er fühlt sich definitiv nicht für diese Laufbahn gemacht, will stattdessen zur Luftwaffe. Im Juni 1919 scheitert er an der Aufnahmeprüfung der Navale: Die schriftliche Französisch-Prüfung besteht er mittelmäßig (7/20 Punkten), im Mündlichen fällt er ganz durch. Der Weg ist frei für andere Berufungen. Die Hochschule der Schönen Künste? Oder doch die Luftwaffe? Doch zuerst muß er fliegen, genügend Flugstunden zusammenbringen, um seinen Entschluß zu rechtfertigen. Er setzt alles daran und bittet seine Mutter um beträchtliche Summen. Er hat seinen Weg gefunden: schreiben und fliegen lernen. In diesem vom Zufall abhängigen Zustand ständiger Abrufbereitschaft vergehen die Tage. Er geht viel aus, führt ein extravagantes Leben: Oper, Comédie Française, Empfänge. Er schafft es, gleichzeitig in dieser Welt zu leben und außerhalb von ihr zu stehen ...

Sisikon
Vierwaldstätter-See
Elektrische Bahn Stansstad-Engelberg
Vitznau-Rigi-Bahn
Pilatus-Bahn
Strassenbahn Altdorf-Flüelen

«Das Flugzeug ist noch in anderer Hinsicht ein Wunder: Mit ihm tauchst du direkt ins Innerste des Mysteriums ein. Du warst ein Biologe, der vom Fenster aus den menschlichen Ameisenhaufen studierte, hast ungerührt auf diese Städte herabgeschaut, wie sie auf ihrer Ebene saßen, im Mittelpunkt des Strahlenkranzes ihrer Straßen, die sie, wie Arterien, mit dem Saft der Felder versorgen. Aber dann hat eine Manometernadel gezittert, und schon hat sich dieses grüne Büschel da unten in ein Universum verwandelt.» Wind, Sand und Sterne

Links:
Jahrgang 1922 der Reserveoffiziere.
Antoine de Saint Exupéry ist in der letzten Reihe etwas rechts von der Mitte.

Unten und rechts:
Militärdienst in Straßburg, 1922.
Antoine de Saint Exupéry gehört dem 2. Jagdfliegerregiment an.

Als Lehrling in Toulouse

Unten:
Eine Rechnung des Grand Hotel Régina in Toulouse, wo Antoine während seiner Ausbildungszeit wohnt.
Rechte Seite, oben:
Handschriftliches aus der Korrespondenz zwischen Antoine de Saint Exupéry und Didier Daurat.
Rechte Seite, unten:
Didier Daurat, Betriebsdirektor bei Latécoère, um 1930.

Er war ein, wie soll ich sagen, etwas merkwürdiger junger Mann …» Mit diesen Worten beschreibt ihn einer seiner Kameraden der Latécoère-Werkshallen in Toulouse-Montaudran. Antoine muß in der Tat seltsam gewirkt haben, inmitten dieser Mechaniker-Truppe, mit der er zusammenarbeitet – mit ölverschmierten Händen, wie er nicht ohne Stolz anmerkt. Wir schreiben das Jahr 1926. Antoine tritt eine Stelle beim Luftfahrtunternehmen Latécoère an (der späteren «Compagnie générale aéropostale», kurz «Aéropostale»). Er erinnert sich an das entscheidende Treffen mit dem Geschäftsführer der Firma, Beppo de Massimi, der ihn dank der Fürsprache gemeinsamer Bekannter empfängt. Saint Exupéry macht eine schwierige Zeit durch. Schon immer war sein Leben vom Wechsel zwischen Euphorie und Niedergeschlagenheit bestimmt, und seine manisch-depressiven Züge, die nach und nach offenbar wurden, verschlimmerten sich in den Kriegsjahren noch, als er sich von allen verlassen fühlte. Ganz naiv glaubt er an die große Liebe, ist hingerissen von der faszinierenden Louise de Vilmorin, die ein ausschweifendes Leben führt, und der er seit einiger Zeit den Hof macht. Der schmachtende Antoine ist Louise vollkommen ergeben, aber sie leben in zwei verschiedenen Welten. Er, der verarmte adlige Bohemien aus der katholischen Provinz, sie, die Pariser Aristokratin aus vermögenden und versnobten Verhältnissen. Louise träumt von einem vornehmen Leben im Luxus, Antoine orientiert sich an geistigen Idealen und strebt ein beinahe mönchisches Leben an. Die Anfang 1923 angekündigte Verlobung wird von Louise im September gelöst. Antoines Kummer ist echt. Tief getroffen trägt er seinen Verdruß nach Paris, wo er bei seiner geliebten Cousine Yvonne de Lestrange unterkommt. Er schreibt viel, besucht regelmäßig die Buchhandlung von Adrienne Monnier, geht unter Menschen, ohne Überzeugung oder Ziel. Aber was er mehr als alles andere will, ist fliegen …

Während des besagten Einstellungsgesprächs mit Massimi gibt Antoine zu verstehen: «Monsieur … Vor allem möchte ich fliegen … Nur fliegen …» Massimi ist gerührt; Antoines starke innere Überzeugung und Ernsthaftigkeit verfehlen ihre Wirkung nicht, und Massimi gibt dem jungen Mann eine Empfehlung für Didier Daurat mit, den anspruchsvollen Betriebsleiter der legendären Aéropostale. Das Abenteuer beginnt auf der untersten Stufe der Karriereleiter. Bevor man ein Flugzeug fliegen darf, muß man es in- und auswendig kennen, hegen und pflegen, instandhalten und lieben. Daurat stellt an seine jungen Männer, Mechaniker wie Piloten, höchste Anforderungen in Sachen Disziplin, Moral und Physik. Alkohol oder abendliche Ausgänge sind tabu. Jeden Morgen um vier Uhr früh ist Abfahrt; der Bus sammelt alle Angestellten in Toulouse ein und karrt sie bei jedem Wetter hinaus zum Rollfeld. Antoine nimmt diese Zwänge hin, doch es fällt ihm schwer, da sein launenhaftes, zerstreutes Wesen mit dieser eisernen Disziplin kaum kompatibel ist. Aber es erinnert ihn an seine Internatszeit, und so lernt er den Beruf von der Pike auf. Noch gehört er zum Bodenpersonal, doch er wartet, bis die Reihe an ihn kommt. Wann wird er sich seinen unglaublichen Traum erfüllen, die nächste Stufe erklimmen, sich

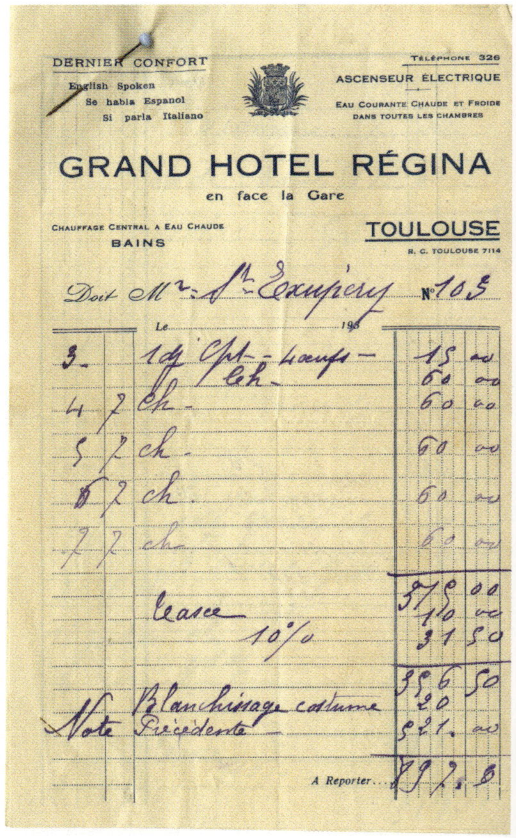
DERNIER CONFORT
English Spoken
Se habla Espanol
Si parla Italiano

TÉLÉPHONE 326
ASCENSEUR ÉLECTRIQUE
EAU COURANTE CHAUDE ET FROIDE DANS TOUTES LES CHAMBRES

GRAND HOTEL RÉGINA
en face la Gare

CHAUFFAGE CENTRAL A EAU CHAUDE
BAINS

TOULOUSE
R. C. TOULOUSE 7114

Doit Mr St Exupéry N° 103

Le ……… 19

3		1 dj Cpt – oeufs – ch	15 / 60	00 / 00
4	7	ch	60	00
5	7	ch	60	00
6	7	ch	60	00
7	7	ch	60	00
			315	00
		taxe	10	00
		10 %	31	50
			356	50
		Blanchissage costume	20	
		Note Précédente	521	00
		A Reporter …	897	50

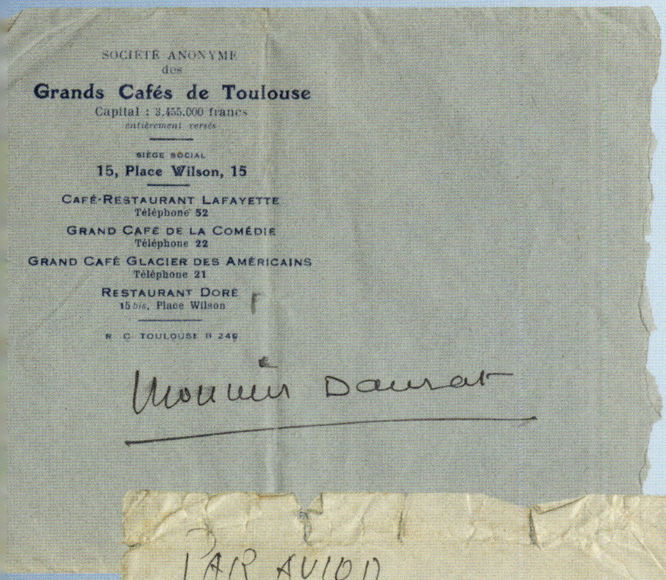
SOCIÉTÉ ANONYME
des
Grands Cafés de Toulouse
Capital : 3.455.000 francs
entièrement versés

SIÈGE SOCIAL
15, Place Wilson, 15

CAFÉ-RESTAURANT LAFAYETTE
Téléphone 52
GRAND CAFÉ DE LA COMÉDIE
Téléphone 22
GRAND CAFÉ GLACIER DES AMÉRICAINS
Téléphone 21
RESTAURANT DORÉ
15bis, Place Wilson

R. C. TOULOUSE N 249

Monsieur Daurat

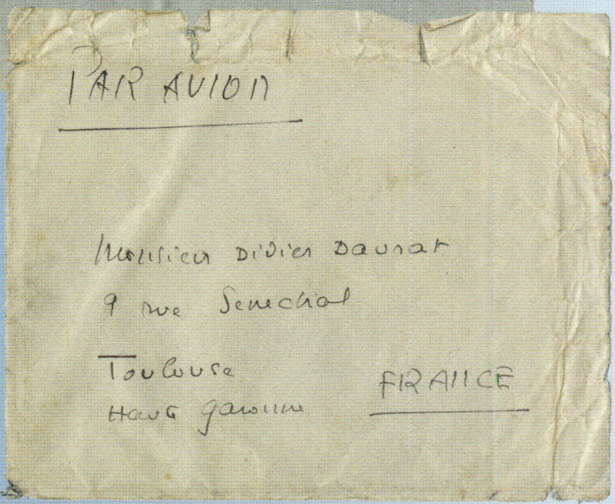
PAR AVION

Monsieur Didier Daurat
9 rue Senechal
Toulouse
Haute Garonne
FRANCE

alleine in die Wolken aufschwingen, allein und unendlich frei? Für ihn war das Flugzeug immer schon mit dieser Urform der Freiheit verbunden, der allerersten, weiten, schöpferischen Freiheit. Jeden Abend kehrt er nach Toulouse zurück, wo er entweder im Hotel Grand Balcon wohnt, direkt am berühmten Place du Capitole, oder im Grand Hotel Regina, gegenüber des Bahnhofs und unweit des Rotlichtviertels, Zimmer 103 mit Bad. Er hat ein paar Freunde, zwei oder drei, die, wie er, auch einmal still sein können und nicht dauernd schwatzen. Abends im Hotel versucht er zu entspannen, läßt sich auf der Terrasse einer Brasserie nieder (meistens im Café Lafayette, Place Wilson) und schreibt seinen Pariser Freunden, seiner Familie. Renée de Saussine, genannt Rinette, ist zu jener Zeit eine seiner liebsten Brieffreundinnen. Er vertraut ihr seine Sorgen an, seinen Ärger, seine depressiven Momente, seine Sehnsüchte, und manchmal überkommt es ihn, und er erzählt ihr von Flugzeugen, von der Fliegerei: «Das ist keine Spielerei, das ist es, was ich an ihr liebe. Es ist auch kein Sport wie in Le Bourget, es ist etwas anderes, Unerklärliches, eine Art Krieg. So ein Abflug eines Postflugzeugs im Morgengrauen, im Regen, das ist schön. Die schläfrigen Leute von der Nachtschicht, das für Spanien angekündigte Gewitter, das den Piloten wachrütteln wird, der Nebel über den Pyrenäen. Dann, nach dem Start, während er Probleme löst, kämpft man mit dem Schlamm.»

Toulouse ist tatsächlich die erste Etappe der Einführung in die Fliegerei. Der Unterricht von Didier Daurat sollte sich als sehr bedeutender Teil seiner Ausbildung erweisen. Daurat formt Menschen und Seelen. Er prägt seine Männer, impft ihnen die brennende Leidenschaft für diesen Beruf ein; meist ist er dabei ganz gelassen, manchmal aber auch erbarmungslos. Er duldet keine Verstößte, macht keine Zugeständnisse: Das ist der Preis, den man bezahlen muß, um hinter das wahre Geheimnis des Pilotenberufes zu kommen, sagt er. Antoine, der die Welt und die Menschen schon immer irgendwie idealisiert hat, verinnerlicht Daurats Unterrichtsinhalte mehr als alle anderen. Es geht nicht nur darum, den Gesetzen der Schwerkraft zu trotzen, wie ein Vogel oder wie «ein junger Gott» zu fliegen, sondern auch darum, die Truppe zusammenzuhalten, diesen wirren Haufen aus sich selbst überlassenen Individuen zusammenzuschmieden. Eine wahrlich beflügelnde Aufgabe, auf die er in seinem gesamten Werk immer wieder zurückkommt. Darin liegt für ihn das «Herz des Mysteriums».

«Die Erde umfängt ihn und wird zum Karussell, dreht sich, und mit ihr dreht sich der Wald, drehen sich die Kirchtürme, die Felder. Der Pilot sieht noch eine weiße Villa vorbeirasen, wie mit der Schleuder abgeschossen.» *Der Flieger*

Das Flugzeug ist schon in Saint Exupérys ersten Texten die zentrale Figur.

«Der Flieger» in *Le Navire d'Argent*

Pech in der Liebe in Gestalt der geplatzten Verlobung mit Louise de Vilmorin, der gescheiterte Versuch, einer „bodenständigen" Arbeit nachzugehen (ein Zugeständnis an die Verlobte, aber wie soll man sich Saint Exupéry auch als Handelsvertreter vorstellen?), und ein allgemeiner Verlust an Selbstvertrauen brachten ihn dazu, sich ganz dem Schreiben zu widmen. Es heißt, Antoine habe in den Jahren 1925 bis 1927 ohne Unterlaß geschrieben. Novelle, Erzählung, Essay, er bedient sich aller Gattungen, um das Gefühl loszuwerden, daß er seine Zeit vergeudet. Schreiben also, um dem stumpfen Einerlei der aufeinander folgenden Tage und der inneren Vereinsamung zu entkommen. Er schreibt und erwartet von seinen Vertrauten, daß sie es gleich lesen, fordert positive, wohlwollende Urteile ein, «sonst schreibe ich nie wieder irgendetwas», droht er Renée de Saussine 1925.

Der Flieger, im Original *L'Aviateur*, einer seiner ersten Texte, offenbart seinen brennenden Wunsch zu fliegen. Obwohl er noch keine Erfahrung hat, schreibt er virtuos über das Flugzeug, die Emotionen, die es hervorruft, und seine Fähigkeit, den Menschen zu formen. In dieser kurzen Erzählung ist bereits alles da, bis hin zum prägnanten Stil, den man aus *Südkurier* kennt. Aber vor allem ist *Der Flieger* die erste Erzählung Saint Exupérys, in der das Flugzeug als zentrale Figur auftritt, als Romanheld. In seinen langen Texten, von *Südkurier* bis *Flug nach Arras*, findet man stets die gleiche Erkenntnis: Der absurde Gang der Dinge und der Welt, die Aneinanderreihung sich wiederholender Tage, der Herdentrieb des Menschen – all das bringt ihn zur Verzweiflung und weckt in ihm die Sehnsucht nach einem anderen Ort, an dem er freier, sicherer und, vor allem, erlöst ist. Das Bett seiner Mutter, groß wie der Ozean, in dem man sich so schön verkriechen kann, und die unendliche Weite des Himmels entwickeln sich für ihn immer mehr zum sichersten Ausweg aus der Gleichförmigkeit der Existenz. *Der Flieger*, erschienen bei Adrienne Monnier in der von Jean Prévost geleiteten Zeitschrift *Le Navire d'Argent*, erteilt ihm schließlich das Wort. Die kurze Erzählung erscheint in der letzten Ausgabe, im April 1926.

Pilot sein

Sein ganzes Leben lang beschäftigt sich Saint Exupéry mit dem Beruf des Piloten, erforscht, wofür er steht, und hinterfragt den tieferen Sinn, den er ihm beimißt. So finden sich die gleichen Ideen, die gleichen Formulierungen und die gleichen Anekdoten in seinen Erzählungen und Briefen, aber auch in den Vorträgen, die er Mitte der 1930er Jahre hält. Das Fliegen führt auf das Geheimnis des Daseins zurück, auf das Mysterium des Allumfassenden, Kosmischen. In einem Vortrag mit dem Titel «Am Abend habe ich mein Flugzeug besucht», konkretisiert er seinen Gedanken, indem er versucht, so nah wie möglich an seine mystische Erfahrung heranzukommen. «Es entsteht etwas, das man himmlische Topographie nennen könnte; sie ist bedeutsamer als die irdische und von beinahe okkulter Beschaffenheit, da sie sich häufig nur durch Zeichen ausdrückt. Diese weiße Spur auf dem Meer verweist auf jenen Wind, der, auf diesem Breitengrad, schönes Wetter ankündigt. Diese schwarze Masse dort wirft ein strategisches Problem auf, zerschneidet eine dreidimensionale Welt, in die es einzudringen gilt. Dieser Wind bringt mich voran, jener wirft mich zurück, und bei Einbruch der Nacht sehe ich an der Art, wie der Horizont verschwimmt oder deutlich hervortritt, ob das Bollwerk durchlässig sein wird.» Er etabliert ein ganzes Arsenal an Codes und Zeichen, das einer fast göttlichen Topographie entspricht. Von dort oben aus verlieren sich die menschlichen Bezugspunkte, und man betritt eine neue, faszinierende Kosmogonie; macht man sich diese zu eigen, ist man bereits ein Auserwählter, denn das Aneignen dieser neuen Karte bedeutet, neues Wissen zu erwerben, «und mein Leben erhält einen Sinn», schließt er.

Saint Exupéry hat schon immer an die magischen Kräfte des Pilotenberufs geglaubt, an die Energien und «tellurischen Ströme», die er heraufbeschwört. Fliegen wird zur Kunst und gleichzeitig zur Sittenlehre. Die Spiele seiner Kindheit sind immer präsent. In der Schlacht von Arras ist er Ritter Aklin, der dem Kugelhagel ausweicht, als mache er sich, wie als Kind, einen Spaß daraus, an Gewitterabenden den Regentropfen auszuweichen. Ein Sternenjongleur ist er auch: «Nun mache ich Turnübungen in den Sternen», schreibt er. Während eines Sandsturms orientiert er sich an den Sternen, die verhindern, daß er im Sandmeer untergeht. Nur in der Luft fühlt er sich wahrhaftig, erfüllt. Denn der Schriftsteller ist nie weit weg. Fliegen heißt, Zeichen auf das unermeßliche Blatt Papier des Himmels schreiben. Fliegen heißt auch Wache halten. Hier haben wir ein weiteres großes Motiv Saint Exupérys: Er will den Himmel mit seinem Wohlwollen und seiner Wachsamkeit auspolstern. Er beobachtet die Erde, ihre Städte und Dörfer, er sieht die Häuser mit den erhellten Fenstern und es beruhigt ihn, daß auch er der Erde angehört, von ihr abstammt. Und, besser noch: Durch seine «himmlische» Position ist er sogar in der Lage, sie zu beschützen. Das Pilotendasein läßt ihn eine Metaphysik des Flugzeugs erahnen: Jeder Flug eröffnet neue Wege, um Menschen zu erreichen und zu verbinden.

Blick auf die Erde vom Flugzeug aus, hier wahrscheinlich die Küste von Casablanca.

Oben:
Dieses Photo, das das Datum Juni 1929 trägt, wurde Antoine de Saint Exupéry von Kommandant Weiss gewidmet, als er 5000 Flugkilometer hinter sich hatte.

Links:
Abschiedsessen für den Piloten Paul Vachet, einem Freund Antoine de Saint Exupérys, am 29. Oktober 1929.

Die Menschen verbinden – die Aéropostale

Saint Exupéry wird also Luftpostpionier. Doch schon bald wird ihm klar, daß es hierbei nicht einfach nur um Flugzeuge und abenteuerliche Herausforderungen geht. Kaum gehört er zur Aéropostale, erkennt er auch schon die Tragweite dieses grandiosen, gefährlichen, ungeheuerlichen Projekts: Neue Fluglinien sollen erschlossen werden, um das Unbekannte der Erde immer weiter zurückzudrängen und über die Grenzen der Kontinente hinaus eine Bruderschaft zu versammeln. Diese abenteuerliche Angelegenheit erfordert starke Persönlichkeiten, die mental und körperlich in bester Verfassung sind – und Raum für Spiritualität lassen, würde er hinzufügen. Denn Saint Exupéry erweitert die Fliegerei um die Dimension des Symbolischen. Wenn man alleine im Cockpit eines Flugzeugs sitzt, dessen Zuverlässigkeit man nicht abschätzen kann, dann riskiert man den Tod. Die Fliegerei rührt an das Wesentliche: an das Leben, indem sie fast überall in der Welt Niederlassungen gründet, gleichzeitig aber auch an den Tod, der immer unvorhergesehen kommt.

Saint Exupéry tritt in die Aéropostale ein wie man einer Religion beitritt, dank einer noch frischen, aber unbezwingbaren Erfahrung, die er bereits in der Kindheit gemacht hat und die ihn in seinem Willen bestärkt, über sich selbst hinauszuwachsen, andere Bezugspunkte zu finden. Vielleicht auch, den Vater (wieder-) zu finden? Mit seinen Flügeln und der Fähigkeit, den alten Traum des Ikarus wahr werden zu lassen, erhebt das Flugzeug seinen Piloten in den Rang von Engeln und Märchenhelden. Er trotzt Gewittern, durchbricht dichte Wolken, fliegt manchmal blind, riskiert einen Absturz im Meer oder eine Kollision mit einer Bergwand. Wenn er fremde Gegenden überfliegt, berührt er das Unbekannte und ist dem Aufenthaltsort Gottes nahe, wie seine Religion behauptet. Engel, Erzengel, geflügelter (aber freundlicher) Drache – während der langen Stunden der Einsamkeit und Stille hat der Mensch, der mit sich allein ist, alle Zeit der Welt, um nachzudenken, sich mit dem Wesentlichen auseinanderzusetzen, zu den Orten vorzustoßen, an denen die Sterne aufgehängt sind. Sie werden seine Verbündeten in der endlosen, finsteren Nacht.

Wie soll man sich da nicht mit Spiritualität beschäftigen? Sie ist Nahrung für ihn und fließt in seine Texte ein. In dieser Hinsicht ist *Die Stadt in der Wüste* sein Meisterwerk. So fliegt er in der Nacktheit des Piloten, der die Nacht bezwingt. Am Boden hat er seine gesamte neue Familie zurückgelassen, den Chef, die Piloten, die Mechaniker, das Bodenpersonal, die Sekretärinnen. Er weiß, daß sie seinen Weg verfolgen und seine Ankunft erwarten, von der sie über Funk in Kenntnis gesetzt werden. Er weiß auch, daß der Funk manchmal meldet, daß ein Pilot nicht angekommen ist. Ein finsterer, schwerer Moment. Er weiß, daß dies das Gesetz des Piloten ist, daß es seine Pflicht ist, weiterzufliegen. Etwas anderes steht auf dem Spiel, leuchtend und lodernd. Er reiht sich in den langen, glücklichen Tanz der Menschen ein, den die Maler der Moderne in den 1920er Jahren malen sollten: den brüderlichen, den menschlichen Reigen.

Flugzeugmystik: die Erlebnisse in Cap Juby

Die Jahre 1926–1927 verbringt Saint Exupéry in Cap Juby, einer Landzunge zwischen Sand und Meer, «fern jeder Existenz», wie er seiner Mutter schreibt. Er ist bereits ein erfahrener Pilot, als er die Route durch die «nicht besetzte Sahara» fliegt und dann seine Erfahrungen als Chef des Flugplatzes macht. Das Leben dort ist «mönchisch», liebreizend und grausam zugleich, fühlt sich sicher an unterm Sternenzelt, ist aber, nur wenige hundert Meter von den Mauren und den spanischen Wachtposten entfernt, gefährlich. Baracken, eine holprige Piste und ringsum die Gewalt der Elemente. Antoine erlebt ungefiltert die Armut. Er erzählt seiner Mutter davon, seinem Schwager, seiner Schwester Didi. In diesem Nirgendwo macht er sich mit anderen Alphabeten vertraut, mit anderen Welten.

Aus Cap Juby sollte nicht nur ein Buch hervorgehen *(Südkurier)*, es war auch eine einzige große Lerneinheit, deren Spuren sich bis in sein allerletztes Werk, *Die Stadt in der Wüste*, ziehen. Es weiß die Zuneigung der Araber zu gewinnen, spielt mit ihren Kindern, lernt, welche Regeln beim Schriftverkehr mit altehrwürdigen Marabouts zu beachten sind, empfängt in seinem Zelt maurische Stammesführer, zähmt einen Wüstenfuchs und ein Chamäleon. Die ganze Saint Exupéry'sche Katechese ist hier bereits vorhanden. Zähmen, lieben, zurückkehren, bewundern, nachdenken, teilen … Es gefällt ihm, wie ein Mönch zu leben. Es macht ihm nichts aus, nur «ein Brett mit einer dünnen Strohmatratze, eine Waschschüssel und einen Wasserkrug» zu haben. Er lebt immer in Widersprüchen, nimmt ein Angebot von Luxus und Annehmlichkeiten zwar gerne wahr, gibt sich aber auch mit dem Allergeringsten zufrieden.

In dieser Einsamkeit, die er mit seinen Träumereien und Sehnsüchten bevölkert, schreibt er. Surreale Bilder tauchen unvermittelt vor ihm auf und tragen ihn nach Hause, nach Frankreich, nach Saint-Maurice oder Saint-Raphaël. Wenn sich an den Tagen der Nachschublieferungen ein Segel am Horizont aufrichtet, dann denkt er «an die alten Zimmermädchen, die ihr Leben lang weiße Tischtücher bügeln und sie in den Schränken aufstapeln» … Das Bild von den gestärkten Tischdecken kehrt immer wieder, wie ein Fixstern … Cap Juby ist das Gegenstück zu den sternenübersäten Nächten, in denen er mit dem Flugzeug das Abenteuer sucht. Es gibt dort nichts als Stille, Wüste, Lichter, die unter den Zeltbahnen hervorscheinen, die Geräusche der Tiere, die über die Rollbahn rennen, und das Gewicht der Sterne. In seiner Hütte gibt er sich ganz dem Schreiben hin. Wie ein Mönch psalmodiert er, sitzt auf einer unbequemen Kiste, eine weitere Kiste dient ihm als Schreibtisch; so schreibt er beim Schein einer flackernden Lampe. Und was er schreibt, wird für ihn zu Fixsternen, zu Heimstätten aus Licht, die ihn trösten und ihm Sicherheit geben. Worte sind Erlöser, geben ihm Kraft zurück. Deswegen hatte er auch immer das unbestimmte Gefühl, Schriftsteller gehörten der gleichen Kategorie an wie Piloten.

Antoine de Saint Exupéry in Cap Juby.

«Noch nie hatte ein Europäer dieses Gebiet erforscht. Ich schritt über vollkommen jungfräulichen Sand. Ich war der erste, der diesen Muschelsand von einer Hand in die andere rieseln ließ, als wäre er kostbares Gold; der erste, der diese Stille durchbrach. Auf dieser kargen Fläche, die, wie eine Eisscholle, seit Ewigkeiten keinen Grashalm mehr hervorgebracht hatte, war ich, wie ein vom Wind herbeigetragenes Samenkorn, das erste Lebenszeugnis.» Wind, Sand und Sterne

Fliegen heißt, die Welt lieben und sie beschützen

Das gesamte Werk greift Motive auf, die Saint Exupéry in Toulouse-Montaudran unter Daurats strengem Regime entdeckt hat. Fliegen ist natürlich eine Form des Schreibens: sich in den Himmel hineinschreiben, seine Spur einritzen, jeden Tag aufs Neue auf dem großen Himmelsblatt eine (Flug-) Linie ziehen. Es fällt auf, daß er selbst sich als Schriftsteller und als Pilot definiert: Beide Berufungen ähneln sich in ihren Vorhaben, ihren Grundlagen und den Turbulenzen, denen sie ausgesetzt sind. Vom Blatt Papier zur unendlichen Fläche des Himmels ist es nur ein Schritt. So wie Zeile um Zeile ein Brief oder ein Buch entsteht, fügen sich die Flugrouten zum weltumspannenden Liniennetz der Aéropostale. Die für sein Schriftbild typischen, winzigen Buchstaben sind von der gleichen Gattung wie die Zeichen, die er mit dem Flugzeug schreibt, der weiße Kondensstreifen hinter ihm. Fliegen, schreiben, das ist für ihn LEBEN. Er preist es überschwenglich in dem unglaublichen Monolog, in dem er in *Flug nach Arras* von der «Trunkenheit des Kampfes» erzählt. Fliegen ist Wiedergeburt, ist heilend und lebensspendend. Es gibt keine Worte, die poetisch genug wären, um dieses Gefühl wiederzugeben. In einem Brief an Rinette, den er ihr am 1. Januar 1927 aus Alicante schreibt, kommt diese Freude bereits zum Ausdruck: «Als ich aus dem Flugzeug sprang, fühlte ich mich plötzlich so jung!» Und in *Flug nach Arras* erfährt die magische Erfahrung ihre Vollendung: «Ich lebe in einer Art Himmelsspur aus purer Freude. Ich lebe im Kondensstreifen meines Jubels. [...] Es ist, als würde mir mein Leben in jeder Sekunde geschenkt. Als könnte ich mein Leben mit jeder Sekunde stärker spüren. Ich lebe. Ich bin am Leben. Ich bin noch am Leben. Ich lebe immer weiter. Ich bin nur mehr ein Quell des Lebens. Die Trunkenheit des Lebens kommt über mich.»

Das Flugzeug befreit, spendet Atem, durchlüftet, offenbart, enthüllt – man könnte auch sagen, es bringt den Körper des Piloten in Fluß. Das Flugzeug wird zum Medium, das die Durchquerung des Unaussprechlichen ermöglicht, und da der Pilot im Cockpit – dessen Eiform auf den Ursprung verweist – mit ihm zu einer Einheit verschmilzt, wird er selbst zum Medium, das die Verbindung zwischen Sternenwelt und Menschenplanet herstellt. Diese menschliche und zugleich übermenschliche Erkenntnis berührt ihn mit Macht und schlägt sich in seiner Sprache und seiner Weltsicht nieder. Das Flugzeug wird für ihn zum Mythos, weil es ihm erlaubt, sich von den Grenzen des Menschenmöglichen zu befreien, indem er sie akzeptiert. Deswegen empfindet er sich als Beschützer der Menschen. Dank der Flugzeugflügel kann er über ihre Erde fliegen, «seine» Erde. So, wie der schützende Schatten des Flugzeugs die Landschaft zu liebkosen scheint, zwinkern ihm die Lichter der menschlichen Behausungen freundschaftlich zu. Es entspinnt sich ein unerklärliches Band, geheimnisvoll und zart, zwischen den Menschen und diesem Menschen im Flugzeug.

«Nun haben wir uns also in Naturwissenschaftler verwandelt und erforschen die Kulturen. [...] Wir beurteilen den Menschen nach kosmischen Maßstäben, beobachten ihn durch die Scheiben unseres Flugzeugs, die dadurch zu Forschungsinstrumenten werden. Und wir lesen unsere Geschichte noch einmal von vorn, mit neuem Blick.» Wind, Sand und Sterne

Links: Antoine de Saint Exupéry in Toulouse auf der Rollbahn, 1932.

Unten: Aufzeichnung eines Funkspruchs für einen Flug Saint Exupérys in Südamerika.

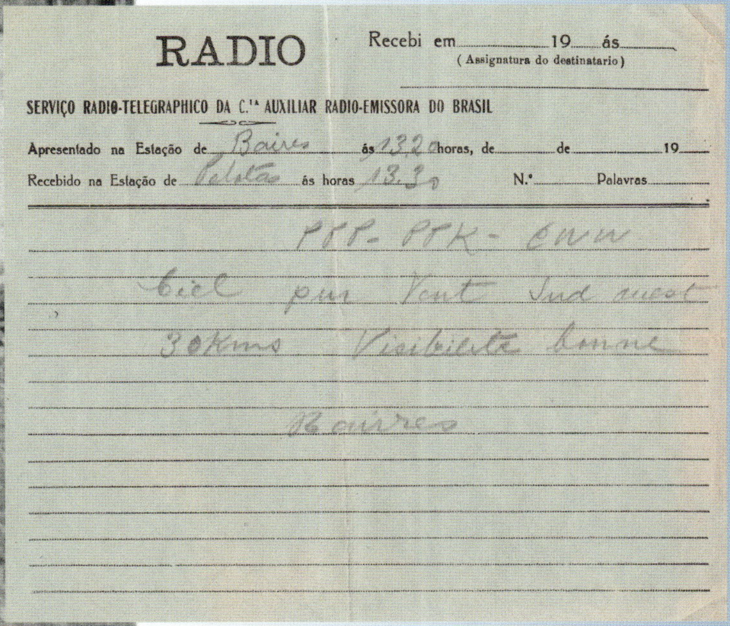

RADIO Recebi em ______ 19 __ ás ______
(Assignatura do destinatario)

SERVIÇO RADIO-TELEGRAPHICO DA C.ia AUXILIAR RADIO-EMISSORA DO BRASIL

Apresentado na Estação de Baires ás 13.20 horas, de ______ de ______ 19__

Recebido na Estação de Pelotas ás horas 13.30 N.° ______ Palavras ______

PPP- PPK - CWW
ciel pur Vent Sud ouest
30Kms Visibilité bonne
Baires

Der Direktor der Aeroposta Argentina

War Saint Exupéry 1929 tatsächlich «der glücklichste» aller Menschen? Dies behauptet einer seiner Freunde und Kommentatoren, Jean Dabry, seinerseits Geschäftspartner von Mermoz und ab 1928 Mitglied der Aéropostale. Saint Exupéry war damals gerade zum Direktor der argentinischen Luftpostgesellschaft Aeroposta Argentina ernannt worden und bekam endlich ein entsprechendes Gehalt. Seine Aufgabe: neue Flugrouten von Buenos Aires aus eröffnen und den Pioniergedanken um die ganze Welt tragen. Der Heldenmut der Piloten und der damit verknüpfte Gedanke der Brüderlichkeit gefallen Antoine. Mit klopfendem Herzen macht er sich auf den Weg in die argentinische Hauptstadt. Diese neue Aufgabe begeistert ihn: neue Verbindungen zu sagenumwobenen Orten aufbauen, Patagonien, Feuerland, Paraguay – diese Namen klingen in seinen Ohren wie die Gefilde eines Zauberreichs. Er stürzt sich mit der für ihn typischen glühenden Begeisterung in die Arbeit, die seine Einsamkeit ein wenig lindert. Als Vorbild dient ihm Didier Daurat aus seiner Anfangszeit in Montaudran. Tatsächlich erhielt er nie wieder so viel berufliche Bestätigung wie in jener Zeit, und auch dem Geheimnis der Freundschaft ist er nie mehr so nahe gekommen.

Wenn man jedoch den Briefen Glauben schenkt, die er der «guten alten Rinette» schreibt, verfolgt ihn seine chronische Melancholie noch immer: «Diese Rolle habe ich mir nicht ausgesucht», klagt er, «ich habe ein 3800 km großes Verkehrsnetz, das mir in jeder Sekunde alles aussaugt, was mir an Jugend und geliebter Freiheit geblieben ist.» Er weiß noch nicht einmal, was er mit seinem Gehalt anstellen soll: «Geldausgeben ist schrecklich ermüdend; in meinem Zimmer bekomme ich schon keine Luft mehr, weil ich tausend Dinge aufgestapelt habe, die ich nie benutzen werde, die ich nicht mehr sehen kann, sobald sie mir gehören, und trotzdem wird der Haufen jeden Tag größer!» Die argentinische Hauptstadt gefällt ihm ebensowenig: «Ich frage mich, wie der Frühling sich durch diese zigtausend Kubikmeter Beton einen Weg bahnen soll. Ich glaube, sogar eine Topfgeranie auf der Fensterbank würde elend eingehen.» Seiner Mutter schreibt er: «Buenos Aires ist eine scheußliche Stadt, ohne Charme, ohne Erholungsmöglichkeiten, nichts.»

Aber wie paßt dieses Glücksgefühl dazu, das Jean Dabry in seinem Gesicht gesehen haben will? Wieder ist es ein Brief an Rinette, der das Rätsel auflöst: «Mein einziger Trost ist das Fliegen. [...] Ich bin noch nie so oft geflogen.» Die Freiheit, die wiedererlangte Jugend verschafft ihm das Flugzeug. Die Inspektionsflüge, die sehr lange Strecken umfassen, mögen eintönig erscheinen. Manchmal legt er an einem Tag 2500 km zurück: «Eine hübsche kleine Tour», schreibt er. Seiner Mutter erzählt er von eben dieser Expedition, vom Sonnenuntergang nahe der Magellanstraße: «Die Sonne verblich im Meer. Es war unbe-

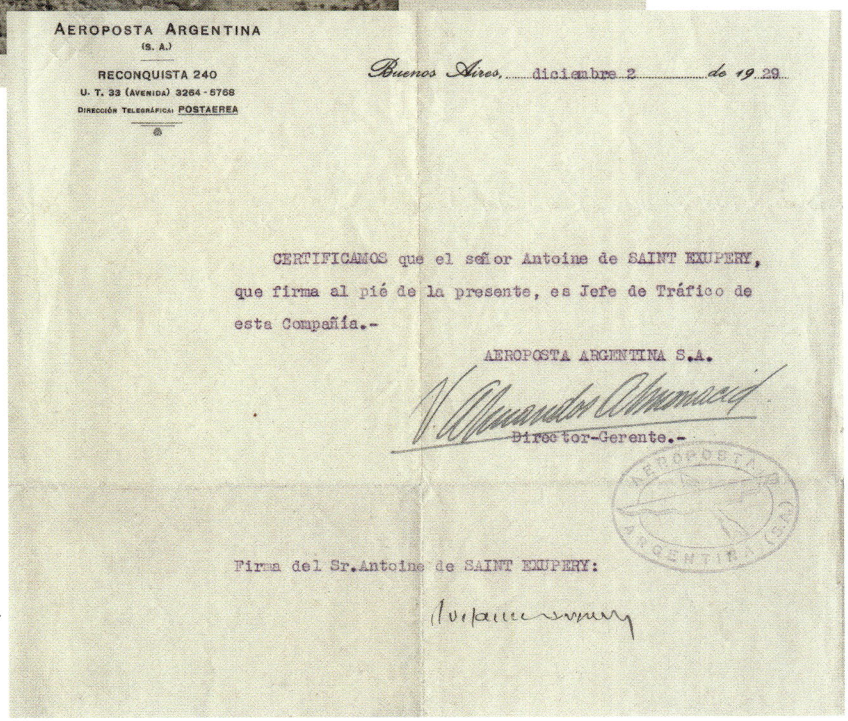

AEROPOSTA ARGENTINA
(S. A.)
RECONQUISTA 240
U. T. 33 (AVENIDA) 3264 - 5768
DIRECCIÓN TELEGRÁFICA: POSTAEREA

Buenos Aires, diciembre 2 de 1929

CERTIFICAMOS que el señor Antoine de SAINT EXUPERY, que firma al pié de la presente, es Jefe de Tráfico de esta Compañía.-

AEROPOSTA ARGENTINA S.A.

Director-Gerente.-

Firma del Sr. Antoine de SAINT EXUPERY:

Links:
Antoine de Saint Exupéry und Paul Vachet in Südamerika.
Darüber: Antoine de Saint Exupéry in Zivil, mit Angehörigen der Aeroposta Argentina.
Oben: Offizielles Papier, das Antoine de Saint Exupéry eine Leitungsfunktion in der argentinischen Luftpostgesellschaft Aeroposta Argentina bescheinigt.

ENTRE RIOS
URUGUAY
BUENOS AIRES
RIO DE LA PLATA
MONTE VIDEO
Colonia
Maldonado
C.S.Maria
Rio Grande or S.Pedro do Sul
Rio Grande de S.Pedro or do Sul
Laguna do Albardão or Mangueira
Port Argentine
Bay of Samborombon
C.S.Antonio
Punta Norte
C. Corrientes
Mar Chiquito L.
I. DOS PATOS
SUB TEL. to Rio de Janeiro
SUB TEL. to Ascension I.
ATLANTIC OCEAN
35
Index to
DEPARTMENTS OF URUGUAY
1 Artigas
2 Salto
3 Rivera
4 Paysandu
5 Tacuarembo
6 Cerro Largo
7 Rio Negro
8 Durazno
9 Trienta y Tres
10 Soriano
11 Colonia
12 San José
13 Florida
14 Minas
15 Rocha
16 Montevideo
17 Canelones
18 Maldonado
19 Flores

Links oben:
Ausschnitt aus einer Südamerika-Karte mit handschriftlichen Notizen von Antoine de Saint Exupéry, der die Karte für seine Flüge benutzte.

Links unten:
Die Anden, vom Himmel aus gesehen.
Oben:
Die Iguaçu-Wasserfälle im Jahre 1929

schreiblich schön.» Argentinien schenkt ihm eine nie dagewesene Freiheit. Fliegen, ohne Rechenschaft ablegen zu müssen, ein Flugzeug nehmen, wann immer er will, und in die großen Wüsten rund um die Betonhauptstadt entfliehen. Allein in dieser trockenen Einsamkeit, inmitten der Unendlichkeit der Milchstraße. Das Geheimnis hinter dieser Freude: sein Bedürfnis, Menschen zu begegnen, Menschen entgegenzugehen. Zwischen Wind, Sand und Sternen Abenteuer zu erleben, um die Menschen besser kennenzulernen. Mehr noch: vielleicht sogar den Vater wiederzufinden, von dem er sagte, er sei für ihn zum Gebirge geworden. So berichtet er seiner Mutter von einem Flug bis nach Chile. Die Überquerung der Anden ist für ihn faszinierendes Schauspiel und gleichzeitig symbolische Konfrontation mit dem Vater. In 6500 m Höhe erlebt er die Entstehung eines Schneesturms: «Alle Gipfel schleuderten Schnee durch die Luft, als wären sie Vulkane, es sah aus, als finge das ganze Gebirge zu kochen an. Ein schönes Gebirge mit 7200 m hohen Gipfeln (armer Mont Blanc!), 200 km breit. Sicher genauso unbezwingbar wie eine Festung, jedenfalls diesen Winter [...] und darüber im Flugzeug: ein Gefühl wunderbarer Einsamkeit.» Das Fliegen stößt ihn auf die endlich verwirklichte Ikarus-Utopie. Denn genau diese Einsamkeit ist es, die in ihm eine Art Übermensch-Gefühl à la Nietzsche hervorruft, ein Gefühl spiritueller Größe, die ihm das stolze Gefühl vermittelt, wie ein junger Gott zu sein, ein junger Wilder, wie er es ausdrückt, oder auch wie der stolze Kreuzfahrer, der Jerusalem erblickt. Bei Saint Exupéry gibt es zweierlei Jerusalem, vielleicht sogar drei: zunächst das Himmlische Jerusalem, an das er infolge seiner katholisch geprägten Kindheit vage glaubt, verbunden mit der Erinnerung an einen fernen, hinter Wolken verborgenen Gott. Dann das Jerusalem, das er dank des Flugzeugs sehen kann, das Jerusalem der Wunder, wie er es ausdrückt. Das ist zum Beispiel Casablanca, das aus «gewaltigen Wirbeln» hervorbricht, wie eine übernatürliche Erscheinung. Das sind tausende von Seehunden, die er plötzlich an einem Strand in Patagonien erblickt. Das sind die Anden, die einer gigantischen Katharer-Festung gleichen! Und schließlich das dritte Jerusalem, das vollkommen unerwartete, das bewegendste: Es ist «das zweite Bett in deinem Zimmer», schreibt er seiner Mutter. Ein grenzenloser Ozean, auf den eine Grippe ein Anrecht vergab. Das mütterliche Bett, Symbol für die Gebärmutter, ist damals, besonders 1930 in Buenos Aires, der Ort, an den er sich immer noch und immer wieder zurückwünscht. Mit dieser Sehnsucht zu leben und permanent auf der Suche nach einem Ersatz für diesen Frieden zu sein … Die Worte von Jean Dabry sind also nicht ganz so zutreffend, wie jener meint. In Buenos Aires ist für Antoine das Glück relativ – und sollte es übrigens sein Leben lang bleiben: «Diese Neigung nimmt das Leben», gesteht er schließlich seiner Mutter.

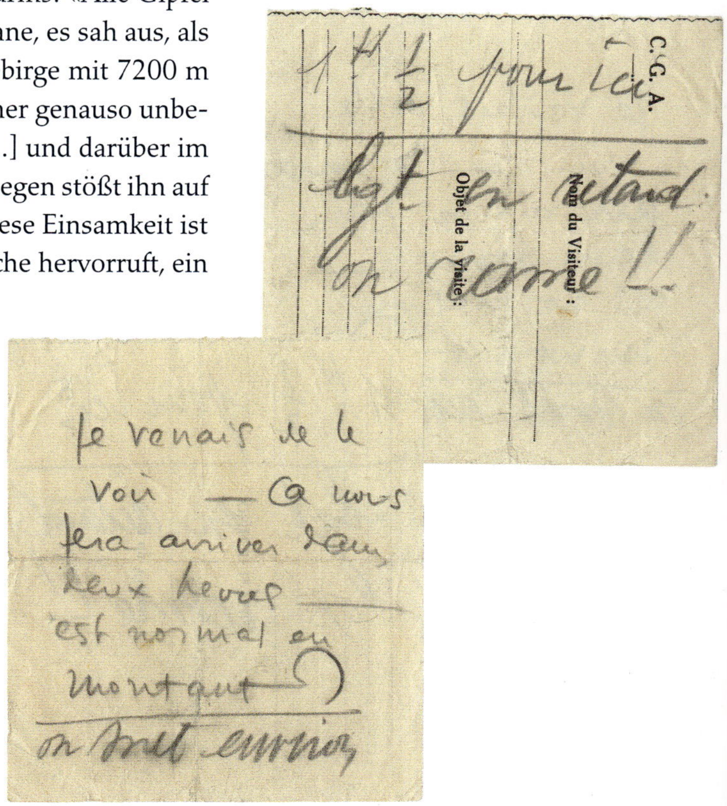
C.G.A.
Objet de la visite :
Nom du Visiteur :

Oben:
Während des Fluges können Antoine und sein Funker nicht miteinander sprechen. Schreiben ist daher ihr einziges Kommunikationsmittel.

Rechts:
Die Aeroposta Argentina in Rio de la Plata, 1937.

«Wieder aufgewärmt und aufgepäppelt, alle Orientierungspunkte, Straßen und Städte in den Wind schlagend, bin ich nach Kompaß geflogen, wie ein junger Gott. Ich hatte zwei Stunden vierzig für den Hinflug und ein bißchen weniger für den Rückflug. Gewaltigen Luftwirbeln habe ich eisern getrotzt, und als ich von weitem Casablanca entdeckt habe, war ich so stolz wie die Kreuzfahrer, als sie Jerusalem erblickten.» Briefe an die Mutter

Der Pilot muß sich beweisen

Viele haben sich darauf hingewiesen, daß Saint Exupéry kein guter Pilot war, daß man nicht zugleich Schriftsteller und Pilot sein könne und daß so ein Doppelstatus ihm letztendlich nur schaden konnte. Ein ungerechtfertigter Vorwurf, so scheint es, denn wenn sein Werk bis heute überdauert hat, wenn es bis heute so viele Leser weltweit inspiriert, dann doch, weil es auf wirklich erlebten Erfahrungen beruht und weil die Wahrhaftigkeit der darin enthaltenen Betrachtungen den Menschen eine Art universelle, brüderliche Gemeinschaft öffnet. Das Flugzeug war das dazu nötige Werkzeug – Feder und Tinte, könnte man sagen. Das Flugzeug hat Saint Exupéry an die dunkelsten Orte geführt, sowohl im Reich seiner Gedanken als auch in der realen Welt. Das Flugzeug spielt somit die Rolle des Mediums, ist aber auch Akteur, führt Saint Exupéry auf ungekannte Wege und verschafft ihm Zugang zu den Geheimnissen seiner Seele. Seine manchmal unglücklich verlaufenden Expeditionen sind nicht nur Herausforderungen, die er sich stellt, sie sind vor allem Durchlässe, eine Art Sesam-öffne-Dich. Die meisten Flüge dieser Art schlagen fehl, wie zum Beispiel im Dezember 1935, aber er verdankt ihnen einen enormen Zugewinn an Erfahrungen – in technischer wie in geistiger, metaphysischer Hinsicht. Er möchte beispielsweise den letzten Rekord von Japy knacken, der die Strecke Paris – Saigon in 87 Stunden geflogen war. Er richtet sich eine Simoun her, ein Postflugzeug der Firma Air Bleu, die Beppo Massimi und Didier Daurat vor kurzem gegründet haben. Doch nach übereilten Vorbereitungen endet der Flug am 29. Dezember 1935 in der libyschen Wüste. Aus diesem Unfall, der tragisch hätte ausgehen können, zieht Saint Exupéry eine Moral und verarbeitet das Geschehene später zu einem Buch: *Wind, Sand und Sterne*, seine vielleicht besinnlichste, gehaltvollste Erzählung.

Anstelle des Rekordversuchs treten andere Ziele, auf die er dank der Bruchlandung gestoßen ist: Wie überlebt man in der Wüste? Wie kann man das verbliebene Wasser optimal ausnutzen? Lösungen findet er immer, er sammelt den Morgentau in den über Nacht ausgebreiteten Segeltuchplanen der Fallschirme, er unterhält sich heimlich mit einem drolligen Wüstenfuchs, der ihn besucht, und experimentiert dabei mit den Wörtern seines persönlichen kleinen Breviers: zähmen, hoffen, die Menschen zusammenbringen … Mit dem gleichen beharrlichen Willen zur Selbstüberwindung beschließt er, im Januar 1938 eine neue Expedition durchzuführen: die Strecke von New York nach Feuerland. Doch das Abenteuer endet schon am Tag nach dem Abflug auf einer Flugbahn in Guatemala. Dieses Mal kommt Saint Exupéry nicht schadlos davon. Schwer verletzt wird er ins Krankenhaus eingeliefert und ist so stark entstellt, daß seine Frau Consuelo, die sogleich an sein Krankenbett eilt, ihn kaum erkennt … Doch diese Rückschläge verstärken nur seine Entschlossenheit und seinen Wunsch zu fliegen, denn Fliegen bedeutet, zu einem Ort hinzu-

Rechts:
Das in den Anden verunglückte Flugzeug von Guillaumet.

Unten und rechts unten: Auflistung der Flüge, erstellt auf der Suche nach Anhaltspunkten über den Verbleib von Henri Guillaumet, einem Piloten und Freund Saint Exupérys.

Rechts, Mitte: Ausschnitt aus einem Brief, den Guillaumet kurz vor dem Unfall an Saint Exupéry geschrieben hatte: «Die Anden haben mich überhaupt nicht beeindruckt, vielleicht ändere ich meine Meinung ja noch.»

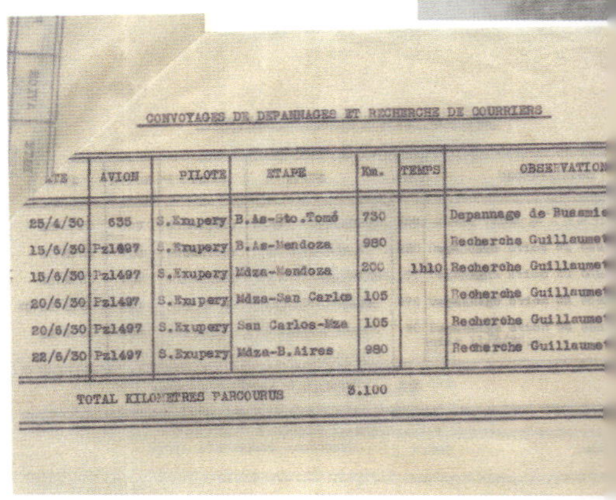

CONVOYAGES DE DEPANNAGES ET RECHERCHE DE COURRIERS

…TE	AVION	PILOTE	ETAPE	Km.	TEMPS	OBSERVATION…
25/4/30	635	S.Exupery	B.As-Sto.Tomé	730		Depannage de Bussmie…
15/6/30	Pz1497	S.Exupery	B.As-Mendoza	980		Recherche Guillaume…
15/6/30	Pz1497	S.Exupery	Mdza-Mendoza	200	1h10	Recherche Guillaume…
20/6/30	Pz1497	S.Exupery	Mdza-San Carlos	105		Recherche Guillaume…
20/6/30	Pz1497	S.Exupery	San Carlos-Mza	105		Recherche Guillaume…
22/6/30	Pz1497	S.Exupery	Mdza-B.Aires	980		Recherche Guillaume…

TOTAL KILOMETRES PARCOURUS 3.100

...ue la Cordillère ne m'a pas du tout impressionné,
peut-être que par la suite je changerai d'idée.

ACCIDENTS SUR TERRAINS D'ATTERRISSAGE

.COURRIER	DATE	AVION	PILOTE	OBSERVATIONS
covi	8/11/29	645	R.Gross	Fort vent retourne l'avion a l'atterrissage a - San Antonio Oeste.-
badom	29/12/29	644	Mac Leod	Fort vent retourne l'avion allant prendre son - timain.au départ de C.Rivadavia.-
nvoyage ésident	3/4/30	915	S.Exupery	Avion perd une roue a l'atterrissage cause d'un choc avec une bosse sur le limite du terrain,ensuite le vent le retourne causant avaries importantes.-
badom	14/9/30	645	Luro	Fort vent incline l'avión deja aun sol a S.A.O. avec avaries importantes.-
obumier	17/9/30	646	Gross	Atterrissage par fort vent l'avion touche brutalement le sol avec avaries.-
riovi	27/9/30	643	Irigoyen	Atterrissage par tres fort vent a C.Rivadavia - cause importantes avaries.-

«In großen Abständen zünde ich eine Lampe an, um die Kontrollanzeigen sehen zu können, die nicht alle beleuchtet sind. Aber die meiste Zeit hülle ich mich gerne in Dunkelheit, umgeben von meinen kleinen Lichtpunkten, die das gleiche unerschöpfliche und heimliche Licht verbreiten. Sie sprechen die gleiche Sprache. Ich lese, wie die Astronomen, ein Buch über Himmelsmechanik und fühle mich ganz eifrig und ohne Makel. […] Der Motor brummt sanft, und vor mir, auf dem Armaturenbrett, leuchten all die friedlichen kleinen Sterne.» Wind, Sand und Sterne

Unten:
Die Belegschaft der Aeroposta Argentina.
Antoine de Saint Exupéry steht links, etwas verdeckt; vor ihm steht Henri Guillaumet.

Rechts:
Henri Guillaumet und Paul Vachet.

Unten:
Brief, den Guillaumet 1929 an Antoine de Saint Exupéry schrieb, um ihm zum Erscheinen von Südkurier *zu gratulieren.*

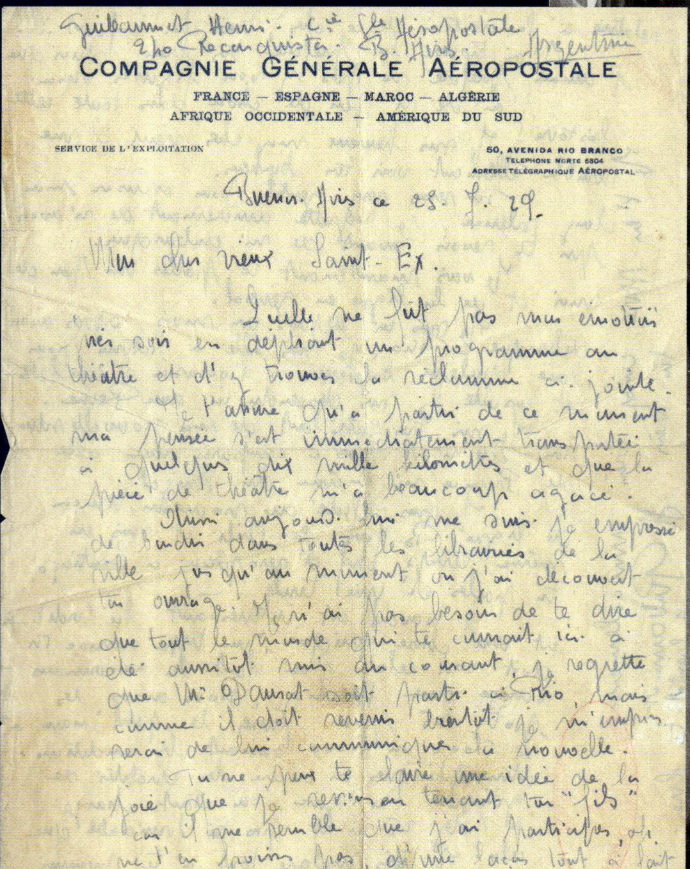

Guillaumet Henri. Cie Gle Aéropostale
240 Reconquista. B. Aires. Argentine

COMPAGNIE GÉNÉRALE AÉROPOSTALE

FRANCE — ESPAGNE — MAROC — ALGÉRIE
AFRIQUE OCCIDENTALE — AMÉRIQUE DU SUD

SERVICE DE L'EXPLOITATION

50, AVENIDA RIO BRANCO
TELEPHONE NORTE 5804
ADRESSE TÉLÉGRAPHIQUE AÉROPOSTAL

Buenos Aires le 25. 7. 29.

Mon cher vieux Saint-Ex.

Quelle ne fut pas mon émotion hier soir en dépliant un programme au théâtre et d'y trouver la réclame ci-jointe. Et j'avoue qu'à partir de ce moment ma pensée s'est immédiatement transportée à quelques dix mille kilomètres et que la pièce de théâtre m'a beaucoup agacé.

Aussi aujourd'hui je me suis empressé de courir dans toutes les librairies de la ville jusqu'au moment où j'ai découvert ton ouvrage. Je n'ai pas besoin de te dire que tout le monde qui te connait ici a été aussitôt mis au courant. Je regrette que Mr Daurat soit parti à Rio, mais comme il doit revenir bientôt je m'empresserai de lui communiquer la nouvelle.

Tu ne peux te faire une idée de la joie que je ressens en tenant ton "fils" car il me semble que j'ai participé, ne t'en souviens pas, d'une façon tout à fait

streben, irgendwo anzukommen. Vielleicht auch, endlich das Geheimnis der Welt zu lüften, auf das er als Kind einen flüchtigen Blick werfen konnte. Die Ursache für das Scheitern ist nicht das eventuell unzuverlässige oder unberechenbare Flugzeug, sondern ganz einfach das Leben selbst. Guillaumets Unfall macht einen Helden aus ihm, ob er will oder nicht. Das Vorkommnis beschäftigt Saint Exupéry in fast religiöser Hinsicht, denn das, was Guillaumet getan hat, hätte niemand sonst auf der Welt fertiggebracht: Tagelang durch Eis und Schnee marschieren, mutterseelenallein in einer lebensfeindlichen, weißen Wüstenei, ohne Essen oder Trinken, immer weiter, alle Kräfte zusammennehmen, einfach nur, um anzukommen: Das hat Guillaumet unsterblich gemacht. Alle Lebensweisheiten, die Saint Exupéry formuliert, hat ihm das Flugzeug geschenkt. «Im Vorortzug spüre ich meine Agonie …», schreibt er in *Wind, Sand und Sterne*. Aber sogar im Augenblick der Gefahr, fährt er fort, «habe ich Meereswind geatmet.» Fliegen heißt, all diese Risiken eingehen. Und am Ende ist die Fliegerei auch das Versprechen einer Begegnung. Der Beduine, der plötzlich aus dem Nichts auftaucht, und der ihn rettet, als er sich endgültig verloren glaubt, ist der schlagende Beweis. Erscheinung und Begegnung.

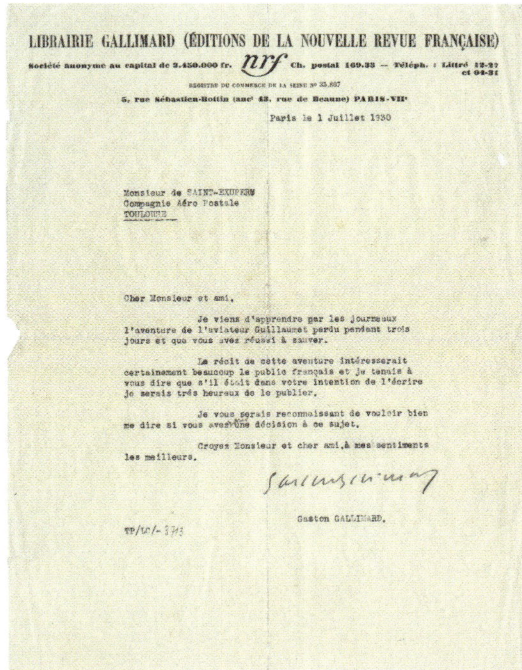
LIBRAIRIE GALLIMARD (ÉDITIONS DE LA NOUVELLE REVUE FRANÇAISE)
Société anonyme au capital de 2.450.000 fr. nrf Ch. postal 169.33 — Téléph. : Littré 12-27 et 04-31
REGISTRE DU COMMERCE DE LA SEINE N° 35.807
5, rue Sébastien-Bottin (anc^t 43, rue de Beaune) PARIS-VIIe

Paris le 1 Juillet 1930

Monsieur de SAINT-EXUPERY
Compagnie Aéro Postale
TOULOUSE

Cher Monsieur et ami,

Je viens d'apprendre par les journaux l'aventure de l'aviateur Guillaumet perdu pendant trois jours et que vous avez réussi à sauver.

Le récit de cette aventure intéresserait certainement beaucoup le public français et je tenais à vous dire que s'il était dans votre intention de l'écrire je serais très heureux de le publier.

Je vous serais reconnaissant de vouloir bien me dire si vous avez une décision à ce sujet.

Croyez Monsieur et cher ami, à mes sentiments les meilleurs.

Gaston GALLIMARD.

TP/LC/- 3743

Oben rechts:
Brief von Gaston Gallimard, in dem er Antoine de Saint Exupéry bittet, ihm einen Bericht über Guillaumets Unfall zuzuschicken.

Rechts:
Von Guillaumet verfaßter Unfallbericht, den er Saint Exupéry geschickt hat. Dieser greift die Geschichte in Wind, Sand und Sterne *auf.*

Unten:
Funkprotokoll der Aeroposta Argentina.

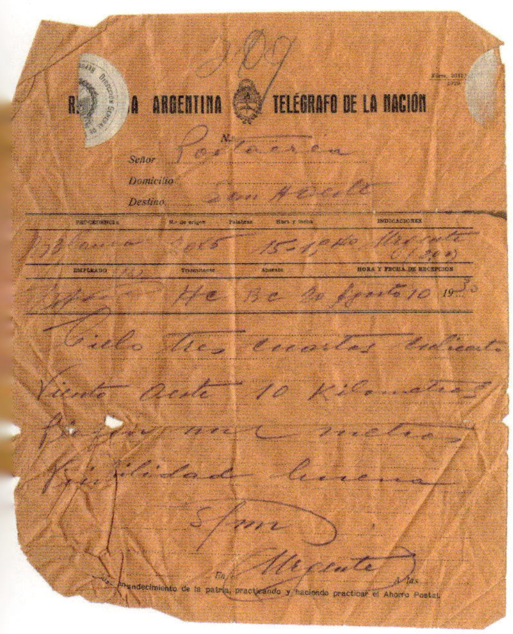

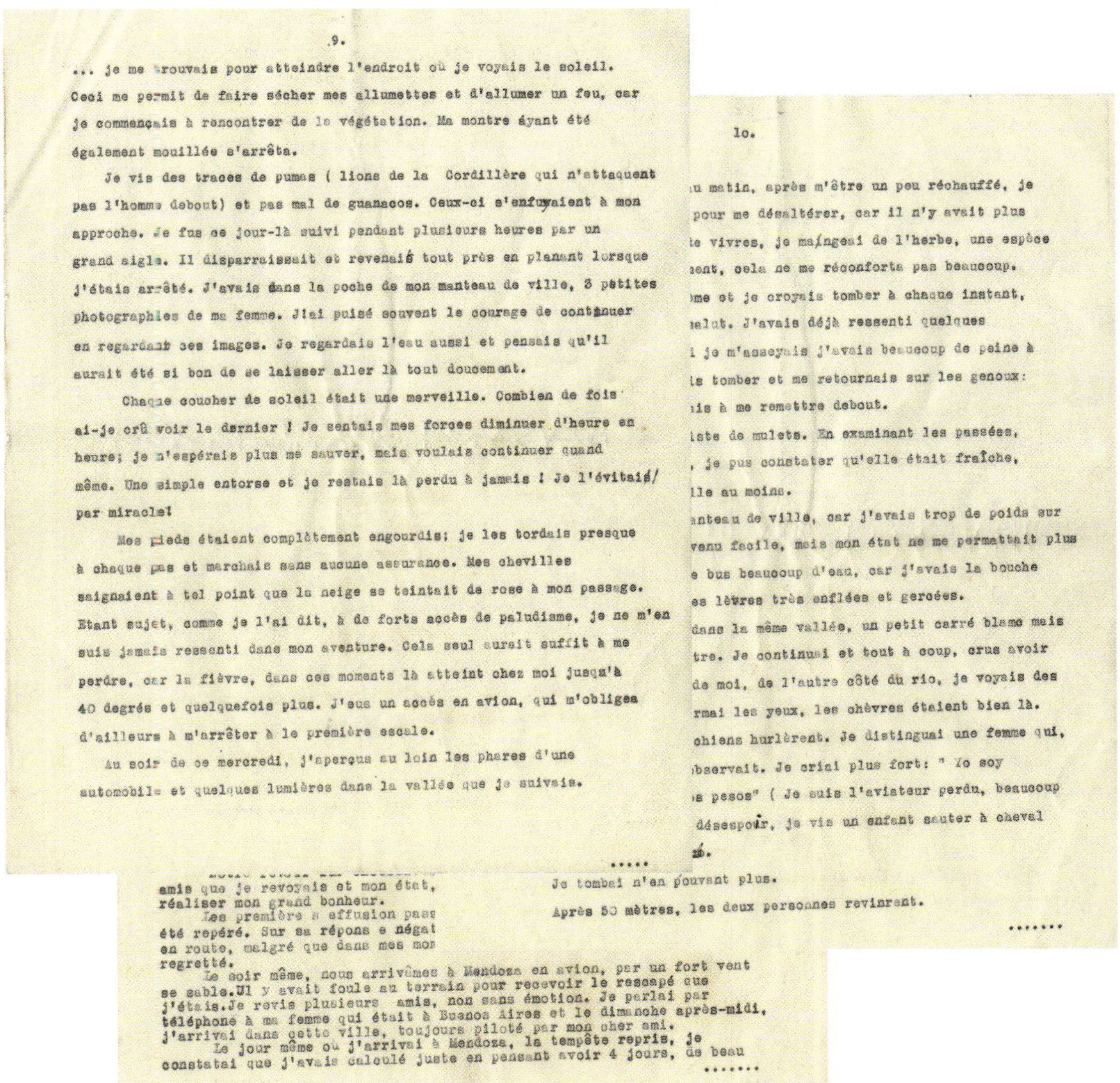
.9.

... je me trouvais pour atteindre l'endroit où je voyais le soleil. Ceci me permit de faire sécher mes allumettes et d'allumer un feu, car je commençais à rencontrer de la végétation. Ma montre ayant été également mouillée s'arrêta.

Je vis des traces de pumas (lions de la Cordillère qui n'attaquent pas l'homme debout) et pas mal de guanacos. Ceux-ci s'enfuyaient à mon approche. Je fus ce jour-là suivi pendant plusieurs heures par un grand aigle. Il disparraissait et revenais tout près en planant lorsque j'étais arrêté. J'avais dans la poche de mon manteau de ville, 3 pétites photographies de ma femme. J!ai puisé souvent le courage de continuer en regardant ses images. Je regardais l'eau aussi et pensais qu'il aurait été si bon de se laisser aller là tout doucement.

Chaque coucher de soleil était une merveille. Combien de fois ai-je crû voir le dernier ! Je sentais mes forces diminuer d'heure en heure; je n'espérais plus me sauver, mais voulais continuer quand même. Une simple entorse et je restais là perdu à jamais ! Je l'évitai/ par miracle!

Mes pieds étaient complètement engourdis; je les tordais presque à chaque pas et marchais sans aucune assurance. Mes chevilles saignaient à tel point que la neige se teintait de rose à mon passage. Etant sujet, comme je l'ai dit, à de forts accès de paludisme, je ne m'en suis jamais ressenti dans mon aventure. Cela seul aurait suffit à me perdre, car la fièvre, dans ces moments là atteint chez moi jusqu'à 40 degrés et quelquefois plus. J'eus un accès en avion, qui m'obligea d'ailleurs à m'arrêter à la première escale.

Au soir de ce mercredi, j'aperçus au loin les phares d'une automobile et quelques lumières dans la vallée que je suivais.

.....

10.

…u matin, après m'être un peu réchauffé, je
… pour me désaltérer, car il n'y avait plus
…e vivres, je mangeai de l'herbe, une espèce
…ent, cela ne me réconforta pas beaucoup.
…me et je croyais tomber à chaque instant,
…alut. J'avais déjà ressenti quelques
…i je m'asseyais j'avais beaucoup de peine à
…s tomber et me retournais sur les genoux:
…is à me remettre debout.
…iste de mulets. En examinant les passées,
…, je pus constater qu'elle était fraîche,
…lle au moins.
…anteau de ville, car j'avais trop de poids sur
…venu facile, mais mon état ne me permettait plus
…e bus beaucoup d'eau, car j'avais la bouche
…es lèvres très enflées et gercées.
…dans la même vallée, un petit carré blanc mais
…tre. Je continuai et tout à coup, crus avoir
…de moi, de l'autre côté du rio, je voyais des
…rmai les yeux, les chèvres étaient bien là.
…chiens hurlèrent. Je distinguai une femme qui,
…bservait. Je criai plus fort: " Yo soy
…s pesos" (Je suis l'aviateur perdu, beaucoup
… désespoir, je vis un enfant sauter à cheval
…é.

Je tombai n'en pouvant plus.

Après 50 mètres, les deux personnes revinrent.

....

amis que je revoyais et mon état,
réaliser mon grand bonheur.
Les première s effusion pass…
été repéré. Sur sa répons e négat…
en route, malgré que dans mes mom…
regretté.
Le soir même, nous arrivâmes à Mendoza en avion, par un fort vent de sable. Il y avait foule au terrain pour recevoir le rescapé que j'étais. Je revis plusieurs amis, non sans émotion. Je parlai par téléphone à ma femme qui était à Buenos Aires et le dimanche après-midi, j'arrivai dans cette ville, toujours piloté par mon cher ami.
Le jour même où j'arrivai à Mendoza, la tempête repris, je constatai que j'avais calculé juste en pensant avoir 4 jours, de beau
....

«Er stieg auf und konnte die Wirbel besser ausgleichen, da er sich an den Sternen orientieren konnte. Ihr bleicher Schein zog ihn an wie ein Magnet. Er hatte sich schon so lange mit der Suche nach einem Licht abgemüht, daß er selbst vom undeutlichsten Schimmer nicht mehr abgelassen hätte. Mit einem Herbergslicht hätte er bis zum Tod seine Kreise gezogen, diesem Zeichen hinterher, nach dem er sich verzehrte. Und jetzt stieg er auf, in die Felder des Lichts.» Nachtflug

Fliegen und zurückkehren

Links: Illustrationen von Bernard Lamotte für die amerikanische Ausgabe von Flug nach Arras*.*

Unten: Antoine de Saint Exupéry ist leicht an seinem Profil zu erkennen.

Seine Gedanken kreisen pausenlos um das Mysterium des Flugzeugs. Er sucht nach Erklärungen, kommt ein ums andere Buch auf dieses Thema zurück, kommt ihm jedes Mal ein Stückchen näher, fügt ein Detail hinzu, das dieses Menschen-Abenteuer verständlicher macht, dieses permanente Risiko, das er und seine Kameraden eingehen. Er versucht zu verstehen: warum das Leben, den Körper aufs Spiel setzen, bis zum Tod? Der Begriff des «Engagements» sollte im Zweiten Weltkrieg eindrucksvoll an Kontur gewinnen, als Saint Exupéry sich mit dem Haß seiner falschen Freunde konfrontiert sah, dem heimlichen Ressentiment de Gaulles, den Entscheidungen, zu denen ihn die politische Lage zwingt. Die Rolle des Zuschauers interessiert ihn nicht. Im Gegenteil, er empfindet diesen allzu komfortablen Zustand als heuchlerisch. Er will sich engagieren, sein Leben einsetzen … «Mit Haut und Haaren», ergänzt er. «Und ich habe darauf gesetzt, alles zu verlieren.» Sich engagieren, sich einbringen, teilhaben, zum Abendmahl gehen, empfangen, geben.

Die Regeln seiner Moral stehen fest. Sie werden zum neuen Dekalog seines künftigen Werkes, *Die Stadt in der Wüste*, seiner Bibel. Den Tod in Kauf nehmen. Deswegen verhüllt ein finsterer Schatten sein Leben und Werk. Um ihm zu entkommen, ist Fliegen gleichbedeutend mit Zugehörigkeit. Nie war er in diesem Punkt unbeugsamer als 1942, als er *Flug nach Arras* schreibt: Zugehörig sein heißt, ein substantieller Bestandteil der Menschheit sein; und alles, was dem entgegensteht, die Verdichtung der weltweiten Beziehungen, die neuen Babel-Städte, die Auflösung aller Werte, ist der Erzfeind des Menschlichen. Das lehrt ihn das Flugzeug. Es ermöglicht ihm, sich intensiv mit dem Todbringenden auseinanderzusetzen, sich der scheinbaren Bewegungslosigkeit hinzugeben, die den Eindruck erweckt, die Maschine säße plötzlich fest und flöge nicht mehr weiter, und «im Zwischenraum zwischen den Sternen» zu baden. «Alles ist hier vom Weltraum durchtränkt», schreibt er, als wolle er erklären, worin dieses unglaubliche Geschenk besteht, das dem Piloten gemacht wird: Zugang haben zum Innersten, zum Herzen einer neuen Kathedrale, der Unendlichkeit der Sterne, die Seele und Körper wieder zusammenfügt. Denn auch wenn Kathedralen aus Stein sind, sind sie doch himmlisch, und Arras selbst ist eine Kathedrale, und der Mensch auch, der sein inneres Kirchenschiff und sein inneres Tabernakel in sich trägt.

Saint Exupéry nimmt bei seinen Kameraden aus der Fliegerstaffel eine Sonderstellung ein. Sie wissen, daß er ein Dichter ist, sehen aber auch, daß er sich ohne Zögern die Hände schmutzig macht, arbeitet und Späße macht wie sie. Beim Abendessen kann er heiter und witzig sein, er kann trinken, Scherze über Frauen machen, Karten spielen, deftige Lieder singen oder Schnulzen parodieren. Aber genauso gerne zieht er sich in sein Zimmer zurück, wieder so eine Mönchszelle, um dort Briefe zu schreiben und Texte, die immer deutlicher Gestalt annehmen.

Die Schlacht von Arras

Unten: In der Offiziersmesse von Athiès-sous-Laon, 1940. Antoine de Saint Exupéry erläutert einen seiner Einsätze.

Rechts: Portrait Saint Exupérys, gezeichnet von Bernard Lamotte für die amerikanische Ausgabe von Flug nach Arras.

Am 21. Mai 1940 startet Saint Exupéry zu einem Aufklärungsflug über Arras. Er fliegt eine Bloch 174 mit der Nummer 24. Mit an Bord sind Oberleutnant Dutertre auf dem Beobachterposten und Unteroffizier Mot als MG-Schütze. Plötzlich geraten sie unter Flakbeschuß. Sie werden von Granaten getroffen, die einen Tank beschädigen, und der Flugzeugrumpf wird von Kugeln durchsiebt. Saint Exupéry gerät nicht in Panik, er ist es gewohnt, dem Tod ins Auge zu blicken. Seine Lebensenergie lodert in ihm auf; um den Kugeln auszuweichen, fliegt er akrobatische Figuren, und es gelingt ihm, seine Angreifer abzuhängen und zum Stützpunkt der Gruppe 2/33 zurückzukehren. Seine Besatzung und er sind wohlauf und in Sicherheit. An diesen Zwischenfall erinnert er sich, als er 1942 in den USA sein neues Buch schreibt und dort unter dem Titel *Flight to Arras (Flug nach Arras)* veröffentlicht. Es hätte ein gewöhnlicher Bericht von einer Schlacht sein können, wie viele Piloten sie erlebt haben, aber Saint Exupéry macht etwas anderes daraus. Das moralische Gewicht, das er dem Schreiben, dem Beruf des Schriftstellers, der Rolle der Fliegerei und schließlich der menschlichen Existenz beimißt, hat ihm so viel geistige Tiefe verliehen, daß er daraus einen enormen Überlebenswillen ziehen kann, einen Vorschub an Hoffnung, der alle Verlockungen des Todes ins Leere laufen läßt.

In diesem heroischen Augenblick will er vor allem der Bedeutung der Kindheit zum Sieg verhelfen, die in seinen Augen der Ursprung allen Wohlergehens ist. Er hat sich angewöhnt, nie nach hinten zu schauen. Dutertre warnt ihn: «Herr Hauptmann! Sie schießen!» Da beginnen alte Bilder in ihm aufzusteigen, die ihn tragen, auf denen sein Leben aufbaut. Was spricht dagegen, sie sich in diesem Augenblick zunutze zu machen? Sie lenken ihn von der Angst ab und verleihen dem Moment einen neuen Zauber. Die Schlacht über Arras, von tausendfachen tödlichen Blitzen erhellt, funkelt wie die sommerlichen Sternennächte in Saint-Maurice. Die ganze Kindheit wird heraufbeschworen und im Kampf gegen den Tod eingesetzt. Vom Ritter-Aklin-Spiel bis zu dieser tödlichen Schlacht ist es nur ein kleiner Schritt. Die Kindheit blendet den Krieg aus, verdeckt ihn. Er ruft nach Paula, dem Tiroler Kindermädchen, spricht mit ihr; sie, die ihn stets behütet hat, soll ihn nicht loslassen. «Meine Kindheit kommt zu mir, die sich wie eine Wurzel in der Dunkelheit verliert», schreibt er. Die Kindheit wird zum Allheilmittel, sie tritt an die Stelle der Gefahr und macht den Piloten unbesiegbar. Dieses Erlebnis, einer der kritischsten Momente seines Lebens, sollte Saint Exupéry noch lange Zeit beschäftigen. Seine Hinwendung zur Kindheit in Zeiten der Gefahr ist für ihn von existenzieller Bedeutung.

Aus diesem Grund kommt er so häufig auf dieses Erlebnis zurück, es gehört zu den herausragenden Momenten seines persönlichen Epos, seiner Mythologie. Saint Exupérys liebster Ausweg aus problematischen Situationen ist die Flucht in positive Bilder, das Eintauchen in glückliche «Ozeane», so vergänglich sie auch sein mögen. Es gilt sie festzuhalten und sich ihrer in «schweren Stunden» zu erinnern.

«Mit jeder Salve der Maschinengewehre oder Flakgeschütze werden hunderte von Granaten oder blitzende Kugeln ausgestoßen, die sich wie die Perlen eines Rosenkranzes aneinanderreihen. Tausend biegsame Rosenkränze strecken und recken sich zerstörerisch nach uns. […] Und ich merke, wie mir Garben von Geschoßbahnen um die Ohren schwirren, die die Farbe von reifem Weizen haben. Ich stehe inmitten eines dichten Gestrüpps aus Lanzenhieben, werde bedroht von einer mir fremden, schwindelerregenden Stickarbeit. Die ganze Ebene ist mit mir verwoben und knüpft um mich herum ein blitzendes Netz aus goldenen Linien.» Flug nach Arras

Links unten: Briefe, die im Juni 1944, also einen Monat vor seinem Verschwinden, an Antoine de Saint Exupéry abgeschickt wurden.
Rechts: Antoine de Saint Exupéry 1943 auf Sardinien.

Die letzte Mission

Alle Freunde und Leser Saint Exupérys wissen über seinen letzten Tag Bescheid. Man hat ihn erzählt und in Romanform verarbeitet. Aber Kommentare und Interpretationen gab es wenige. Dabei ist es durchaus angebracht, sich noch ein paar Gedanken über diese letzte Mission zu machen, die für ihn mit dem Tod endet. Einem Tod, der nicht geplant war, aber vielleicht unbewußt herbeigeführt. Am Abend, in Borgo, bleibt Antoine nicht in seiner Garnison. Er speist nicht mit seinen Kameraden zu Abend, sondern geht in die Stadt. Das beunruhigt niemanden, denn er geht abends häufig aus. Der Bohemien in ihm entzieht sich dem Mannschaftsleben manchmal. Im Laufe seiner Karriere gab es einige, die sich darüber beschwert haben, die fanden, er nähme sich zu viele Freiheiten heraus und nutze seine Stellung als berühmter Schriftsteller und Adliger aus.

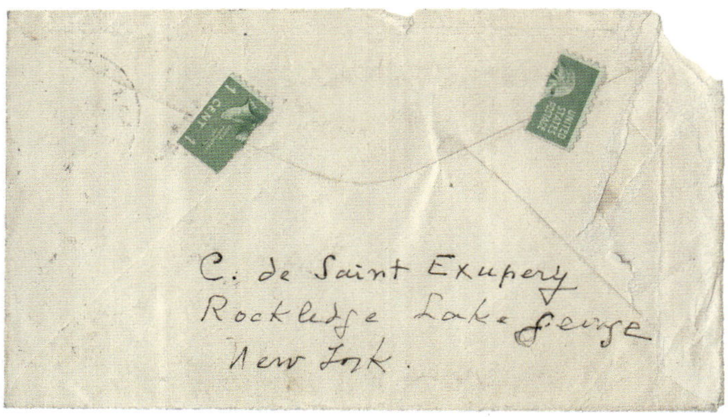

In der Nacht vom 30. auf den 31. Juli 1944 bricht er auf, ohne zu sagen, wohin er geht. Man weiß nichts über diese Stunden. Mitten in der Nacht kehrt er in die Kaserne zurück, legt sich aber nicht schlafen. Nach seinem Verschwinden stellt man fest, daß sein Bett unberührt ist, kein Körperabdruck zeichnete sich darauf ab. Er hat Briefe geschrieben. Es sollten seine letzten sein. Weiß er das? Nein, sicher nicht, obwohl, unbewußt … Was er schreibt, läßt keinen Zweifel an seinem Gemütszustand. Er schreibt von seinem Bedauern, niemals am rechten Platz gewesen zu sein, nämlich dem des Gärtners. Ein bedeutsames Geständnis. Der letzte Brief schreit seine Not förmlich heraus. Seit New York schleppt er seine Verzweiflung und seinen Lebensüberdruß mit sich herum. Die Briefe, die er Nelly (mit der er gebrochen hat, weil er ihre Wutausbrüche über seine «eheliche Treue» nicht mehr ertrug) und seiner Frau Consuelo schreibt, machen deutlich, wie deprimiert er war. Er hat Panikattacken und ist sich der Risiken, die er eingeht, völlig bewußt. Er glaubt sogar – wie er Consuelo anvertraut – daß viele froh wären, wenn er stürbe. Er selbst wäre nur traurig über den Kummer, den er ihr damit bereiten würde, erklärt er. Seine Freunde beschuldigen ihn des Verrats, obwohl doch sie die Verräter sind, die Widerstandskämpfer in letzter Sekunde, die Drückeberger in den USA, die sich nicht mit Leib und Leben ins Abenteuer stürzen, sondern sich mit Petitionen zufriedengeben, während sie mit Greta Garbo und Marlene Dietrich beim Champagner-Dinner sitzen. Sein Weggang ist kein geplanter Selbstmord, sondern ein Würfelspiel, eine Pokerpartie. Sich in der Armee verpflichten, an der Front kämpfen, heißt, um sein Leben spielen, alles auf eine Karte setzen.

Den Tod in Kauf nehmen. Wer seiner Freude ist so mutig, so kühn? Wer wagt es, das Schicksal derart herauszufordern? Maritain? Breton? Daher hat er beschlossen, Manhattan zu verlassen, die Insel der Feiglinge, die Insel, die mit ihren Wolkenkratzern und unmenschlichen Wohnvierteln mit ihrem Gemisch aus Farben, Geräuschen und Gerüchen die Nachkriegswelt eingeläutet hat, diese Verdichtung der globalen Beziehungen, die er aus tiefster Seele ablehnt, weil er ahnt, daß sie die Menschen in eine Falle lockt. Verwässerung des Menschlichen, Vereinheitlichung, Aufgeben der Heimat, Verlust nationaler Werte: Ganz Europa würde so werden wie die Vereinigten Staaten von Amerika, mit modernen Babel-Städten, in denen der Mensch nichts mehr zählt. So muß man sich wohl den Gemütszustand vorstellen, in dem Saint Exupéry seine letzten Stunden erlebte. Keine Zuflucht, noch nicht einmal in der Kindheit, wie noch in *Flug nach Arras*. Seit dem Erscheinen dieses Romans hat Saint Exupéry nämlich *Der kleine Prinz* geschrieben, eine Geschichte, die kein Kindermärchen ist, sondern eine Parabel auf sein eigenes Leben: Da er auf Erden nichts mehr zu lernen und nichts mehr zu erleben hat, kehrt der kleine Prinz auf seinen Planeten zurück, den er nie hätte verlassen sollen. Der Autor hat das fertige Buch, das im April 1943 nach seinem Weggang erschienen ist, noch nicht in der Hand gehabt, er besitzt nur einen Satz Druckfahnen, die er einem Freund in Algier anvertraut, bevor er nach Korsika weiterreist. Aber Consuelo läßt ihn von New York aus wissen, daß das Werk in den USA bereits große Erfolge feiert. In ihren Briefen ist diese Erzählung übrigens das letzte Band, das die beiden zusammenhält, als wäre der kleine Prinz das Kind geworden, das das Paar nie hatte. Wie seine Romanfigur, muß auch Antoine früher oder später die Erde verlassen, um zu jenem idealen Planeten zurückzukehren, den er sich von Kind an ausgemalt hat.

Der Gemütszustand, der aus seinen letzten Briefen spricht, läßt also wenig Zweifel an seiner seelischen Not. Fliegen, seine Mission erfüllen, wissen, daß es die letzte sein wird, die man ihm anvertraut – und dann? Was wird geschehen, wenn diese Mission erfüllt ist? Was tun, um sich weiterhin mit Leib und Leben einzubringen, bis zum Tod? Sich in einem Büro verkriechen? Ganz sicher nicht! Dieser letzte Flug ist daher essentiell. Es ist seine Pflicht, ihn zu übernehmen und bis zum Ende durchzuführen. Antoine schläft nicht: Wie und warum schlafen, wenn so viele Dinge auf dem Spiel stehen, so viele Herausforderungen anstehen? Er muß wach bleiben. Bei Tagesanbruch geht er frühstücken. Dabei leistet ihm ein junger Oberleutnant Gesellschaft, der sich erfreut seine Ratschläge anhört. Der junge Mann beschreibt Saint Exupéry im Rückblick als sehr ruhig, sehr ausgeglichen, ein klein wenig müde. Er ist sogar zu Scherzen aufgelegt und ißt reichlich. Er läßt sich beim Anlegen der Fliegermontur helfen, denn sein «arg demolierter Körper» bereitet ihm Schmerzen, und steigt ins Flugzeug. Nun ist er wieder allein, seiner selbst sicher. Er optimiert seine Sitzposition und das Flugzeug erhebt sich in die Lüfte. Antoine weiß genau, was zu tun ist. Kein Risiko eingehen, nicht zu tief fliegen, damit man ihn nicht orten kann, die

geplanten Aufnahmen machen, seine Aufgabe tadellos erfüllen. Es ist ein strahlender Tag, das Licht hell und kräftig. Es ist sieben Uhr, an der Mittelmeerküste ... Beim Start zieht das Flugzeug einen weißen Schweif hinter sich her, lauter Engelshaar, das ihn noch mit den Menschen verbindet. Dieser makellose Kondensstreifen ist sein Schal; auch der kleine Prinz trägt einen, der ist jedoch wiesengrün. Es scheint an jenem Morgen kein feindliches Flugzeug unterwegs zu sein, alles ist so ruhig, so friedlich. Doch plötzlich, wie aus dem Nichts, taucht ein Feind auf. Er weiß, daß dies ein ernster Angriff ist. Er wird getroffen, aber er flitzt davon, fliegt in schnellem Zick-Zack, wie er es Dutertre in Arras beigebracht hat, er möchte das Kunststück jenes Tages wiederholen, getroffen werden und sich außer Schußweite bringen. Aber dieses Mal verfolgt ihn das feindliche Flugzeug unerbittlich und läßt nicht locker. Er schaut nicht in den Rückspiegel, er rast, er fliegt nach Hause. Er fliegt einfach immer weiter, Gott wird sich der Gefahr annehmen. Aber er weiß, daß es zu spät ist. Er hat den Einsatz ohnehin schon seit langem akzeptiert: Leib und Leben, bis zum Tod.

Nun ergeben all diese ahnungsvollen Worte einen Sinn. Er ist einverstanden. Am Ende geschieht alles so, als hätte er sterben wollen. Ohne Bedauern, ohne Angst, ohne Reue, in dem Wissen, daß es so ist. Alles geht ganz schnell, und als das Flugzeug ins Trudeln gerät, wie eine wirbelnde Fackel, um auf dem Meer zu zerschellen, das wie eine harte Eisenplatte daliegt, ist er schon nicht mehr von dieser Welt, abgereist wie der kleine Prinz, in seine eigene Nacht. Auf seinen Planeten. In Borgo wartet man auf ihn, aber er kommt nicht. Der Funker schreibt in großen Buchstaben in sein Bordjournal: *Pilot did not return*. Aber nichts hält jemals inne. Der Krieg geht weiter. Alles dreht sich unerbittlich weiter. Mit ihm oder ohne ihn. Das war ihm klar, daher rührte seine Bescheidenheit. Man hielt ihn für einen Piloten-und-Schriftsteller, dabei war er eigentlich ein Pilot-und-Gärtner, der Kindern gerne das Alphabet beigebracht hätte ... Das hat posthum *Der Kleine Prinz* für ihn übernommen – nichts anderes als ein neues Alphabet, das ein Pilot geschrieben hat, der Gärtner sein wollte, und ein paar Lektionen in Alltagsmoral, ein paar «Tricks» zum Glücklichsein. Einfach nur glücklich.

– Was ist das für ein Ding da?
– Das ist kein Ding. Das fliegt. Das ist ein Flugzeug.
Es ist mein Flugzeug.
Und ich war stolz, ihm sagen zu können, daß ich fliege.
Da rief er: – Wie! Du bist vom Himmel gefallen?
– Ja, sagte ich bescheiden.
–Ah! Das ist ja lustig ...
Und der kleine Prinz bekam einen ganz tollen Lachanfall, der mich ordentlich ärgerte. Ich lege Wert darauf, daß meine Unfälle ernst genommen werden. Er aber fuhr fort:
– Also auch du kommst vom Himmel! Von welchem Planeten bist du denn?» *Der Kleine Prinz*

Antoine de Saint Exupéry, photographiert von John Phillips für die Zeitschrift Life.

DER SCHRIFTSTELLER:

DER TRAUM VON EINER VERBINDUNG

(192

– 1944)

Vorangehende Doppelseite und rechts: Antoine de Saint Exupéry an seinem Schreibtisch, um 1939.

SAINT EXUPÉRYS DOPPELTE BERUFUNG
zum Piloten und Schriftsteller hat sich nicht negativ auf sein Schreiben ausgewirkt, im Gegenteil: Seine Fliegerleidenschaft ist in seine Bücher eingeflossen und hat dadurch noch mehr Gewicht erlangt. Zwar ist er kein Romancier im eigentlichen Sinne, da er nur eigene persönliche Erfahrungen verarbeitet, aber dennoch Schriftsteller durch und durch. Darin ähnelt er Proust, der sein Dasein ebenfalls einer metaphysischen Suche verpflichtet hat und mit jedem seiner Werke die Tür zum weiten Feld des Unsichtbaren ein Stück weiter aufgestoßen hat. Beim Schreiben wie während seiner Nachtflüge fühlt sich Saint Exupéry als Teil eines größeren Ganzen. Es wird schnell klar, daß beide den gleichen Weg beschreiten, es sich um die gleiche Vorgehensweise handelt. Schreiben und fliegen, zwei aktive Bewegungsformen in Richtung …

«Gesprochen, gehandelt, geschrieben habe ich immer nur aus Liebe.»

Die innere Schwerkraft

Vielversprechende Anfänge

Antoines überbordende Phantasie zeigt sich bereits in seinen Schulaufsätzen. Einige sind erhalten geblieben, vor allem aus der Zeit in Fribourg, wo er die ländliche Umgebung und den Herbst ganz genau beschreibt. Seine Briefe, die er als Zehnjähriger aus dem Internat in Le Mans an seine Mutter schreibt, zeugen von seinem Sinn für Dramatik. Immer wieder bittet er sie inständig: «Schreib mir, schreib mir», als hätte er schon damals erkannt, welch besondere Bedeutung das Schreiben für ihn hat, um die Einsamkeit zu bekämpfen, um Austausch und Kommunikation zu ermöglichen. Das Briefeschreiben sollte eine Konstante in seinem Leben werden. Briefe sind für ihn Orte der Begegnung, der intimen Geständnisse und der Klage, wo er Verzweiflung, Wut, Ängste und Hoffnungen abladen kann, aber auch Orte der Unbefangenheit. Inhaltlich und thematisch unterscheidet sich Saint Exupérys Korrespondenz nicht von dem «Roman», den er schreibt. Das Kapitel «Die Menschen» in *Wind, Sand und Sterne* wiederholt nur, was er zur selben Zeit in seinen Briefen schreibt: die Universalität der Wahrheit, das Bedürfnis nach Spiritualität, die Angst vor Auflösung, die Sehnsucht nach einem (neuen) Anfang … Schreiben war ihm stets ein existentielles Bedürfnis, ein Mittel zur Übermittlung von Botschaften. Er fühlt sich im Besitz einer besonderen Gabe, ist überzeugt, ein Überbringer zu sein, ein Impulsgeber und Fährmann, gewissermaßen ein Gärtner der Seelen. Jemand, der den Lehm zu formen weiß. Die Poesie ist das erste bedeutende Schreibmodell, in dem er sich in seiner Jugend übt, nach dem Vorbild der großen Romantiker, denen er in jener Zeit nacheifert: Er läßt sich von Lamartine und den frühen Versen von Hugo inspirieren. Abgesehen von diesen insgesamt banalen und für sein Alter typischen Gedichten, führt ihn der Kontakt zu den mondänen Gästen bei Yvonne de Lestrange oder den Vilmorins auf eine andere literarische Spur. Er entdeckt, daß er eine besondere Gabe hat, Situationen, Landschaften oder Gemütszustände niederzuschreiben. Die ersten Versuche sind vielversprechend. Es sind kurze Texte von ihm erhalten, die noch stark von Querverweisen durchsetzt sind und deren Machart nicht allzu modern ist, in denen aber bereits die Grundzüge seines literarischen Vorhabens zu erkennen sind: *Manon, Tänzerin (Manon, danseuse)*, ein

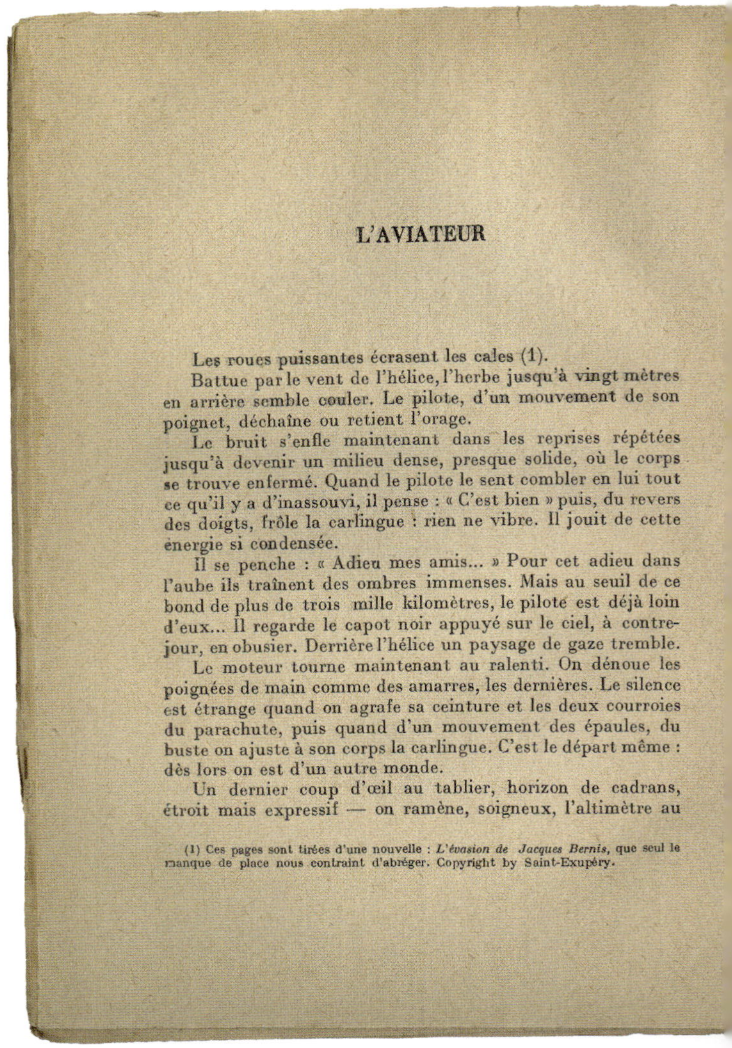

L'AVIATEUR

Les roues puissantes écrasent les cales (1).

Battue par le vent de l'hélice, l'herbe jusqu'à vingt mètres en arrière semble couler. Le pilote, d'un mouvement de son poignet, déchaîne ou retient l'orage.

Le bruit s'enfle maintenant dans les reprises répétées jusqu'à devenir un milieu dense, presque solide, où le corps se trouve enfermé. Quand le pilote le sent combler en lui tout ce qu'il y a d'inassouvi, il pense : « C'est bien » puis, du revers des doigts, frôle la carlingue : rien ne vibre. Il jouit de cette énergie si condensée.

Il se penche : « Adieu mes amis... » Pour cet adieu dans l'aube ils traînent des ombres immenses. Mais au seuil de ce bond de plus de trois mille kilomètres, le pilote est déjà loin d'eux... Il regarde le capot noir appuyé sur le ciel, à contre-jour, en obusier. Derrière l'hélice un paysage de gaze tremble.

Le moteur tourne maintenant au ralenti. On dénoue les poignées de main comme des amarres, les dernières. Le silence est étrange quand on agrafe sa ceinture et les deux courroies du parachute, puis quand d'un mouvement des épaules, du buste on ajuste à son corps la carlingue. C'est le départ même : dès lors on est d'un autre monde.

Un dernier coup d'œil au tablier, horizon de cadrans, étroit mais expressif — on ramène, soigneux, l'altimètre au

(1) Ces pages sont tirées d'une nouvelle : *L'évasion de Jacques Bernis*, que seul le manque de place nous contraint d'abréger. Copyright by Saint-Exupéry.

«Ich könnte schreiben, die Zeit dazu habe ich, aber ich vermag es noch nicht, mein Buch ist noch nicht reif in mir. Ein Buch, das ‹den Durst stillen› könnte.» *Briefe an die Mutter*

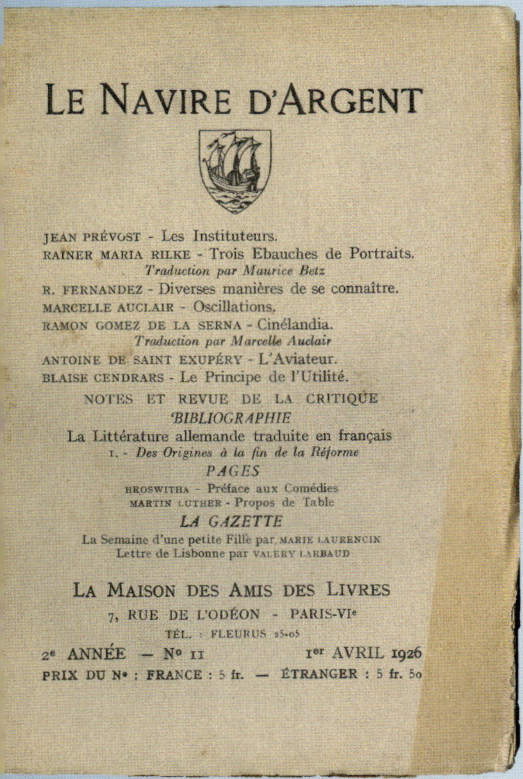

LE NAVIRE D'ARGENT

JEAN PRÉVOST - Les Instituteurs.
RAINER MARIA RILKE - Trois Ebauches de Portraits.
Traduction par Maurice Betz
R. FERNANDEZ - Diverses manières de se connaître.
MARCELLE AUCLAIR - Oscillations.
RAMON GOMEZ DE LA SERNA - Cinélandia.
Traduction par Marcelle Auclair
ANTOINE DE SAINT EXUPÉRY - L'Aviateur.
BLAISE CENDRARS - Le Principe de l'Utilité.
NOTES ET REVUE DE LA CRITIQUE
BIBLIOGRAPHIE
La Littérature allemande traduite en français
I. - *Des Origines à la fin de la Réforme*
PAGES
HROSWITHA - Préface aux Comédies
MARTIN LUTHER - Propos de Table
LA GAZETTE
La Semaine d'une petite Fille par MARIE LAURENCIN
Lettre de Lisbonne par VALERY LARBAUD

LA MAISON DES AMIS DES LIVRES
7, RUE DE L'ODÉON - PARIS-VIe
TÉL. : FLEURUS 25-05
2e ANNÉE — No 11 1er AVRIL 1926
PRIX DU No : FRANCE : 5 fr. — ÉTRANGER : 5 fr. 50

Linke Seite: Erste Seite von L'Aviateur (Der Flieger), *dem Jugendwerk von Antoine de Saint Exupéry.*
Links oben: Erste Seite der Literaturzeitschrift Le Navire d'Argent, *in der* L'Aviateur *erscheint.*
Darunter: Manon, danseuse (Manon, Tänzerin), *die erste richtige Erzählung von Antoine de Saint Exupéry.*

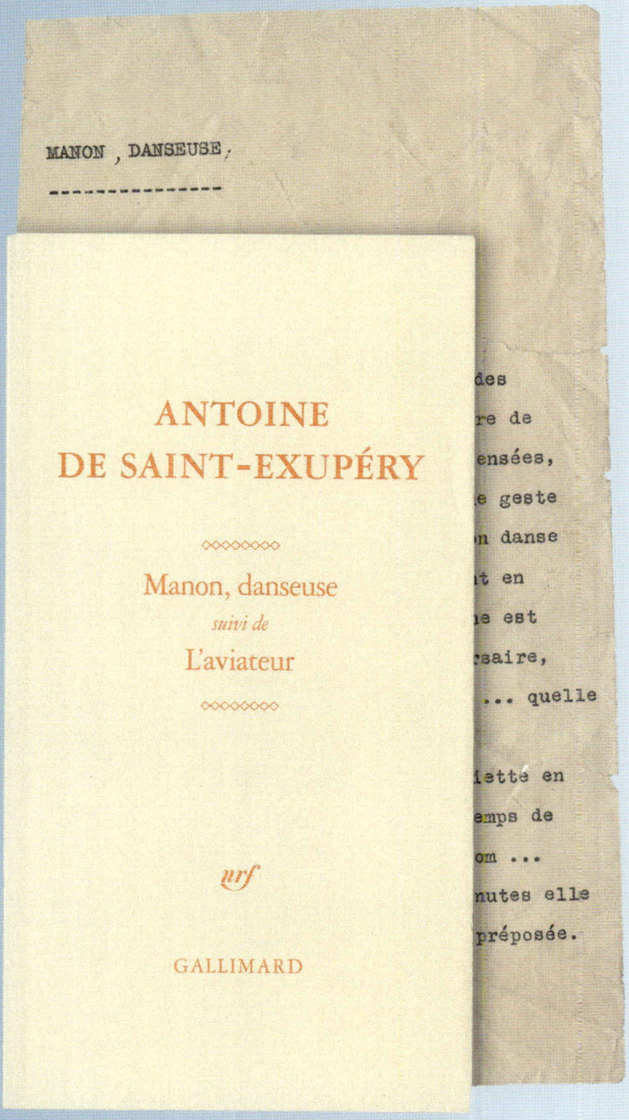

psychologischer Roman, und *Der Flieger (L'Aviateur)*, der einer neuen Gattung anzugehören scheint. Da er eine Weile auf das Fliegen verzichten muß – ein Zugeständnis an die Eltern von Louise de Vilmorin, die sich weigern, ihre Tochter an einen Piloten zu verheiraten, woraufhin er sich in die Provinz verzieht, um Lastwagen zu verkaufen –, hat er plötzlich viel Zeit zum Schreiben. In dieser für ihn so untypischen Situation wird er sich seiner Berufung zum Schriftsteller bewußt. Er schreibt (leider verschollene) Erzählungen und Novellen, von denen er ein paar Abschriften seiner Cousine, Yvonne de Lestrange, anvertraut, die über enge Kontakte zur *Nouvelle Revue Française (NRF)* verfügt: Gaston Gallimard und André Gide. Er hofft auf eine Veröffentlichung in der von Prévost geleiteten Zeitschrift *Le Navire d'Argent* oder in Jacques Rivières *NRF*. Um dieses Ziel zu erreichen, nutzt er seine Beziehungen. Schon bald sollte sich sein Schreiben in Gestalt von *Südkurier* Bahn brechen, dem eindrucksvollen Buch, das zwischen 1927 und 1928 in der einsamen Hitze von Cap Juby entsteht. Aber in *Manon* und *Der Flieger* ist bereits alles am richtigen Ort, sein Imaginarium angelegt. In *Manon* bekundet er sein Interesse für die Mittellosen, die Ausgegrenzten und Schwachen, die von Armut Bedrohten, denen er bei seinen ziellosen Wanderungen durch die Straßen von Paris und in den Tanzlokalen begegnet. In *Der Flieger*, der durch sein Thema bereits auf das künftige Werk verweist, offenbart er jene Mystik und Spiritualität des Fliegens, die zu den großen Motiven seiner berühmten Erzählungen werden sollten. Wunderbar intuitiv beschreibt er die Kunst der Fliegerei, und ein Abschnitt enthält sogar einen wichtigen Schlüsselgedanken: «Es herrscht eine merkwürdige Stille, wenn man den Gurt und die beiden Schulterriemen seines Fallschirms festzurrt und dann, mit einer Bewegung der Schultern und der Brust, den Sitz im Cockpit auf den eigenen Körper einstellt. Kaum ist man losgeflogen, befindet man sich in einer anderen Welt.» Saint Exupéry begreift seinen Pilotenberuf als Wiedergeburt, den Eintritt in eine andere Welt. «Es geht darum, geboren zu werden», schreibt er in seinen ergreifenden Briefen, als er ein letztes Mal zu seiner Fliegerstaffel 2/33 zurückkehrt.

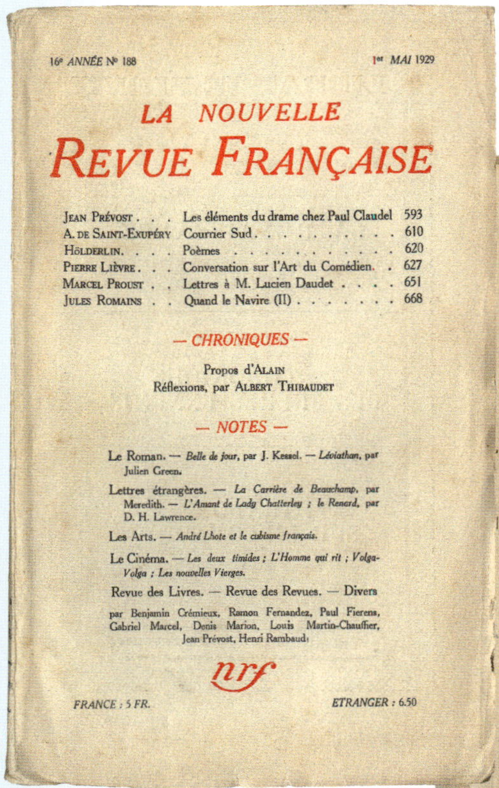

16e ANNÉE No 188 — 1er MAI 1929

LA NOUVELLE
REVUE FRANÇAISE

nrf

FRANCE : 5 FR. — ETRANGER : 6.50

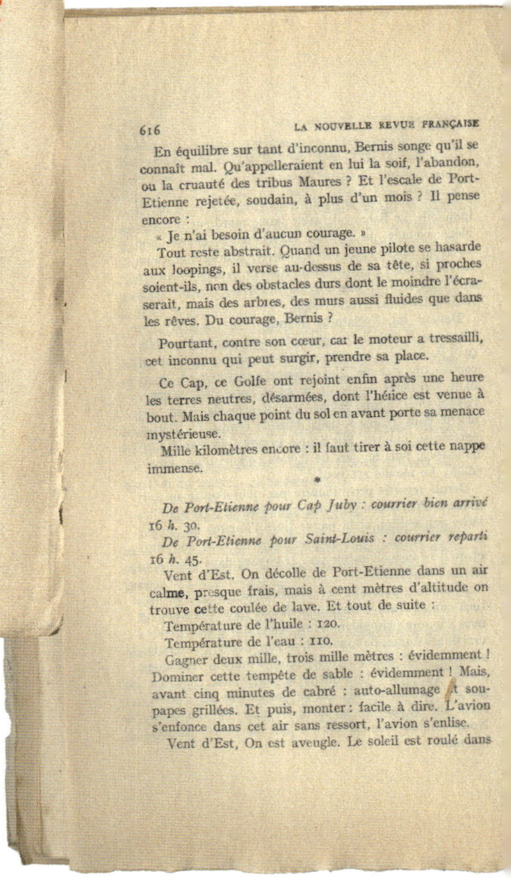

616 — LA NOUVELLE REVUE FRANÇAISE

En équilibre sur tant d'inconnu, Bernis songe qu'il se connaît mal. Qu'appelleraient en lui la soif, l'abandon, ou la cruauté des tribus Maures ? Et l'escale de Port-Etienne rejetée, soudain, à plus d'un mois ? Il pense encore :

« Je n'ai besoin d'aucun courage. »

Tout reste abstrait. Quand un jeune pilote se hasarde aux loopings, il verse au-dessus de sa tête, si proches soient-ils, non des obstacles durs dont le moindre l'écraserait, mais des arbres, des murs aussi fluides que dans les rêves. Du courage, Bernis ?

Pourtant, contre son cœur, car le moteur a tressailli, cet inconnu qui peut surgir, prendre sa place.

Ce Cap, ce Golfe ont rejoint enfin après une heure les terres neutres, désarmées, dont l'hélice est venue à bout. Mais chaque point du sol en avant porte sa menace mystérieuse.

Mille kilomètres encore : il faut tirer à soi cette nappe immense.

*

De Port-Etienne pour Cap Juby : courrier bien arrivé 16 *h.* 30.

De Port-Etienne pour Saint-Louis : courrier reparti 16 *h.* 45.

Vent d'Est. On décolle de Port-Etienne dans un air calme, presque frais, mais à cent mètres d'altitude on trouve cette coulée de lave. Et tout de suite :

Température de l'huile : 120.

Température de l'eau : 110.

Gagner deux mille, trois mille mètres : évidemment ! Dominer cette tempête de sable : évidemment ! Mais, avant cinq minutes de cabré : auto-allumage et soupapes grillées. Et puis, monter : facile à dire. L'avion s'enfonce dans cet air sans ressort, l'avion s'enlise.

Vent d'Est, On est aveugle. Le soleil est roulé dans

20 — L'ANIMATEUR DES TEMPS NOUVEAUX

"DE L'AUDACE, ENCORE DE L'AUDACE, TOUJOURS DE L'AUDACE."

Le courage le plus rare et le plus difficile est le courage régulier.

La liaison France, République-Argentine, Chili, réalisée par une compagnie française d'aviation.

Un pilote de cette compagnie Aéro-Postale qui a cette audace *régulière*, la plus belle des audaces, de relier la France à la République Argentine et au Chili par l'Espagne, le Maroc, le Rio de Oro, Dakar, l'Océan, le Brésil, a écrit un livre d'une spontanéité emballante.

L'œuvre est signée Antoine de Saint-Exupéry. Elle est intitulée « Courrier-Sud ». Elle raconte les sensations et les sentiments et le courage régulier — pas en coup de fusil — l'audace monotone et à heure fixe des pilotes de grand courrier.

Que d'écrivains de métier ne savent pas raconter comme ce pilote de métier !

***

Le départ dans la nuit. Tout est pointé. On charge le courrier.

« Toulouse, 5 h. 30.

« La voiture de l'aéroport stoppe net à l'entrée du hangar, ouvert sur la nuit mêlée de pluie. Des ampoules de cinq cents bougies livrent des objets durs, nus, précis comme ceux d'un stand.

« Sous cette voûte chaque mot prononcé résonne, demeure, charge le silence.

« Tôles luisantes, moteur sans cambouis. L'avion semble neuf. Horlogerie délicate à quoi touchaient les mécaniciens avec des doigts d'inventeurs. Maintenant ils s'écartent de l'œuvre au point.

« Pressons, messieurs, pressons... »

« Sac par sac, le courrier s'enfonce dans le ventre de l'appareil. Pointage rapide :

« Buenos-Aires, Natal, Dakar, Casa, Dakar. Trente neuf sacs. Exact ?

« — Exact. »

Celui sur qui tout reposera bientôt arrive.

« Le pilote s'habille. Chandails, foulard, combinaison de cuir, bottes fourrées. Son corps endormi pèse. On l'interpelle : « Allons ! Pressons ! » Les mains encombrées de sa montre, de son altimètre, de son porte-carte, les

«Vielleicht habe ich das Zeug zum Wünschelrutengänger. Ich werde tief in der Erde suchen.» *Die innere Schwerkraft*

Südkurier, 1929

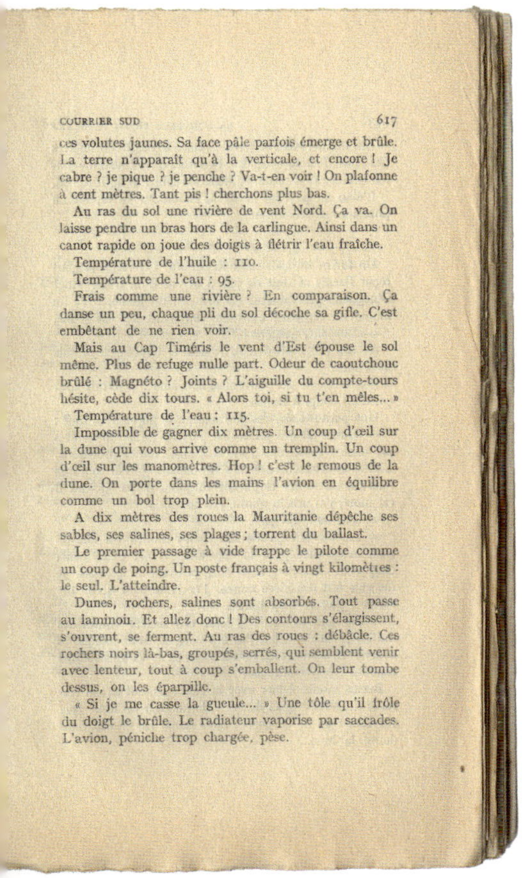

COURRIER SUD 617

ces volutes jaunes. Sa face pâle parfois émerge et brûle. La terre n'apparaît qu'à la verticale, et encore ! Je cabre ? je pique ? je penche ? Va-t-en voir ! On plafonne à cent mètres. Tant pis ! cherchons plus bas.

Au ras du sol une rivière de vent Nord. Ça va. On laisse pendre un bras hors de la carlingue. Ainsi dans un canot rapide on joue des doigts à flétrir l'eau fraîche.

Température de l'huile : 110.

Température de l'eau : 95.

Frais comme une rivière ? En comparaison. Ça danse un peu, chaque pli du sol décoche sa gifle. C'est embêtant de ne rien voir.

Mais au Cap Timéris le vent d'Est épouse le sol même. Plus de refuge nulle part. Odeur de caoutchouc brûlé : Magnéto ? Joints ? L'aiguille du compte-tours hésite, cède dix tours. « Alors toi, si tu t'en mêles... »

Température de l'eau : 115.

Impossible de gagner dix mètres. Un coup d'œil sur la dune qui vous arrive comme un tremplin. Un coup d'œil sur les manomètres. Hop ! c'est le remous de la dune. On porte dans les mains l'avion en équilibre comme un bol trop plein.

A dix mètres des roues la Mauritanie dépêche ses sables, ses salines, ses plages ; torrent du ballast.

Le premier passage à vide frappe le pilote comme un coup de poing. Un poste français à vingt kilomètres : le seul. L'atteindre.

Dunes, rochers, salines sont absorbés. Tout passe au laminoir. Et allez donc ! Des contours s'élargissent, s'ouvrent, se ferment. Au ras des roues : débâcle. Ces rochers noirs là-bas, groupés, serrés, qui semblent venir avec lenteur, tout à coup s'emballent. On leur tombe dessus, on les éparpille.

« Si je me casse la gueule... » Une tôle qu'il frôle du doigt le brûle. Le radiateur vaporise par saccades. L'avion, péniche trop chargée, pèse.

Es ist Saint Exupérys erstes großes Werk und bereits perfekt. Von nun an sollte das Schreiben für ihn zu einer Notwendigkeit werden. *Südkurier* entsteht in den sternenübersäten, einsamen Nächten von Cap Juby. Er kommt schnell voran und schreibt seiner Cousine: «Ich habe ein Büchlein von 170 Seiten geschrieben. Fertig.» *Südkurier* liest sich wie die Matrize des kommenden Werkes, denn alle Motive, die die künftigen Bücher durchziehen, sind bereits da: Die Verbundenheit mit den Sternen, der brüderliche Zusammenhalt zwischen Piloten und Bodenpersonal, die Sehnsucht nach dem Jenseits, die Gewißheit, daß das Flugzeug ein Bindeglied ist, die Suche nach dem Schatz. Er will «der Wünschelrutengänger sein, dessen Haselzweig zittert und [...] der ihn zum Schatz führt.» Die fließende Sprache und die geistige Dichte in *Südkurier* sind richtungsweisend für das künftige Werk. Gallimard weiß das sehr wohl. Er erkennt, daß er es hier mit einem Schriftsteller zu tun hat. Auch wenn Saint Exupéry sich hinter Bernis oder anderen Figuren versteckt, verrät das Thema des Buches die Methode: Selbstportrait, verschleierte Autobiographie, als sei Saint Exupéry nicht in der Lage, ein reiner Romanschreiber zu sein, der die Distanz zu seinen Figuren wahrt. Und so ist es auch: All seine Texte nähren sich von ihm und zeichnen seine Spur nach. Mit *Südkurier* beginnt eine Art Entwicklungsroman: Autor und Leser machen sich gemeinsam auf den Weg. Das Buch wird zu einem Weg zu Vervollkommnung und Erhebung. Deswegen fungieren die Prinzipien, auf denen seine Moral gründet, quasi als Inhaltsangabe für sein künftiges Werk: Was er in seiner Jugend und im Kontakt mit der feinen Gesellschaft erlebt hat – die Unsicherheit des Lebens, das In-Sich-Gefangensein, gesellschaftliche Unterdrückung, die Unmöglichkeit, das zu sein, was man ist, der Herdentrieb des Menschen, kurz, eine pessimistische und absurde Sicht des Menschen –, will er verändern, umkehren. Das Schreiben hat seiner Überzeugung nach die Aufgabe, diese gefangene Menschheit zu befreien, sie zu entbinden. «Alle waren sie Gefangene ihrer selbst», schreibt er in *Südkurier*. Von da an gibt es kein Zurück: Sein Schreiben wird das Spannungsfeld des Werdens in sich tragen. Das Schicksal regiert in der Welt nur dort, wo es Liebe und Bewunderung zu gewinnen gilt, wo diese Welt wieder neu verzaubert wird. Eine umfassende Aufgabe, die in *Die Stadt in der Wüste* ihre Erfüllung finden wird; *Südkurier* und die folgenden Bücher bilden nur die Voraussetzung dafür. So, wie man Bernis den «Schlachtplan» liefert, wird auch Saint Exupéry seine geplante Marschroute vorlegen. Das Buch kann sich nicht mit der Schilderung der Flucht zufriedengeben, sondern muß den wahren Menschen – der alle Widrigkeiten des gesellschaftlichen Lebens erträgt – etwas lehren, muß ihn aufklären und formen. *Südkurier* knüpft sowohl an den Menschen als auch an das Universum an. Das Flugzeug ermöglicht ihm die Himmelfahrt, die Erlösung.

Links oben: Courrier Süd (Südkurier) *war 1929 das erste Werk, das von der NRF veröffentlicht wurde. Darunter, Mitte: Artikel über* Südkurier, *erschienen in der Zeitung* L'Animateur des temps nouveaux. *Ganz links und ganz rechts: Werbeanzeigen für das Buch.*

Ein bedeutendes Vorwort

Nachtflug entsteht unter glücklichen Vorzeichen. Saint Exupéry weiß nun, welches Grundgefühl sein künftiges Werk prägen soll. Dank *Südkurier* hat er enorm viel an innerer Überzeugung gewonnen. Er fühlt sich als Schriftsteller: *Nachtflug*, von dessen Reifungsprozeß er seiner Mutter, vor allem aber seiner künftigen Frau ausführlich berichtet hat, ist endlich fertig. Tatsächlich schreibt er das Buch in Consuelos Gegenwart. In einem Brief an sie schwärmt er, daß die Zeit mit ihr, Ende 1930 in Buenos Aires, während er schrieb, die glücklichste Zeit in seinem Leben war. Er widmet das Werk Daurat, seinem Lehrmeister und Vertrauensmann während seiner Ausbildung, hat es Gallimard jedoch noch nicht vorgelegt. In der Zwischenzeit ist viel geschehen. Antoine liebt seine euphorischen Zustände, genießt es, sich seinen Extravaganzen hinzugeben. Er hat sich mit Consuelo Suncin «verlobt», einer jungen Witwe, reich und schön – reich jedenfalls bis zu dem Moment, in dem eine inopportune Revolution in Buenos Aires den amtierenden Präsidenten absetzt, dem ihr verstorbener Mann sein Vermögen verdankte. Consuelo, die seit 1927 verwitwet ist, bittet um Bedenkzeit, bevor sie in die Heirat einwilligt. Dennoch weiß Antoine, daß diese Begegnung wichtig ist. Er drängt sie, aber Consuelo kehrt nach Frankreich zurück, während die Mutter von Saint Exupéry, von ihrem Sohn zur Eile angetrieben, in Buenos Aires eintrifft: ein Hin und Her wie in einer Verwechslungskomödie, das Antoine nach besten Kräften zu verwalten versucht.

Als Tyrann, der er ja schon in Saint-Maurice war, nötigt er seine Mutter, nächtelang *Nachtflug* zu lesen. Sie fügt sich, wie gewohnt, «ihrem Antoine» ganz ergeben. Sie kehren nach Frankreich zurück, weil Antoine zwei Monate Urlaub hat. Als sie an Bord des Passagierschiffs *Alsina* gehen, haben sie einen Puma im Gepäck, den Antoine seiner Schwester schenken möchte. Das Manuskript von *Nachtflug* befindet sich in seinem Koffer, beinahe so weit fertig, daß es Gallimard übergeben werden kann. Angesichts der quälenden Langsamkeit des Ozeandampfers beschließt Saint Exupéry ungeduldig, im Einvernehmen mit der telefonisch kontaktierten Consuelo, die Reise zu unterbrechen und schon in Almería (statt, wie von ihr gewünscht, in Marseille) von Bord zu gehen; seine Mutter soll alleine nach Frankreich weiterreisen. Und den Puma, der in der Zwischenzeit schon einen Passagier gebissen hat, schenkt er einfach einem Mitreisenden! Consuelo wird von einem Pendelschiff an Bord des Ozeandampfers gebracht, weil dieser in Almería nicht anlegen kann, und die beiden reisen mit dem Auto weiter nach Paris. Dort beginnt die unkonventionelle Zweisamkeit dieser beiden *enfants terribles*. Antoine, der damit beschäftigt ist, *Nachtflug* abzuschließen, überhäuft Consuelo mit Leseproben. Ob in ihrem Haus in Tagle oder in Consuelos Residenz El Mirador in Nizza, wo er das letzte Wort unter das Manuskript setzt, fragt er sie um Rat, liest ihr ganze Kapitel vor. Dann ist es Zeit, nach Paris zurückzukehren. Während der Zugfahrt verkündet Antoine, daß sie nur kurz in Paris bleiben und gleich an die Côte d'Azur weiterreisen, nach Agay, um seine Verlobte seiner Mutter vorzustellen, die sich gerade bei ihrer Tochter Gabrielle aufhält. In Paris ist gerade genug Zeit, um das Manuskript bei Gallimard abzugeben, da geht es auch schon weiter. In Agay ist Yvonne de Lestrange mit André Gide im Hôtel des Baumettes abgestiegen. Antoine läuft zu Höchst-

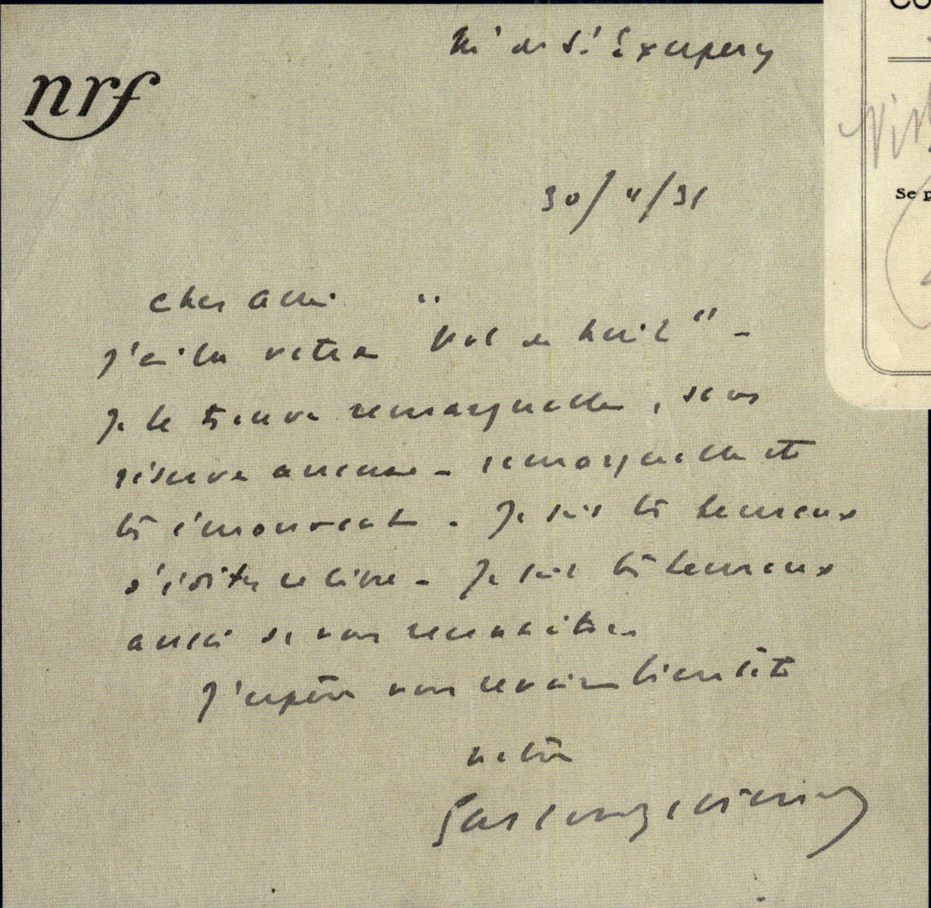

nrf

M. de St Exupery

30/4/31

Cher ami
j'ai lu votre "Vol de nuit" –
je le trouve remarquable, [illegible]
[illegible]
[illegible]
[illegible]
[illegible]
[illegible]
Gaston Gallimard

COMPAÑIAS FRANCESAS DE NAVEGACION

AGENTE GENERAL: ANDRÉ BOYER

351 - CORRIENTES - 359

TARJETA DE ENTRADA

A bordo del vapor ALSINA

Se permitirá el acceso a bordo hasta media hora antes de la salida del buque

Válida para 4 personas.

GRATIS

NO DEBE PAGARSE NADA POR ESTA TARJETA.

Linke Seite und ganz oben rechts: Werbeanzeigen für Nachtflug*.*

Recht Seite unten: Brief von Gaston Gallimard, in dem er seine Lektüreeindrücke beschreibt.

Rechte Seite, Mitte: Consuelos Fahrschein für das Zubringerschiff, das sie zum Ozeandampfer Alsina *hinausbringt, der vor der Küste Almerías ankert (und auf dem sie von Antoine erwartet wird).*

«Aber wenn es so ist, daß das Bild dir Erkenntnis verschafft, dann ist es der Berggipfel, von dem aus sich die Landschaft ordnet. Und Geschenk Gottes. Gib ihm einen Namen, damit du dich daran erinnerst.»
Die Stadt in der Wüste

form auf. Gide ist fasziniert von seinen Geschichten, seiner Energie, seinem Überschwang und seiner Lebensfreude. Der junge Mann will alles auf einmal: seine Pilotenkarriere, seine Berufung zum Schriftsteller, seine Beziehung zu Consuelo, in die er sich immer unsterblicher verliebt … Der «große Schriftsteller», der sich sonst gerne hinter seinem Ruhm verschanzt, lauscht gebannt Antoines Erzählungen von den Anden und von Feuerland. Saint Exupéry ist kaum zu bremsen, und Gide, überwältigt von der Lebendigkeit seines jungen Gesprächspartners, beschließt nach der Lektüre von *Nachtflug*, das Vorwort dazu zu schreiben. Er notiert nach diesem Zusammentreffen nur kurz in seinem Tagebuch: «Mit großer Freude Saint Exupéry in Agay wiedergesehen, wo ich ein paar Tage in der Nähe von P. verbracht habe. Seit knapp einem Monat in Frankreich. Hat ein neues Buch und eine neue Verlobte aus Argentinien mitgebracht. Das eine gelesen, die andere gesehen. Habe ihn beglückwünscht, aber vor allem zum Buch. Ich hoffe, die Verlobte ist genauso zufriedenstellend.» Zurück in Paris, macht sich Gide gleich an das Vorwort zu *Nachtflug*. Das Ergebnis ist von Wortwahl und Aussagewert her einigermaßen konventionell, enthüllt aber die übergreifende Zielsetzung dieses im Entstehen begriffenen Werkes. Er geht vor allem auf den Gedanken des Über-sich-Hinauswachsens ein, was, wie er schreibt, «durch einen festen Willen erreicht werden kann, und da brauchen wir vor allem jemanden, der uns zeigt, wie das geht». In dieser «außerordentlich bedeutsamen» Erzählung beschwört Saint Exupéry etwas, was uns heute als seine wichtigste Erkenntnis erscheint: «das trügerische Mysterium der Nacht», das Geheimnis, das sie bewahrt, das Geheimnis der Welt, ihrer Erschaffung und ihres Ziels. *Nachtflug* ist ein Flug ins finstere Herz des Unbekannten.

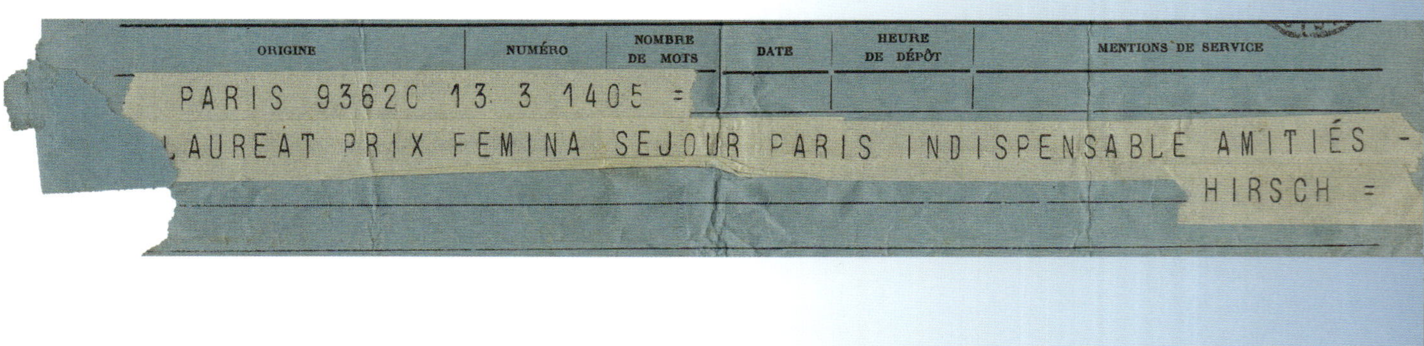

Fondé en 1879
ARGUS de la PRESSE
"Voit Tout"
LES PLUS ANCIENS BUREAUX D'EXTRAITS DE PRESSE
37, Rue Bergère, PARIS (9e)
Tél. Provence 16-14

N° DE DÉBIT
Extrait de : LE QUOTIDIEN
Adresse : AVENUE KLEBER, 25, XVI
Date : 4 DÉCEMBRE 1931
Signature :
Exposition :

Le prix littéraire
"Fémina-Vie Heureuse"
a été décerné hier
à M. de Saint-Exupéry

Photos G.-L. MANUEL. Cliché Quotidien.
M. DE SAINT-EXUPERY

M. de Saint-Exupéry
reçoit le prix
Femina-Vie Heureuse
pour son livre
« Vol de Nuit »

Linke Seite:
Erste deutsche Ausgabe von Nachtflug, *1947.*
Darunter:
Telegramm, das Antoine de Saint Exupéry mitteilt, daß er gerade den Prix Fémina erhalten hat.

Oben:
Zeitungsartikel aus dem Quotidien *vom 4. Dezember 1931.*

Die Geheimnisse von *Nachtflug*, 1931

Das erste verbirgt sich in einem langen Brief, den er im Januar 1930 von Buenos Aires aus an seine Mutter schreibt. Er schwelgt in Erinnerungen an seine Kindheit in Saint-Maurice und Le Mans und vertraut ihr eine frappierende Einsicht an: «Ich bin mir nicht sicher, ob ich seit meiner Kindheit wirklich gelebt habe.» Häufig erwähnt er das Buch, an dem er gerade schreibt, sein zweites, wie er sagt. Der Titel steht zu diesem Zeitpunkt noch nicht fest, das Thema jedoch schon: «Jetzt schreibe ich ein Buch über den Flug bei Nacht. Aber eigentlich ist es ein Buch über die Nacht.» Diese Präzisierung ist wichtig: *Nachtflug*, Flug über die Nacht. Viel später, im Jahre 1995, ein Jahr vor ihrem Tod, sagte Marguerite Duras über den Schriftsteller: «*Flug in meine Nacht* hätte er schreiben sollen!» Die semantische Ableitung des Titels zeigt, daß Saint Exupéry hier nicht nur eine Geschichte über die Pionierzeit der Luftpost geschrieben hat, sondern einen Text, der noch ganz andere Register zieht: Kindheit, Tod, Erwartung, Stille, Universum, das Göttliche …

Gide ahnte die unter der Oberfläche schlummernde Kraft dieses neuen Buches, ohne sie vielleicht in ihrem gesamten Umfang erfaßt zu haben. Sein Vorwort ist zu allgemein, als hätte er es verfaßt, um Saint Exupéry zu unterstützen, ihm unter die Arme zu greifen, ohne sich selbst tiefgehend auf die Analyse des Geheimen und Surrealen des Buches einzulassen. Denn hier geht es in erster Linie um die ganz persönliche Suche des Piloten bzw. Dichters (in seinen Augen mehr oder weniger dasselbe), die Suche nach dem Erhebenden, die zum Ziel hat, «in den wundersamen Limbus zurückzukehren». Das Flugzeug, in dem er sitzt, hat sich so innig mit ihm verbunden, daß es zu einem Teil seines Körpers geworden ist: «Alles leuchtete, seine Hände, seine Kleider, seine Flügel.» *Nachtflug* wird zum Epos der wiederauferstandenen Piloten: Fabien, der zu Beginn des Romans den Hürden der Nacht blind ausgeliefert scheint, taucht am Ende in ein alles umfließendes, himmlisches Licht ein, eine «Milch von Licht», was ihn ekstatisch ausrufen läßt: «Zu schön!»

Wer in *Nachtflug* mehr sehen kann als eine Abenteuergeschichte, findet einen Entwicklungsroman. Nur dank des Mutes und der Willensstärke, die Daurat der Unbesiegbare in seinen Männern herausgebildet hat, konnten diese den Königsweg der Erkenntnis beschreiten. Marguerite Duras hat recht: Dieser zweite Roman von Saint Exupéry ist auf jeden Fall eine Reise «in seine Nacht». Er mußte dieser tiefen Melancholie gehorchen, in der sein Charakter und sein Wesen wurzeln, um Texte schreiben zu können, die Dämmerung und leuchtender Tag zugleich sind: Schreibend dringt er in seine ureigene Nacht vor, schwankt, geht trotzdem weiter voran und erfährt schließlich jeden Tag mehr über sie. «Sieg, Niederlage», schlußfolgert der Autor: Es kommt auf diesen Kampf des Menschen-Engels mit dem Unsichtbaren in der Welt an, um schließlich über das Gebirge hinwegzukommen.

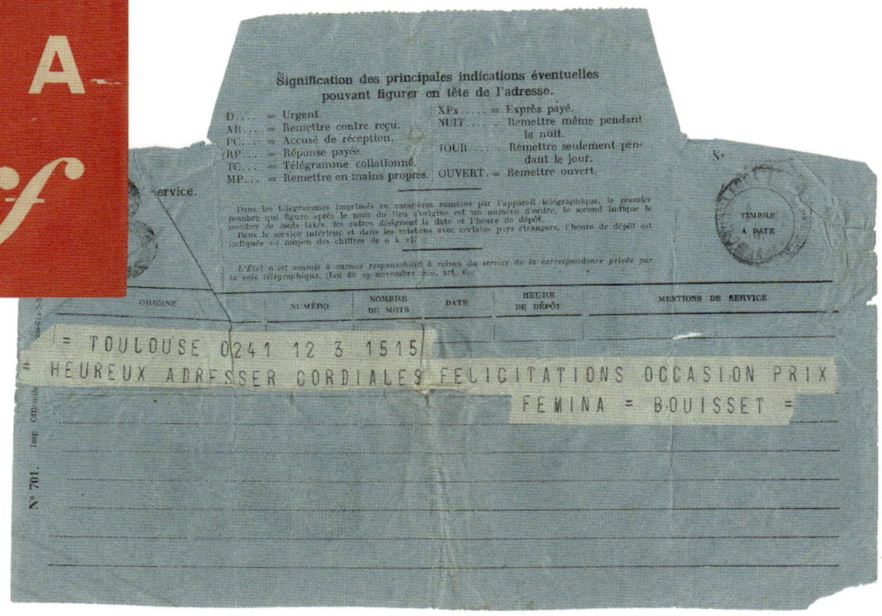

Ganz oben: Banderole des Literaturpreises Prix Femina. Rechts darunter: Glückwunschtelegramm an Antoine de Saint Exupéry. Unten: Die erste amerikanische Ausgabe von Nachtflug *mit dem Titel* Night Flight. *Rechte Seite: Antoine de Saint Exupéry mit Jean Schlumberger bei einem Kolloquium in Pontigny.*

Verdichtung und Vertiefung

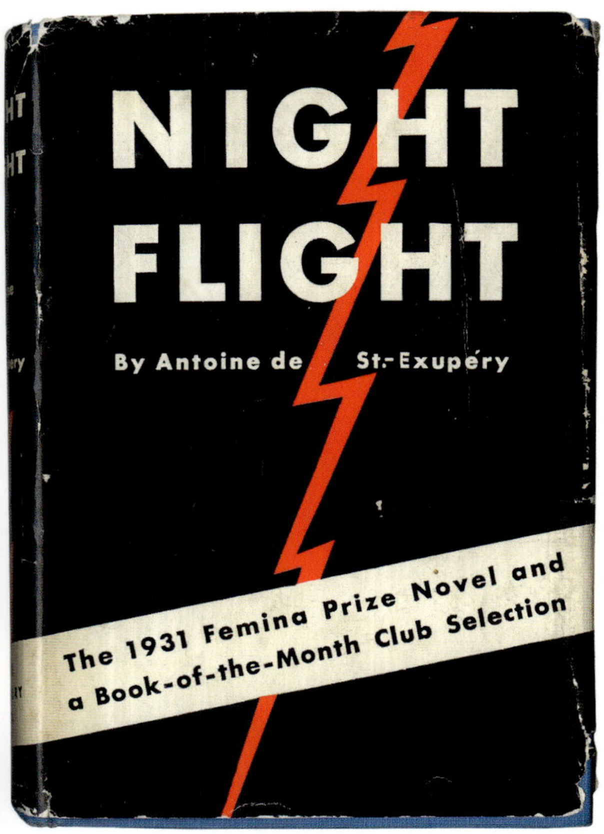

Südkurier und *Nachtflug* behandeln die gleiche Thematik, beide sind eine Art langes Selbstgespräch des Autors. Aber das neue Werk ist in geistiger, menschlicher und stilistischer Hinsicht von einer unvergleichlichen Tiefe und Dichte. Zwar ist zwischen den beiden Büchern wenig Zeit vergangen, gerade einmal zwei Jahre, aber Saint Exupérys Erfahrungsschatz hat sich vergrößert und vertieft, ist um «Melancholien» und viel seelische Not, aber auch Hoffnung und Charakterstärke angewachsen. Als der Zeitpunkt gekommen ist, Gallimard das Manuskript vorzulegen, stellt sich die Titelfrage. Er fragt Consuelo um Rat; deren Vorschlag lautet *Nuit lourde* («Bedrückende Nacht»), während Antoine *Minutes lourdes* (etwa «Beklemmende Minuten/Schwere Stunden») vorschwebt, eine Formulierung, die in seinen Briefen häufig vorkommt. Aber auf der letzten Seite des letzten maschinengeschriebenen Manuskripts, auf die Saint Exupéry mit blauem Stift «Nuit lourde» und «Vol de nuit» geschrieben hatte, streicht er schließlich die erste Variante durch … Die Kürze des Titels *Vol de nuit, Nachtflug,* und seine Mehrdeutigkeit haben ihn am Ende überzeugt. Antoine steht an einem Scheidepunkt: Er hatte sich schon lange gewünscht zu heiraten, und nun hat er mit Consuelo vielleicht die große Liebe gefunden. Liebe oder Leidenschaft? Für den Moment ist er Feuer und Flamme für sie. Er meistert sein Leben mit Bravour, und am liebsten möchte er alles ganz schnell: eine Frau, einen veröffentlichten Roman, eine Arbeit, die ihn ausfüllt. Sein Bedürfnis nach Anerkennung ist unerschöpflich. Er hungert förmlich danach, jammert seinen Eroberungen vor, wie häßlich er sei, klagt über die ersten Ansätze von Kahlköpfigkeit, beschwert sich ohne Unterlaß

«Ich schreibe wenig, ich habe keine Zeit, aber das Buch, das so langsam seine Form erhält, wird ein schönes Buch.»
Briefe an die Mutter

bei seiner Mutter über seine verlorene Kindheit. Er will: geliebt werden. Während sein gesamtes Werk von Altruismus, Großmut und Brüderlichkeit handelt, hat er selbst ein übergroßes Ego. In *Nachtflug* treten diese Widersprüche lebendig zu Tage. Die handelnden Figuren greifen alle großen Themen aus Saint Exupérys eigenem Leben auf. Eine dieser Übertragungen betrifft eine Beobachtung, die er bezüglich seiner Mutter einmal festgehalten hatte: «Du hast dich über uns gebeugt, über deine Engel auf dem Weg ins Reich der Träume, und damit diese Reise friedlich sei und nichts unsere Träume störe, hast du hier eine Falte, da einen Schatten, dort eine Verwerfung der Laken glattgestrichen … Man glättet ein Bett wie eine göttliche Macht das Meer.» In *Nachtflug* ist es die Frau des Piloten Fabien, der er diese Worte zuschreibt: «Seine Schlafstatt lag ruhig da, wie ein Hafen, und damit nichts seinen Schlaf störe, wischte sie mit den Fingern hier eine Falte, da einen Schatten und dort eine Verwerfung fort, sie glättete das Bett wie eine göttliche Macht das Meer.» Niemand bezweifelt, daß der Pilot, dessen Widersprüche, Ängste und Hoffnungen die Erzählung schildert, ein Abbild des Autors ist: das riesengroße, nie ganz befriedigte Bedürfnis nach Liebe, die Last der Einsamkeit, das Unbehagen allerorten, die Sehnsucht nach dem einzigen Ort, an dem das Leiden aufhört, dem «vollen Haus», in dem die ganze Familie versammelt ist, diesem «verlorenen Märchen». Das Buch pendelt zwischen zwei Polen: einerseits der Kindheit und andererseits dem Mut, der darin besteht, nicht nachzulassen und gleichzeitig die Erinnerung an dieses unwiederbringliche Glück dauerhaft lebendig zu halten. In diesem Spannungsverhältnis liegt die Schönheit von *Nachtflug* begründet. Und wenn Fabien, ob willentlich oder nicht, sein Leben verliert, ist dies erneut ein Vorgriff auf das künftige Werk, sogar auf das künftige Leben: Der Aufbruch des kleinen Prinzen, der zu seinem Planeten zurückkehrt, sein Verschwinden von der Welt, zeichnet sich hier ab. «Man geht ganz einfach weg», schreibt er seiner Mutter in jener Zeit.

Es wird deutlich, wie sehr in *Nachtflug* das gesamte Werk angelegt ist, ein Samenkorn, aus dem zuletzt *Die Stadt in der Wüste* erwächst. Ob die Damen, die den Literaturpreis «Prix Femina» vergeben haben, die Tragweite des Buches erkannt haben? Oder sahen sie darin nur eine spannende Abenteuergeschichte, wie sie damals überaus beliebt waren? Sie haben ihm den Preis verliehen. Saint Exupéry fühlte sich sehr geschmeichelt: Er sah darin, völlig zu Recht, den Beginn einer literarischen Karriere …

Ein herausragender Journalist: 1936–1938

Rechts: Titelseite der Zeitung L'Intransigeant *aus dem Jahre 1936, in der Antoine de Saint Exupéry von den Schrecken des Spanischen Bürgerkriegs berichtet.*

Die Jahre 1931–1936 sind alles andere als friedlich: Antoine betrügt seine Frau, die Ehe scheint bedroht. Consuelo kommt seiner Untreue auf die Schliche, er gesteht und übernimmt die Verantwortung. Die Fehler, die er Consuelo vorwirft, fallen direkt auf ihn zurück. Er will eben alles, absolute Liebe und Freiheit, Treue und Untreue, Einsamkeit und Nähe, Freiheit und Unabhängigkeit. Consuelo wiederum ist keine Frau, die alles hinnimmt. Da sie genauso unnachgiebig und eigensinnig ist wie Antoine, wären Zugeständnisse nötig, zu denen keiner der beiden bereit ist. Sie verhalten sich wie *enfants terribles*, die in einem Unwetter, das mit großen Schritten näherkommt, die Orientierung verloren haben. Jeder geht seinen Weg, ist kreativ und erfinderisch, sie trennen und versöhnen sich, sie lieben einander und weisen einander ab, sie verirren sich und finden sich wieder. Trotz dieses Liebestumultes setzt das literarische Werk seinen Weg fort: Saint Exupéry spinnt weiter an den gleichen Themen, die er in *Südkurier* ein- und in *Nachtflug* weitergeführt hat. Das Werk ist auf den Weg gebracht und wird, er ahnt es, in den Texten, die später einmal den Titel *Citadelle* (dt. *Die Stadt in der Wüste*) tragen werden, seine Vollendung finden. Die Flüge Casablanca-Dakar, die Testflüge bei Latécoère in Toulouse, die Consuelo Angst einjagen, und die Bruchlandung in der Wüste kurz vor Kairo, am Silvesterabend des Jahres 1936, verweisen Antoine immer wieder auf seinen Platz im Heldenepos der Fliegerei. Dort ist der Ort seiner Geburt, das pochende Herz seines Daseins. Consuelo leidet darunter, lenkt sich ab, so gut sie kann, stürzt sich in die Malerei, um nicht den Boden unter den Füßen zu verlieren, amüsiert sich, weint, droht und … schweigt. Er bringt nur für seine einsamen Flugstunden Geduld auf, für dieses Geheimnis der Nacht, das er immer noch erforscht. Aber Bücher schreiben ist ihm nicht genug. Er will handeln, sich aktiv einsetzen, mit Leib und Leben. Schriftsteller kann man seiner Meinung nach nur sein, wenn man seine ganze Person einbringt, sich ganz und gar in die Schlacht und ins Feuer wirft.

Andererseits muß Antoine auch für den Lebensunterhalt des Ehepaars sorgen, vor allem, da beide von Natur aus verschwenderisch sind. Es muß also Geld verdient werden: Antoine ringt sich dazu durch, für *Paris-Soir*, *L'Intransigeant*, *Marianne* und *Excelsior* zu schreiben. Er wird für große Reportagen verpflichtet, «übernimmt» den Bürgerkrieg in Spanien und reist nach Rußland. Bei der Gelegenheit erfindet er gleich einen neuen journalistischen Ansatz, der sich durch drei Elemente auszeichnet: Moral, Humanismus und einen ausgesuchten Schreibstil. Wo man journalistische Berichterstattung erwarten würde, liest man Meisterwerke an Prägnanz und Emotion. In diese erschütternden, bewegenden Texte legt Saint Exupéry seine ganze Kunst des Vermittelns, seine Fähigkeit, seinen Leser zu erreichen. Eine neue Kunst wird geboren. Albert Camus, François Mauriac, Marguerite Duras sollten später sein Erbe antreten. Während er den «großen Kriegsreporter» gibt, feilt Saint Exupéry gleichzeitig an seiner Moral und seiner kleinen laizistischen «Theologie», die zunehmend klare Konturen gewinnt: Haß auf Sektierertum und Ideologie, Absage an blindes Engagement, Vorrang des Menschlichen, Gewißheit, daß der Mensch im Innersten gut ist, Abscheu vor dem Krieg («können wir diesen Wahnsinn in klare Sprache übertragen und uns damit seiner entledigen?»), Verantwortlichkeit jedes Einzelnen. Seine gesamte humanistische «Pastorale», die von etlichen Pazifismus-Hassern verunglimpft werden sollte, kommt in der Metapher «Brücken in die Nacht hinein bauen» zum Ausdruck. Einmal mehr ein Gleichnis für das Verbindende.

Les pronostics de l'abbé Gabriel

Temps probable pour le 19 août : Vent variable dominant du secteur Ouest faible. Temps nuageux, brumeux avec éclaircies, quelques brumes ou faibles pluies suivies d'une amélioration. Température en baisse passagère, puis en hausse. — **Abbé Gabriel.**

Le Journal de Paris — TROISIEME EDITION — Le Journal de Paris

L'INTRANSIGEANT

Mercredi 19 Août 1936

TROISIEME EDITION

ABONNEMENTS	3 mois	6 mois	1 an
France et Colonies	26.»	50.»	96.»
Etranger A ...	50.»	100.»	200.»
Etranger B	75.»	150.»	300.»

CHEQUE POST. : 1.427 — TELEGRAMMES : INTRAN-PARIS — LIGNES TELEPHONIQUES : GUTENBERG 80-60 ET TURBIGO 54-40 INTER GUTENBERG 85 ET LA SUITE — 100, RUE REAUMUR, PARIS 2e — 57e ANNEE — 0 fr. 30

ESPAGNE ENSANGLANTÉE

ON FUSILLE ICI COMME ON DÉBOISE...

Et les hommes ne se respectent plus les uns les autres

par notre envoyé spécial
ANTOINE DE SAINT-EXUPERY

Sous le feu des insurgés

j'ai vu l'exode douloureux des femmes et des enfants de Saint-Sébastien

De notre envoyé spécial
EMMANUEL BOURCIER

"Je voulais prendre une chance, je l'ai prise : j'ai battu le record du monde"

par Georges DÉTRÉ,

qui nous dit ici au prix de quel effort il a réussi à atteindre l'altitude de 14.836 mètres, dépassant de 403 m. la performance de l'Italien Donati

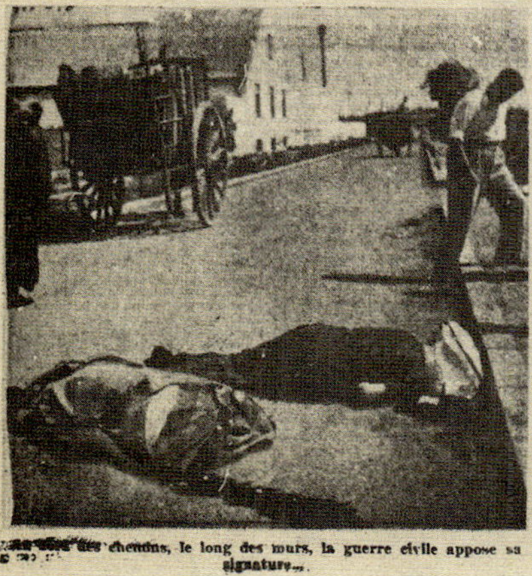

... des chemins, le long des murs, la guerre civile appose sa signature...

Saint-Sébastien est sous le feu des canons insurgés. Entre deux rafales d'obus, les miliciens quittent leurs abris et, aux points de chute, viennent mesurer les dégâts, relever les blessés et emporter les morts

Coupe Deutsch de la Meurthe 1933. Le vainqueur, Georges Détré (au centre), en conversation avec le chef pilote Labouchère (à droite) et le regretté Gustave Lemoine qui a été recordman d'altitude avec 13.661 mètres

Des amis, à mon retour du front, m'ont permis de me joindre à leurs expéditions mystérieuses. Nous voici au cœur de la montagne, dans l'un de ces villages qui connaissent à la fois la paix et la terreur.

— Oui, nous en avons fusillé dix-sept...

homme qui joue au billard : il jouait mal d'ailleurs, avec de grosses mains qui tremblaient : il était ému. Il ne savait pas encore s'il était fasciste. Et moi je songeais à ces pauvres singes qui dansent devant le boa, pour l'attendrir.

Mais nous ne pouvons rien pour lui

Pépin aligne ses références, négligeamment :

— Je suis socialiste français. Voici ma carte de membre du parti...

La carte passe de mains en mains. Le président relève les yeux sur nous :

— Laporte... Je ne vois pas...

— Mais si ! Un religieux français

Le bombardement a repris ce matin

Hendaye, 18 août (par téléphone). — Ce n'est, je pense, médire d'aucun des belligérants de constater que la « guerra » espagnole ne ressemble pas tout à fait à ce qu'une terrible expérience

secteur calme pendant la « der des der ». Vingt obus le matin au-dessus de Fontarabie qui ne reçut aucun éclat ; deux obus de riposte ; quinze à vingt obus encore le soir après la sieste. À

Wind, Sand und Sterne, 1939

Als er am 14. Dezember 1939 den Romanpreis der Académie Française für *Wind, Sand und Sterne* erhält, ist es Saint Exupéry gelungen, «endlich in den Krieg zu ziehen». Diesen Kampf führe er «aus Liebe und aus innerer religiöser Überzeugung», schreibt er Anfang November 1939 im Toulouser Grand Hôtel Tivoli an X. In wenigen Zeilen ist alles gesagt: Teilnehmen. Sich engagieren. Nicht mehr «vor sich hinvegetieren», nicht mehr «in äußerster Nutzlosigkeit» versauern. Starke Worte, mit Bedacht gewählt. Nie war Saint Exupéry so entschlossen, sich einer Fliegerstaffel anzuschließen. Endlich seiner großen Berufung folgen, «Linienpilot sein» und, was noch viel besser ist, ein Pilot unter vielen sein. Für die Kameraden einstehen, ein Samenkorn unter vielen sein, die Erde befruchten. Er selber verwendet diese Naturmetapher, um die Sterilität seiner falschen Pariser Freunde zu verdeutlichen, die in ihren mondänen Abendgesellschaften «Widerstand leisten» … Von diesem Engagement bis zur «maximalen Aufreibung», die er letztlich wählte, ist es nur ein Schritt, den er gerne ging, voll «tiefer Freude». Man fühlt sich an die Worte erinnert, mit denen Blaise Pascal seine Bekehrung beschrieb: «Freude, Freude, Tränen der Freude.» Gleiches Lied bei Saint Exupéry, das gleiche Sich-von-sich-selbst-Befreien, die gleiche Hingabe an die Sache, der er sich von nun an verpflichtet hat. Er landet in Orconte, bei der Militärischen Fernaufklärung, Einheit 2/33, in der Nähe von Saint-Dizier. Das beinahe mönchische Leben, das er dort führt, gefällt ihm, bringt ihn näher zu sich selbst und zu seinem Ziel, «Mensch unter Menschen» zu sein.

In Orconte erfährt von der Auszeichnung von *Wind, Sand und Sterne* durch die Académie Française. Das erfüllt ihn zwar mit Stolz, ist ihm aber auch in gewisser Weise gleichgültig: «Ich möchte einfach ein anonymer Soldat sein.» In jener Zeit betont er die Ähnlichkeit zwischen Soldat und Mönch. Die, wie er es ausdrückt, «wunderbare Anonymität», die sowohl dem Linienpiloten als auch dem Klosterbewohner zuteil wird, bestätigt ihn in seiner Bemühung, sich «durch eine Art natürlichen Verdauungsprozeß in etwas anderes zu verwandeln». Diese Auslöschung des Selbst, diese von nun an offene Einsatzbereitschaft, dargeboten wie ein makelloses Geschenk, wird zu den Prinzipien seines neuen Lernprozesses. Für ihn ist es eine Art Erfüllung, eine Erlösung; nach den befreiten Lehrjahren im Flugzeug steht nun alles im Zeichen des Wunsches, sich zu vergraben, sich Mutter Erde und dem Vaterland als Opfer darzubringen. Dieses Buch, das kein Roman ist, greift die vom

Autor zuvor angewandte Methode wieder auf: Es übernimmt persönliche Erfahrungen. Trotzdem ist diese Erzählung keine reine Autobiographie, sondern bedient sich vieler Gattungen – Roman, Geständnis, Augenzeugenbericht, Predigt. Pausenlos flicht er seine Lieblingsmotive ein: die Flugstrecke, die Kameraden, das Flugzeug, die Menschen, die Wüste, die Naturgewalten, das Credo. *Wind, Sand und Sterne* kommt wie ein Katechismus der Exupéry'schen Gedankenwelt daher, in dem alle ihm wichtigen Themen behandelt werden. Und alle deuten auf denselben Ursprung hin: Leben, Gewissen, Verantwortungsbewußtsein. Es geht vor allem darum, den schönen Lehm, aus dem die Menschen gemacht sind, nicht zugrunde zu richten. «Die Schöpfungsgeschichte ist noch nicht ganz zu Ende [...] wir müssen uns unserer selbst und des Universums bewußt werden.» Zehn Monate nach dem Erscheinen des Buches in Frankreich erhält es den Preis der Académie Française. In dieser Zeitspanne hat sich so viel ereignet, sah sich die Freiheit der Menschen so vielen Angriffen ausgesetzt! Saint Exupéry reist nach Deutschland, ist entsetzt von der deutschen Arroganz. Er erfährt vom Aufstieg Hitlers, der sich die Slowakei, Böhmen und Mähren einverleibt hat. Glücklicherweise kann er einem Zusammentreffen mit Göring aus dem Weg gehen; er verurteilt Hitlers Imperialismus und die Verrohung der Massen. In einem kurzen, düsteren Szenario bringt er seine Verachtung zum Ausdruck: «Man läßt die Ruhr-Arbeiter vor einem Van Gogh, einem Cézanne und einem Farbdruck defilieren. Natürlich entscheiden sie sich für den Farbdruck. Die Cézanne- und die Van-Gogh-Kandidaten, all die großen Nonkonformisten, werden in ein Konzentrationslager gekarrt, das gefügige Vieh wird mit Farbdrucken gefüttert.» Die Kritik ist gemischt, insgesamt eher wohlwollend. Saint Exupéry bringt in *Wind, Sand und Sterne* seine Angst vor einer künftigen Gesellschaft zum Ausdruck, die auf Kollektivismus oder Anonymität gründet. Verfallene Dörfer, verfallene Identitäten, blinde Termitenstaaten, was sonst sollte daraus entstehen … In den USA wird *Wind, Sand and Stars* zum Publikumserfolg und erhält den National Book Award. Saint Exupéry reist im Sommer 1939 zur Preisverleihung nach New York, die im Rahmen eines großen Empfangs im Hotel Waldorf Astoria stattfindet. Doch als die Kriegsgefahr immer offensichtlicher und akuter wird, kehrt er am 30. Juli nach Frankreich zurück. Er behauptet, in jenem Augenblick den Sinn seines Lebens gefunden zu haben:

Erste illustrierte amerikanische Ausgabe von Wind, Sand und Sterne.
Unten: 1939 erhielt Antoine de Saint Exupéry in den USA für Wind, Sand und Sterne den National Book Award.

«Ich bin ein Mann, der in der Asche wühlt. Ich bin ein Mann, der am Boden der Feuerstelle nach der Glut des Lebens sucht.»
Wind, Sand und Sterne

«Wenn man in Gefahr schwebt, ist man für alle verantwortlich.» Seine Entscheidung steht fest: Man muß kämpfen, in den Krieg ziehen, um «die Herrschaft über sein inneres Reich» zu bewahren.

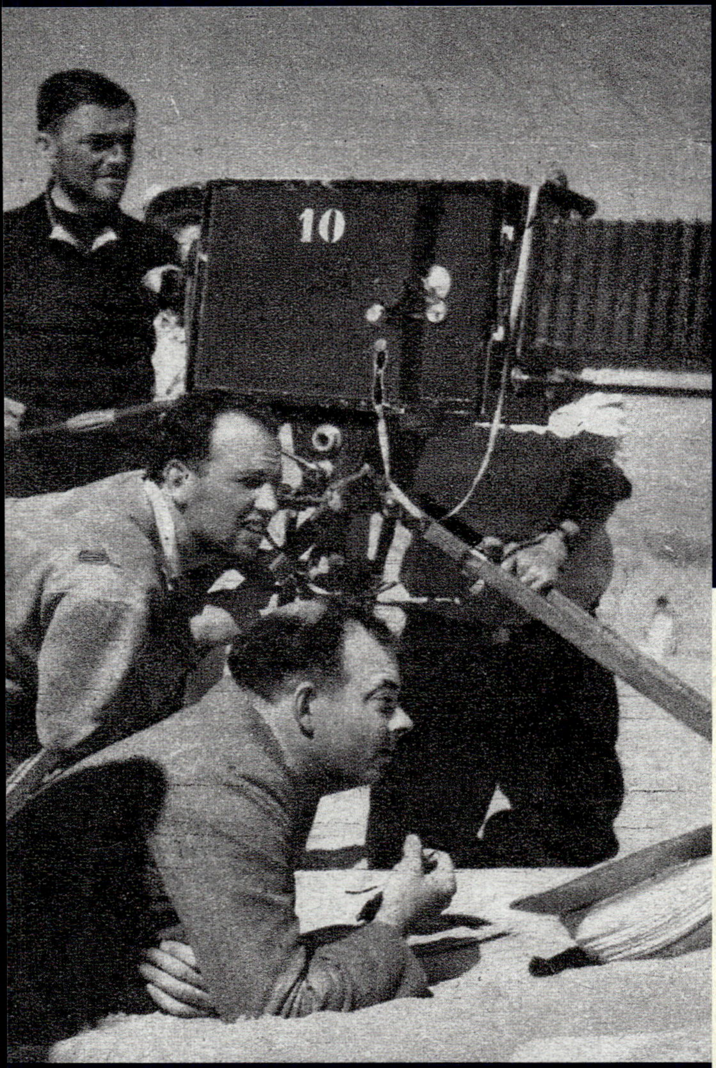

Links:
Antoine de Saint Exupéry am Drehort.
Unten und rechte Seite:
Brief von Jean Renoir an
Antoine de Saint Exupéry.

VIA AIR MAIL

Twentieth Century-Fox Film Corporation

STUDIOS
BEVERLY HILLS, CALIFORNIA

8150 Hollywood Boulevard,
Hollywood, 29 Avril, 1941

Monsieur Antoine de Saint-Exupéry,
240, Central Park South
NEW YORK CITY.

Mon cher Saint Ex.,

Je vais avoir ce soir une dame sténographe qui va mettre sur le papier une partie du contenu de vos disques. Une partie seulement, parce qu'elle ne mettra que les mots. Elle ne pourra, hélas pas, y mettre le son de votre voix, vos intonations, et cette espèce de chaleur amicale qui nous a bouleversés.

Je vais également avoir une grande conférence avec Al Lewin, mais, avant de fixer quoi que ce soit, nous devons écouter les propositions d'autres producteurs qui peuvent se déclarer, comme Walter Wanger, qui est en train de lire le livre, et Selznick, que je vais voir aujourd'hui ou demain.

Selznick veut que je travaille avec lui. Il à envie de me racheter à la Fox. J'en serais rudement content, car c'est un homme de très grande classe et dont les films ne sont jamais indifférents. Son idée est de me faire faire le film de Kessel sur la Légion. Cela représente un tel progrès sur ce qu'on me propose à la Fox que je suis tout prêt à accepter mais en lui demandant d'inscrire également à son programme "Wind Sand and Stars". Nous jouons sur le velours puisque Al Lewin est tout à fait décidé. La seule question qui se pose c'est celle de ma liberté. Les possibilités de cette liberté je ne les connaîtrai que aprés une conversation avec Feldman, lequel, en principe, doit rentrer demain.

Depuis l'audition de vos disques j'ai eu deux idées, très petites, mais ~~xxxxxx~~ que je vous raconte tout de même. La première c'est que notre aviateur, se rendant dans le Sahara, pourrait peut-être le faire au point culminant de son aventure amoureuse avec la jeune Princesse. Si le contact avec l'Arabe philosophe et avec Bonnafous a comme résultat de l'amener à renoncer à un sentiment très fort, cela me semble plus intéressant que si le sentiment en question est déjà sur son déclin.

Vous avez fait une légère allusion à cette possibilité en faisant une paranthèse dans un de vos disques. Dans cette parenthèse vous disiez qu'il faudrait que le pilote parte en

Das Experiment Kino

Als genialer Tausendsassa hat Saint Exupéry sich auch für das Kino interessiert. Seine unstillbare Neugier treibt ihn dazu, diese neue Kunst auszuprobieren, die die ganze Welt umfaßt, die Standpunkte vervielfacht. Schnell findet er Anschluß an die Kreise der Schauspieler und Filmemacher. Dank eines arrangierten Zufalls lernt er auf dem Dampfer, der ihn 1940 nach New York bringt, Jean Renoir kennen, mit dem er innige Freundschaft schließt und in dessen Haus in Hollywood er sich im Juli 1941 einquartiert. Der Erfolg seiner Bücher – so schwierig ihre Verfilmung auch wäre – weckt das Interesse von Regisseuren und Produzenten. Saint Exupéry verkauft die Filmrechte ohne zu zögern, in der festen Überzeugung, daß seine Geschichten im Kino ein größeres Publikum finden und eine ganz neue Wirkung entfalten können. So läßt sich Regisseur Clarence Brown von *Night Flight*, der amerikanischen Ausgabe von *Nachtflug*, überzeugen und verfilmt den Stoff 1933 für Metro Goldwyn Mayer. Die Besetzung ist ein Traum: Robert Montgomery, Clark Gable, Helen Hayes und Mirna Loy. Der Erfolg kann sich sehen lassen, sowohl in den USA als auch in Frankreich, wo der Film 1934 in die Kinos kommt. Saint Exupéry ist zwar enttäuscht, daß er bei den Dreharbeiten nicht konsultiert wurde, macht aber gute Miene zum bösen Spiel; er gratuliert dem Regisseur und rührt sogar indirekt die Werbetrommel für den Film, indem er lobt, bestimmte Szenen, wie etwa die Überquerung der Anden, seien äußerst realistisch und wahrheitsgetreu.

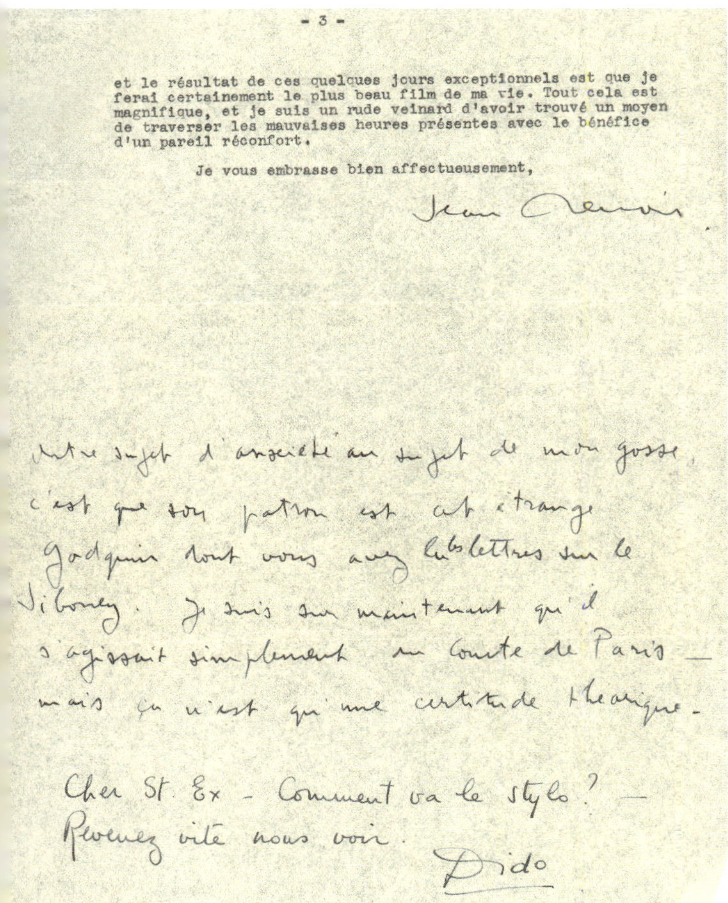

- 3 -

et le résultat de ces quelques jours exceptionnels est que je ferai certainement le plus beau film de ma vie. Tout cela est magnifique, et je suis un rude veinard d'avoir trouvé un moyen de traverser les mauvaises heures présentes avec le bénéfice d'un pareil réconfort.

Je vous embrasse bien affectueusement,

Jean Renoir

Autre sujet d'anxiété au sujet de mon gosse, c'est que son patron est cet étrange Godquin dont vous avez lu les lettres sur le Siboney. Je suis sûr maintenant qu'il s'agissait simplement du Comte de Paris – mais ça n'est qu'une certitude théorique.

Cher St. Ex – Comment va le stylo? – Revenez vite nous voir.

Dido

Er findet Gefallen an dieser neuen Kunstform und schreibt 1936 das Drehbuch zu *Anne-Marie*. Regisseur Raymond Bernard, Tristan Bernards Sohn, liest das Drehbuch und beschließt, es zu verfilmen. Dieses Mal wird Saint Exupéry eingebunden und berät Bernard in allen Flugszenen. Auch hier ist die Besetzung überzeugend: Annabella und Jean Murat spielen die Hauptrollen. Später, während seines Exils in den USA, sah er Annabella wieder, die in der Zwischenzeit ein Star geworden war und Tyrone Power geheiratet hatte. Sie trafen sich, wie Annabella es ausdrückte, «im Zeichen des Märchens»: Sie saß am Bett des kranken Saint Exupéry und las ihm Märchen von Andersen vor. Das Medium Film sollte für Antoine seine Faszination nie verlieren. In Buenos Aires leistete er sich eine Kamera und machte sich daran, im Stile eines großen Reporters die Revolution zu filmen, die sich dort abspielte. Er hielt sogar ein paar glückliche Szenen mit Consuelo fest, die er gerade erst erobert hatte. Das Drehbuchschreiben gefiel ihm, auch wenn es seinem sonst eher lyrischen und sehr stark erzählerischen Stil widersprach. Vielleicht ließ er sich beim Schreiben von *Flug nach Arras* davon inspirieren? Einige Seiten sind nervöser und elliptischer, fast drehbuchähnlich, und erinnern irgendwie an Hemingway …

Flug nach Arras, 1942

Reynald und Hitchcock, Saint Exupérys Verleger in New York, wollten den Erfolg der amerikanischen Ausgabe von *Wind, Sand und Sterne* gerne wiederholen. Der unbestrittene Bestseller, der zum besten Buch des Jahres gekürt worden war, hatte sowohl die literarischen Eliten als auch die breiten Massen begeistert. Saint Exupéry, der seit 1940 in New York wohnt, kann endlich ohne Geldsorgen leben. Das Buch bringt ihm viele Tantiemen ein, so daß er wieder seiner natürlichen Veranlagung nachgeben und ein großzügiges und verschwenderisches Leben führen kann. Er gibt das Geld mit vollen Händen aus, verteilt es an Freunde mit finanziellen Schwierigkeiten, auch an arme Leute in Not. Doch dieser Zustand befriedigt ihn nicht: In den Vereinigten Staaten im Exil zu sein, während Frankreich sich im Krieg befindet, versetzt ihn in einen unerträglichen Zwiespalt, den er überwinden will. Aber er entdeckt sehr schnell, daß seine Projekte ausgebremst werden, als sorge sein moralischer und geistiger Einfluß bei einigen seiner Landsleute für Unbehagen. Gerüchte sind in Umlauf. Ideologieträger stellen seine intellektuellen und geistigen Vorlieben in Frage. Saint Exupéry erlebt diese Phase wieder in dem Gefühl, am falschen Platz zu sein. Die einzigen Momente, in denen er sich «richtig» fühlt, sind jene, in denen er ein Flugzeug lenkt. Von den USA aus Widerstand zu leisten, wirft in ihm die Frage nach seinem Nutzen auf. Im Kreuzfeuer zwischen zwei gegnerischen Fronten versinkt er in einer Art depressiver Melancholie, die zwar schon in Orconte spürbar war, aber nun zu echter Verzweiflung heranreift.

Layout für die erste französische Auflage von Pilote de guerre, *veröffentlich in New York von Reynald & Hitchcock.*

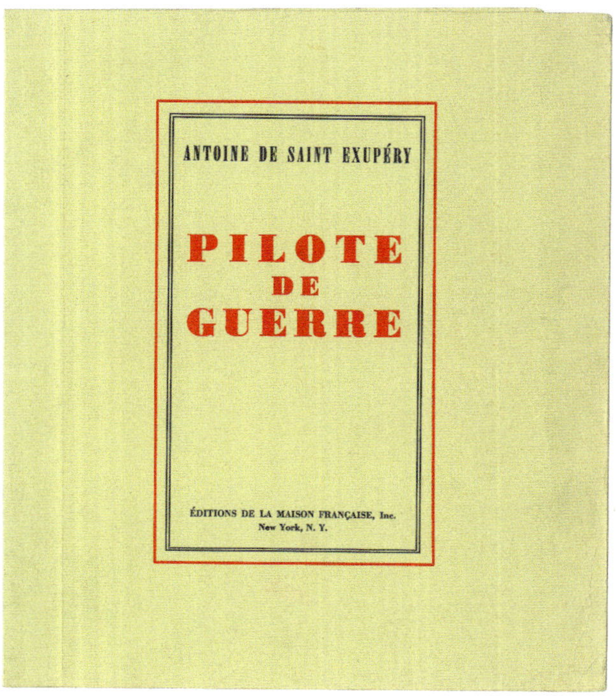

Wie soll man sich um Roman und Literatur kümmern, wenn man pausenlos über die Ausdehnung des Krieges und die Kapitulation Frankreichs nachgrübelt? Wie mit Surrealisten und Intellektuellen «im Widerstand» verkehren, deren Feigheit und Gerede er verachtet? Wie kann er «rein», «unbefleckt» bleiben (der Begriff fällt immer wieder), wenn er sich mit Besuchen bei ihnen kompromittiert? Seine Verleger verzweifeln und ermuntern ihn, einen – wenn auch nur kurzen – Text zu schreiben, in dem er vom Krieg und seinen Erlebnissen als Pilot berichtet. Er macht sich an die Arbeit, aus der Überzeugung heraus, daß es seine Pflicht ist, über dieses Thema zu schreiben, geht es doch um dieses innere Abenteuer, tragisch und erbaulich zugleich, dem er sich bis zu seinem Tod verschrieben hat. Schreiben, ja, aber dann bis zur totalen Aufopferung. Das Motiv des «maximalen Sich-Aufreibens» wird also das neue Buch dominieren. Auf daß dieses neue Werk ein «Leucht-

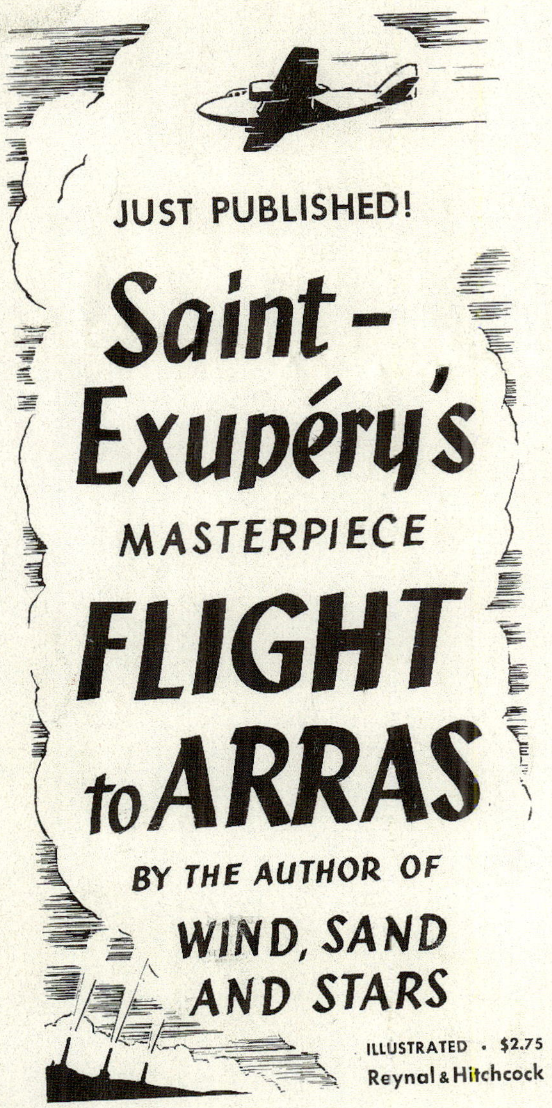

Links: Amerikanische Werbeanzeige für das Buch.
Oben: Erste Ausgabe des Buches in den Vereinigten Staaten, mit Illustrationen von Bernard Lamotte.
Unten: Telegramm von Henri de Ségogne, den Antoine de Saint Exupéry gebeten hatte, sein Buch in Frankreich (trotz Verbot) herauszubringen.

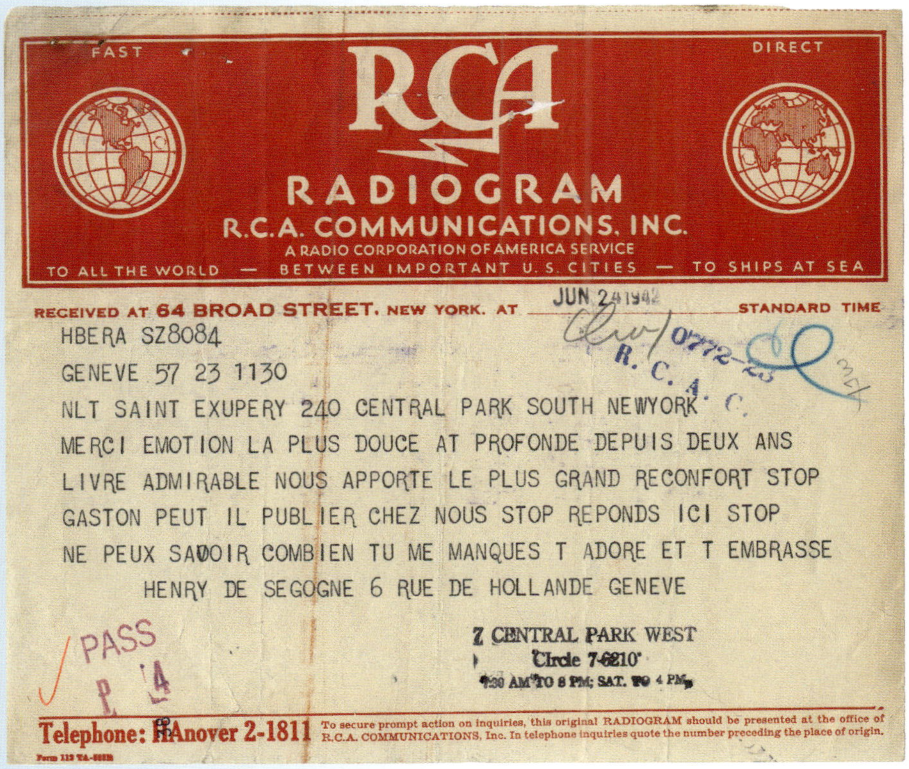
FAST DIRECT
RCA
RADIOGRAM
R.C.A. COMMUNICATIONS, INC.
A RADIO CORPORATION OF AMERICA SERVICE
TO ALL THE WORLD — BETWEEN IMPORTANT U.S. CITIES — TO SHIPS AT SEA

RECEIVED AT 64 BROAD STREET, NEW YORK. AT JUN 24 1942 STANDARD TIME

HBERA SZ8084
GENEVE 57 23 1130
NLT SAINT EXUPERY 240 CENTRAL PARK SOUTH NEWYORK
MERCI EMOTION LA PLUS DOUCE AT PROFONDE DEPUIS DEUX ANS
LIVRE ADMIRABLE NOUS APPORTE LE PLUS GRAND RECONFORT STOP
GASTON PEUT IL PUBLIER CHEZ NOUS STOP REPONDS ICI STOP
NE PEUX SAVOIR COMBIEN TU ME MANQUES T ADORE ET T EMBRASSE
HENRY DE SEGOGNE 6 RUE DE HOLLANDE GENEVE

PASS

7 CENTRAL PARK WEST
Circle 7-6210
7:30 AM TO 8 PM; SAT. TO 4 PM

Telephone: HAnover 2-1811 To secure prompt action on inquiries, this original RADIOGRAM should be presented at the office of R.C.A. COMMUNICATIONS, Inc. In telephone inquiries quote the number preceding the place of origin.

«Wenn du einem Menschen schreibst, belädst du ein Boot. Aber nur wenige Boote kommen an. Sie versinken im Meer. Nur wenige Sätze entfalten ihre Wirkung durch alle Zeiten hindurch …»
Die Stadt in der Wüste

Zeichnungen von Bernard Lamotte für Flug nach Arras.

feuer» sei, analog zu Charles Baudelaires Ausspruch über die Poesie: ein Licht, das die Nacht erhellt, in die Frankreich hinabgesunken ist.

Dieses Buch war *Pilote de guerre* (dt. *Flug nach Arras*), mit Bildern von Saint Exupérys Freund, dem Werbezeichner Bernard Lamotte. Der Autor berichtet, wie es seine Gewohnheit ist, von seinem eigenen Erleben, das er auf alle menschlichen Erfahrungen ausweitet und aus dem er Lehren für alle Menschen zieht. Saint Exupéry schreibt hastig, aber auch mit fast beunruhigender Leichtigkeit, während ihn gleichzeitig bereits sein großes Werk in Anspruch nimm, das wir unter dem Titel *Die Stadt in der Wüste* kennen und das Seite um Seite wächst. Die meisten verbrennt er, um wieder neue zu schreiben: «Ich werde sie einfach so lange überarbeiten, bis ich am Ende meiner Kräfte bin», schreibt er Nelly de Vogüë. «Ich werde nichts anderes auf der Welt machen.» Am 6. Februar 1942 erscheint *Pilote de guerre*. Dieses Mal sucht Consuelo den Buchtitel aus, und zwar mit Hilfe einer Séance, wie sie in ihren Memoiren erzählt: Unterstützt durch einen Freund, Gérard Fleury, werden mögliche Titel ausgelegt, zum Beispiel *Jugement de Dieu* (Gottesurteil), *L'Épreuve du feu* (Feuertaufe), *Basse Altitude* (Geringe Höhe), *Tir sur hommes* (Menschen unter Beschuß) etc. Die Veröffentlichung erfolgt in französischer Sprache in den Vereinigten Staaten und in drei Etappen in der amerikanischen Zeitschrift *Atlantic Monthly*, außerdem, dank des Eingreifens von Henri de Ségogne, in Paris bei Gallimard, allerdings unter den Auflagen der deutschen Zensur, die einen Satzteil streicht: «Hitler, der diesen schwachsinnigen Krieg vom Zaun gebrochen hat …» Reges Interesse der Presse in Frankreich wie auf der anderen Seite des Atlantiks. Lobeshymnen in den USA, geteilte Meinungen in Frankreich, zwischen Kollaborateuren und Résistance. Dann verschwindet das Buch aus den Regalen der Buchhandlungen und wird in Frankreich verboten. Damit beginnt seine zweite Karriere: im Untergrund. Die Botschaft Saint Exupérys gelangt von Amerika in den Maquis seiner Heimat. Seine Erzählung ist rauher als die vorangehenden, wo noch ein gewisser Optimismus und mehr Nachsicht vorherrschten. *Flug nach Arras* steht in der Tradition der großen amerikanischen Erzählungen, zwischen Hemingway und Dos Passos. Der Text ist dichter, intensiver, auch kürzer, als hätte sich der Autor auf seine großen Reportagen besonnen. Lob der geistigen Gemeinschaft, Lob der Saatkörner, die aufgrund ihres Schweigens besiegt scheinen, aber in der Erde austreiben und wiedergeboren werden. Mehr als je zuvor verschmilzt die Aufgabe des Piloten mit der des Schriftstellers. Leib und Leben im Abenteuer aufs Spiel setzen, die Truppe zusammenhalten, sich eins fühlen mit den anderen: Das ist Antoine de Saint Exupérys Traum von der Dreifaltigkeit.

«Es ist vor allem wichtig, die Menschen das Erfassen zu lehren, viel wichtiger als das Bezeichnen. Es ist wichtig, ihnen beizubringen, wie man Inhalte einfangen kann. Wenn du mir einen Menschen zeigst, was kümmert mich denn, was er weiß? Da kann ich auch ein Wörterbuch befragen. Mich kümmert vielmehr, was er ist.»

Die Stadt in der Wüste

KATIE
TOTOCHE
CLAUDE
ANDRE
MARCO

Der Kleine Prinz, 1943

Linke Seite, oben.
Der Tisch von Bernard Lamotte, in den Antoine de Saint Exupéry eine kleine Figur einritzt, die nach und nach zum kleinen Prinzen wird

Darunter und rechts: Aquarellfarbkasten, Zeichenstifte und Spitzer, die Antoine de Saint Exupéry benutzt hat

Saint Exupérys «Leuchtfeuer» entsteht aus einer beiläufigen Bemerkung. Wie kann man ihn wieder ins Leben zurückholen?, fragen sich seine Verleger, bestürzt über seine Melancholie und Depressionen. Wie ihm Hoffnung und Energie zurückgeben? Ihn von seinen Ängsten befreien? Eines Tages, so erzählt man, sitzen sie in der Brasserie Arnold zusammen, dem Treffpunkt der New Yorker Exilanten. Antoine kritzelt, wie üblich, kleine Männchen auf die Papiertischdecke, deren Züge sich in den vergangenen Monaten immer klarer herauskristallisieren. Ein Abbild des Kindes, das er einst war und nach dem er sich unendlich zurücksehnt? Der gescheiterte Traum von einem «kleinen Antoine», den er sich gewünscht hätte, wie er schon vor langer Zeit seiner Mutter anvertraut hat? Oder ein Doppelgänger seiner selbst, ein Avatar, dem er eine Stimme gibt? Als seine Verleger ihn immer wieder die gleichen Figuren zeichnen sehen, schlagen sie ihm vor, ein Kinderbuch zu schreiben. Die Idee ist nicht neu: Vor allem in Frankreich haben viele diese aktuelle Modeerscheinung bedient, Colette, André Maurois, Jean Giono, Henri Bosco, Jules Supervielle, Maurice Maeterlinck …

Saint Exupéry glaubt eigentlich nicht daran, hält die Sache für einen Scherz, aber die Idee nimmt ihren Lauf. Paul-Émile Victor, der ein Buch über das Leben eines kleinen Eskimos geschrieben und die Bilder dazu gemalt hat, schenkt ihm einen Aquarellkasten und eine Palette. Aber Antoine kann sich nicht vorstellen, seine Geschichte auch selbst zu illustrieren. Schreiben, ja, aber unter der Bedingung, daß sein Freund Bernard Lamotte das Zeichnen übernimmt. Da schmieden die Freunde ein kleines Komplott, um Antoine dazu zu zwingen, doch beides selbst zu übernehmen, das Schreiben und die Illustrationen. Die Umsetzung dieses Projektes erfolgt dann im Sommer 1942. Consuelo mietet ein Haus am Meer, Bevin House, das sie «Haus des Glücks» oder «Haus des Kleinen Prinzen» nennt. Das Ehepaar verbringt den ganzen Sommer dort und empfängt nur einige ausgewählte Freunde, etwa André Maurois und seine Frau, Denis de Rougement, der sogar für ein paar Skizzen Modell steht.

Auf seinen Spaziergängen durch die Straßen Manhattans faßt Antoine schließlich den Entschluß, sich ganz und gar in dieses neue Abenteuer zu stürzen: Einmal kommt er an einem kleinen Jungen vorbei, der mit ein paar Hölzchen im Rinnstein (in Ermangelung eines Flüßchens) spielt. Als Saint Exupéry ihn fragt, was er da mache, antwortet er, daß hier eine Seeschlacht geschlagen werde, er aber noch nicht wisse, welche der Stöckchen, die in Wirklichkeit Schiffe sind, gewinnen werden. Angesichts so viel Phantasie sagt sich Saint Exupéry, daß er vielleicht auch die Macht hat, eine Geschichte zu erschaffen, daß es ihm gelingen kann, das Unmögliche nur mit den Augen eines Kindes zu betrachten, welches das Unsichtbare lesen kann. *Der Kleine Prinz* spiegelt also die innere Erfahrungswelt des Schriftstellers. Diese Geschichte, die mehr ist als ein Märchen, wird zur universell gültigen, auf allen Kontinenten gern gehörten Parabel. Darin geht es um eine Rose, die man nicht im Stich lassen darf, eine Welt, vor der man die Flucht ergreifen will, einen Planeten, zu dem man zurückkehrt, es geht um das Glück des Zähmens und der Freundschaft, die Freude an den Sternen, ihrem Funkeln und ihrem glockenhellen Lachen, um das Unsichtbare, das man nur mit dem Herzen sieht. Per Antithese verurteilt die Erzählung all das, was ihr Autor immer verabscheut hat: Egoismus, die Ablehnung von Mitgefühl, dem anderen nicht zuhören, Buchhalter-Materialismus, die Gier nach Besitz und sichtbaren Dingen. Man muß die Geschichte wie einen letzten Versöhnungsversuch lesen, sowohl mit den Menschen und der Welt als auch mit seiner Frau, der er die Erzählung widmen will. Als ihm jedoch die Verleger raten, sein Buch seinem jüdischen Freund Léon Werth zu widmen, will Antoine seine ursprüngliche Idee ncht aufgeben … Erst Consuelo überredet ihn nachzugeben. Zum Dank verspricht er ihr, für sie ein weiteres Märchen zu schreiben, *Die kleine Prinzessin*. An sie denkt er, als er die Rose in seine Geschichte aufnimmt, diese Rose, um die der Held – Alter Ego des Autors – sich so aufmerksam gekümmert hat und an die er voller Reue denkt, weil er sie ganz allein auf seinem Planeten zurückgelassen hat!

NEW YORK HERALD TRIBUNE WEEKLY BOOK REVIEW, APRIL 11, 1943 VIII

Across the Sand Dunes to the Prince's Sta

The Author of "Wind, Sand and Stars" writes a Fairy Tale for Grown-Ups and Children

THE LITTLE PRINCE. By Antoine de Saint-Exupery. Translated by Katherine Woods. . . . 91 pp. . . . *New York: Reynal and Hitchcock. . . . $2.*

Reviewed by
P. L. TRAVERS
Author of "Mary Poppins"

IN ALL fairy tales—and I mean fairy tales and not tarradiddles — the writer sooner or later gives away his secret. Sometimes he does it deliberately, sometimes unconsciously. But give it away he must, for that is a law of the fairy tale's being—you must provide the key. Antoine de St. Exupéry, in his new book "The Little Prince," has honorably obeyed the law. He makes us wait for the secret no longer than the second chapter.

"So I lived my life alone," he says, "without any one I could really talk to." There it is. A clear and unequivocal statement, a confession as bitter as aloes and familiar as the day. Most of us live our lives alone without anybody we can really talk to. We eat the indigestible stuff of our own hearts in silence, for we have not learnt to find the hidden companion within ourselves. Poets, and writers of fairy tales, are luckier. It may be that the substance of their minds is less dense than that of other men. Or perhaps they are more willing to slough its protective outer husk in order to get down to the essential one. I don't know. I am only

"Draw me a sheep'!" cried St. Exupery's prince in the silence of the desert. And so the friendship began.

Yet for us, if not for the author, there had been earlier intimations of his coming acquaintance with that royal boy. Was there not "The Wild Garden" with its proud delicate princesses and the snakes beneath the dinner table? And the sleeping child in the last chapter of "Wind, Sand and Stars," that small Mozart indwelling in all men, whom all men consistently murder. Here, surely, were the first seeds of "The Little Prince." Indeed, it seems to me that each of his books has been a path leading across the sand dunes to the prince's citadel. Whatever happens hereafter in St. Euxpéry's external world will be clarified and sweetened for him by the memory of this desert meeting.

I cannot tell whether it is a book for children. Not that it matters, for children are like sponges. They soak into their pores the essence of any book they read, whether they understand it or not. "The Little Prince" certainly has the three essentials required by children's books. It is true in the most inward sense, it offers no explanations and it has a moral. But this particular moral attaches the book to the grown-up world rather than the nursery. To be understood it needs a heart stretched to the utmost by suffering and love, the kind of a heart that, luckily, is not often found in children. "Tame me," says the ... fox to the prince, "so that I

ing a fox. They will not need his secret until they have forgotten it and have to find it again. I think, therefore, that "The Little Prince" will shine upon children with a sidewise gleam. It will strike them in some place that is not the mind and glow there until the time comes for them to comprehend it.

Yet even in saying this I am conscious of drawing a line between grown-ups and children, in the same way that St. Exupéry himself has done. And I do not believe that line exists. It is as imaginary as the equator. Yet separate camps are here declared and the author stands with the children. He leans upon the barricades, gently and ironically sniping at the grown-ups, confident that the children are standing by to pass the ammunition. Yet children themselves draw no such line. They are too wise. They do not feel any more derisive toward growns-ups than they do toward animals. The child very seldom sits in judgment. To him the grown-ups are objects of wonder, often, even, of pity. He sees them as creatures not deliberately guilty but trapped, rather, by fatal circumstance. "When I am older," he thinks to himself, "I shall be much wiser than they. It is astonishing to me and not a little sad that they have been through so much and yet know so little. I shall deal better with life."

We cannot go back to the world of childhood. We are too tall now and must stay with our own kind. But perhaps there is a way of go-

thing St. Exupéry writes has that sense of heightened life that can be achieved only when the child is still held by the hand. In "The Little Prince" he has given the boy a habitation—Asteroid B-612—and a title. But the burning, freezing, golden face must have been with him as long as memory.

Delicately, with impish irony, the prince's journey is traced from star to star; his universe is mapped by St. Exupéry's own charming illustrations. He seeks his dream among the meteors but it is not until he arrives upon the planet, Earth, that his heart be-

nature brings him a gift—man a drawing of a sheep, fox a tamed and faithful h and the serpent the cruel lo stroke that frees him from r tality and returns him to his That is all. The gentle alle is compressed into a few c colored pages. A short book, long enough to remind us tha are all involved in its mear We, too, like the fox, have to be tamed by love; we, too, r return to the desert to find lonely princes. All fairy tales portents, and life continually news them in us. We hav

«Das wahre Buch ist wie ein Netz, dessen Maschen aus Wörtern bestehen. Es spielt keine Rolle, woraus die Maschen des Netzes geknüpft sind. Was zählt, ist die lebende Beute, die der Fischer aus den Tiefen des Meeres heraufgeholt hat, die zappelnden Silberblitze, die zwischen den Maschen hindurchschimmern.» *Vorwort für die französische Ausgabe von* Listen! The Wind *(dt.* Wind an vielen Küsten*) von Anne Morrow Lindbergh, 1939*

Linke Seite oben:
Erste Ausgabe des Petit Prince *auf Französisch, erschienen bei Reynald & Hitchcock in New York.*

Darunter und rechts:
Artikel im New York Herald Tribune *über das Erscheinen von* The Little Prince *1943.*

Illustrations by Antoine de Saint-Exupery
From "The Little Prince"

Die Verweigerung der Eliten

Unten: Antoine de Saint Exupéry in einem Park in New York. Rechte Seite oben: Gefilmt von seinem Freund Henri Guillaumet. Darunter: Der Mont Blanc (rechts) und vor allem der Parker: des Autors liebste Schreibwerkzeuge.

Unzählbar sind die harten, scharfen Worte, die er während seines Amerika-Aufenthaltes den französischen Elite-Exilanten entgegenschleudert. Er findet ihr «Engagement» alles andere als offen und aufrichtig und hört erst auf, sie mit moralischen Anschuldigungen zu verfolgen, als er selbst zum Kriegsschauplatz zurückkehren kann, an den Ort des Handelns, an den er sich immer gewünscht hat, um zu siegen oder um zu sterben. Durch Consuelos enge freundschaftliche Kontakte zu den surrealistischen Künstlern, verkehrt auch er häufig mit ihnen, was dazu führt, daß er größtenteils ihnen die Schuld an seiner Verzweiflung, Seelennot und Depression gibt. Die meisten französischen Intellektuellen und Künstler haben nämlich Partei für die von General de Gaulle organisierte Widerstandsbewegung ergriffen. Aus der Ferne plappern sie ihm nach und gerieren sich als politische Außenstelle: Merkwürdige Art und Weise, sich am Krieg zu beteiligen, vom Opernbalkon aus!, spottet Saint Exupéry.

In ihren berühmten *Erinnerungen*, die erst im Jahre 2000 erschienen, 21 Jahre nach ihrem Tod, erzählt Consuelo von den Annehmlichkeiten dieses Exils, den mondänen Abenden, dem Luxus, den exquisiten Köstlichkeiten, dem Champagner, der in Strömen fließt und der allgemein herrschenden Sorglosigkeit ... Saint Exupéry ist an solchen Abenden zwar zugegen, bleibt aber nie lange. Er wandert lieber alleine und ziellos durch Manhattan, dieses Babel aus Stahl und Glas, auf der Suche nach einem kleinen, von Neonlicht erhellten Stück Himmel. Filmschaffende, Schriftsteller, Maler, alle suchen sie in der großen Metropole nach Zerstreuung, während sie sich für Widerstandskämpfer halten. Er durchschaut die Lage und erkennt, wie weit er selber vom Weg abgekommen ist. Er bedauert dies in einem Brief an Nelly de Vogüé, die sich in Paris aufhält. Schonungslos offenbart er sich, beschreibt, wie eingesperrt er sich fühlt, wie ihm schwindlig ist vor Angst, als würde ihn etwas gewaltsam zu Boden drücken. Zu jener Zeit spickt er seine Briefe, Berichte und Flugblätter mit Zeichnungen von kleinen Männchen, und nach und nach kristallisiert sich die Figur des *Kleinen Prinzen* heraus, Entwürfe des Archetypus, der seinen weltweiten Ruhm begründen sollte.

Kriegskorrespondent Jean-Gérard Fleury schildert die gräßliche Stimmung, die damals in New York herrschte: «Er war unglücklich über die Haltung der Franzosen in New York. Gespalten in Anhänger von de Gaulle, Pétain, de Kérillis, Tabouis, Torrès und andere Gruppierungen,

zerrissen sie sich, ein Glas Whisky in der Hand, die meiste Zeit die Mäuler und zogen bei einem Cocktail über ihre daheimgebliebenen Landsleute her.» In dieser Situation drängt sich Saint Exupéry eine Erkenntnis auf: «Meine größte Schuld besteht darin, in New York zu leben, während die Meinen im Krieg sind und sterben. [...] Warum läßt man mich nicht an Bord eines Kriegsflugzeugs, ein aufrechtes Leben führen?», vertraut er seiner Freundin Sylvia Hamilton an. Er will die ganze Zeit zurück nach Frankreich, will die illustren Exilanten New Yorks hinter sich lassen: André Breton, Jacques und Raïssa Maritain, Marlene Dietrich, Jean Gabin, Dalí, Picasso, Greta Garbo, Max Ernst, Peggy Guggenheim und all die anderen. Er will allein sein, weniger Platz in Anspruch nehmen und seinem brennenden Bedürfnis nachgeben, in diesem Krieg Stellung zu beziehen. «Lieber würde ich Trappist werden, als 30 Stunden in der koranischen Gesellschaft zu leben, die Sie uns vorsetzen wollen, wo der Mensch nicht mehr nach seinem Wesen beurteilt wird, sondern nach seinem Formular, wo Manifeste an die Stelle des Herzens treten, wo Nachbarn sich zu Denunzianten und Richtern aufschwingen, wo die innere Heimat in keinster Weise geachtet wird», wirft er einem seiner Gegner 1942 an den Kopf.

Sein Bruch mit den Eliten ist unvermeidbar, und er steht dazu. Er hat sein Lager gewählt: «Ich ertrage es nicht mehr, so weit weg von denen zu sein, die Hunger leiden», schreibt er Consuelo Mitte April 1943, wie um sein Weggehen zu rechtfertigen. Die falschen Freunde in New York hängen einer totalitären Gemeinschaft an; Manhattan ist ein abscheulicher Hexenkessel, in dem Menschen ohne Gewissen schmoren. Die Verheißung der Unschuld drängt sich ihm unwiderstehlich auf. Sie widersetzt sich dem Krebsgeschwür des Strebertums, den Miasmen der Intoleranz und des Fanatismus, den Verwerfungen des Sektierertums, all dem, was er zutiefst verabscheut; er zieht die Einfachheit des Gärtners vor, die unerschütterliche Bodenständigkeit des Tischlers, die Klarsicht der Kinder. Das Motiv der Reinheit und Unschuld durchzieht seine letzten Texte wie ein Mantra, als habe der *Kleine Prinz* es ihm eingeflüstert, dieses Märchen, das er innerhalb kurzer Zeit in Bevin House schreibt, weit weg von New York, im Sommer 1942, nur von seiner Frau und wenigen Freunden umgeben. Angesichts der Verdorbenheit der Eliten, führt ihn diese Reinheit zurück zur Unschuld seiner Kindheit, zum ätherischen Mythos einer fast gottgleichen Mutter, an einen Ort, der vom Unglück verschont wurde. Doch diese Reinheit hat ihren Preis, und der wiegt schwer: «Das heißt den Tod in Kauf nehmen.» Aber es ist die einzige Bedingung, um schließlich «neu geboren zu werden».

«Mir sind jene Leute zuwider, die schreiben, um sich zu amüsieren, aus purer Effekthascherei. Man sollte schon etwas zu sagen haben.» *Briefe an die Mutter*

Unten:
Was Saint Exupéry ursprünglich als Vorwort für ein Buch von Léon Werth verfaßt hatte, das dann aber nie erschienen ist, wurde 1943 als eigenständiger Text im Verlag Brentano's veröffentlicht: Lettre à un otage *(dt.* Brief an einen Ausgelieferten *bzw.* Bekenntnis einer Freundschaft*).*

Rechts: Lettre à un ami *in der Literaturzeitschrift* Amérique Française, *1943.*

Die innere Schwerkraft, 1939–1944

In dieser Phase, die von seiner verschneiten Zeit in Orconte bis zu seiner letzten Mission dauert, hat Saint Exupéry unaufhörlich geschrieben: zunächst seine literarischen Werke, *Pilote de guerre, Le Petit Prince* und der unerschöpfliche Quell *Citadelle,* aber auch massenweise Briefe, Zeitungsartikel, Reden, kurze Kolumnen und intime Bekenntnisse, in denen sich der andere Saint Exupéry zeigt, seine nächtliche, verängstigte Seite. Als Augenzeuge und Akteur in diesem tragischen Spiel, das auf der Welt ausgetragen wird, bringt er seine Stimme mit Nachdruck und Mut zu Gehör, seine Äußerungen treffen den richtigen Ton und klingen aufrichtig. Doch dahinter regt sich leise noch eine andere Stimme, aus seinem verzweifelten Inneren, der Gesang seiner geistigen Vereinsamung, die keinen Ort hat, an dem sie Trost finden und neue Kraft schöpfen kann. Diese Stimme, die durch die versuchte Heroisierung Saint Exupérys lange Zeit ausgeblendet wurde, muß wieder in den Vordergrund gelangen, denn sie ist ihm am nächsten, sie fordert seine stärksten Appelle und seine tiefsten Wünsche ein. Diese hintergründige, rätselhafte Stimme durchzieht dieses palimpsestartige Werk der *Écrits de guerre* (dt. *Die innere Schwerkraft*), Texte, die er während des Krieges geschrieben hat und in denen sich in einer klagenden, sehr emotionalen Grundstimmung mehrere Tonlagen an Ideen und Gefühlen übereinanderschichten.

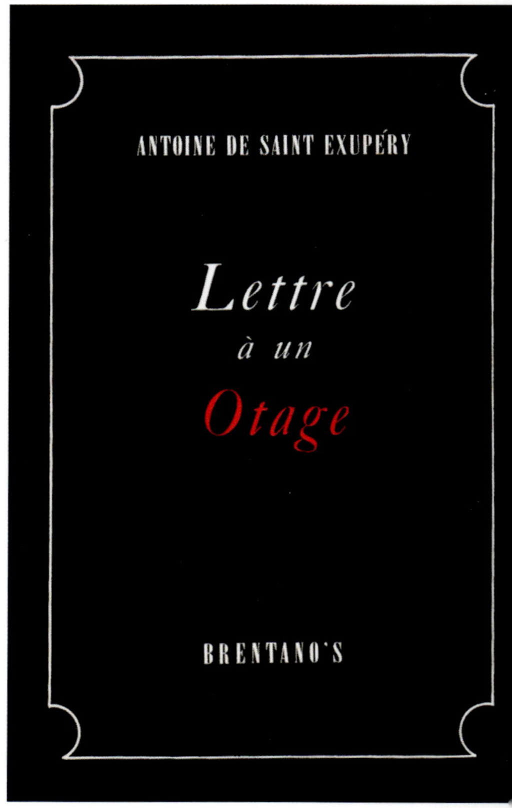

In diesen dunklen Jahren spürt Saint Exupéry, wie ihm alles entgleitet. Aufgrund seines Alters kann er nicht fliegen, wie er will, das von ihm erträumte innige Vereintsein in Liebe ist fehlgeschlagen, die Literatenkreise diffamieren und bekämpfen ihn, die politischen Verantwortlichen wissen mit seinen Ratschlägen nichts anzufangen, die geliebte Kindheit verblaßt unter den brutalen Schlägen einer globalisierten Welt, die die Erinnerungen auffrißt, das Menschliche verwässert, Dörfer niederreißt, um anonyme und blinde Babel-Städte zu errichten … In Anbetracht dieser tragischen Gesamtsituation, wagt er sich an mehrere Fronten. Nie war er seiner inneren Wahrheit so nahe wie in dieser Zeit. In welcher Situation befindet er sich also, im Sartre'schen Sinne? Wie gestaltet sich das Sein? Wo und woher ist man? Und schließlich: wohin soll es gehen? Die Unmöglichkeit der Verortung führt ihn zu einer Art Irrfahrt, die er detailliert aus-

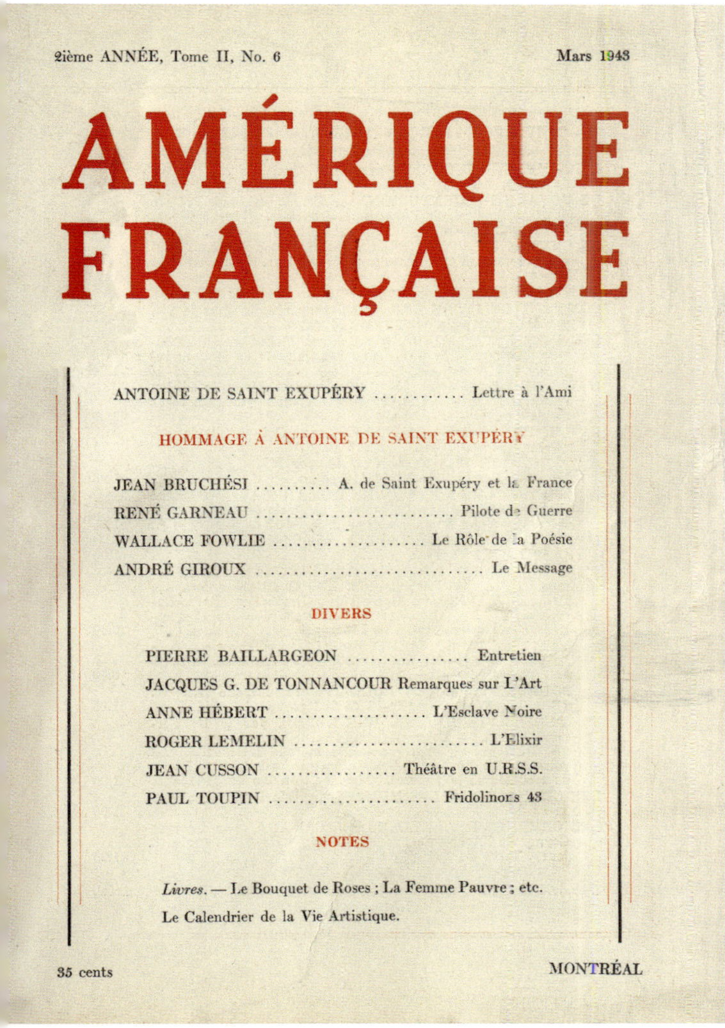
2ième ANNÉE, Tome II, No. 6 Mars 1943

AMÉRIQUE FRANÇAISE

ANTOINE DE SAINT EXUPÉRY .... Lettre à l'Ami

HOMMAGE À ANTOINE DE SAINT EXUPÉRY

JEAN BRUCHÉSI .... A. de Saint Exupéry et la France
RENÉ GARNEAU .... Pilote de Guerre
WALLACE FOWLIE .... Le Rôle de la Poésie
ANDRÉ GIROUX .... Le Message

DIVERS

PIERRE BAILLARGEON .... Entretien
JACQUES G. DE TONNANCOUR Remarques sur L'Art
ANNE HÉBERT .... L'Esclave Noire
ROGER LEMELIN .... L'Elixir
JEAN CUSSON .... Théâtre en U.R.S.S.
PAUL TOUPIN .... Fridolinons 43

NOTES

Livres. — Le Bouquet de Roses ; La Femme Pauvre ; etc.
Le Calendrier de la Vie Artistique.

35 cents MONTRÉAL

lotet; in seinen Briefen gesteht er offen seine fehlende Verankerung und seine wie besessene Suche nach Verwurzelung. Erde, Dorf, Saat, Samenkörner, Bäume, Felder, Gärten und Obstwiese – Motive, die seine Vorstellungskraft nähren, im Wechsel mit lyrischen Anleihen bei Barrès und Péguy. Anstelle des drohenden Termitenhügel-Lebens, wählt er den Frieden der Viehställe und das geduldige Reifen der Früchte. Seine zwischen 1939 und 1944 verfaßten Texte pendeln dementsprechend zwischen der Rückkehr zur Poesie und der glühenden Bejahung einer humanistischen Pastorale: Beide entfalten sich in diesen einzigartigen Texten, die uns vielleicht mehr über ihn verraten als all seine Erzählungen. Saint Exupéry überzeugt durch die Fiebrigkeit seines Tones, die dumpfe Angst, die man in ihm aufsteigen spürt, die Überzeugungskraft seiner Urteile, die Bedeutsamkeit seiner fast Rimbaud-haften «Visionen», in denen totalitäre Städte entstehen und glückliche verschlungen werden. Es sind Visionen einer Welt, die in sich zusammenstürzt, und der er, wie Stefan Zweig, «die Welt von gestern» entgegensetzt, deren Schätze er unversehrt bewahren will: den «Geschmack von Weihnachten», das Lächeln seiner Freunde, das Glück einer Herberge am Ufer der Saône, die Kindheit in Saint-Maurice. Was jedoch verblüfft, ist der ständige Wechsel zwischen festem Überzeugtsein und innerer Verzweiflung, zwischen Sehnsucht nach den Sternen und der Gewißheit, daran zu sterben. Obwohl es für ihn kein grausamer Tod ist, im Gegenteil, er sehnt ihn herbei, als wäre er der notwendige Übergang zur Wiedergeburt. Die Zerstörung der Welt, ihr Verfall, ihr Niedergang, lassen ihn an apokalyptische Zeiten denken, auf die er mit visionärem Denken und Schreiben antwortet. Gerade diese Mischung ist es, die die wilde und brutale Schönheit der letzten Texte Saint Exupérys aus-

«Ich wäre gern ein Gärtner, nur von Gemüse umgeben. Oder tot.»

Die innere Schwerkraft

macht, die den Adressaten seiner Briefe wie Goldstücke am Grunde eines Brunnens erscheinen. Er eröffnet ihnen, er unterteile die Menschheit in «Garten-Wesen» und «Hof-Wesen». Und er vertraut ihnen das Geheimnis an: Sie sollen alle Versklavung hinter sich lassen und sich der ätherischen Anmut der Schmetterlinge hingeben, «sich mit ihnen auf einer großen Blume niederlassen», als wäre sie eine weitere «Terrasse Babylons» ...

«Aber [...] da ich Gott um Erleuchtung gebeten habe, durfte ich lernen, wie man im Wind der Worte die seltene Fracht der Sinnsaat erkennt.» *Die Stadt in der Wüste*

Aquarelle von André Derain für die 1950er Ausgabe von Citadelle *im Rahmen der bei Gallimard erschienenen* Œuvres complètes *von Antoine de Saint Exupéry (auf Deutsch sind die* Gesammelten Schriften *im Karl Rauch Verlag erschienen).*
Unten links: Die französische Kritik lobt gleich nach der Veröffentlichung, Citadelle *sei ein «großes Buch».*

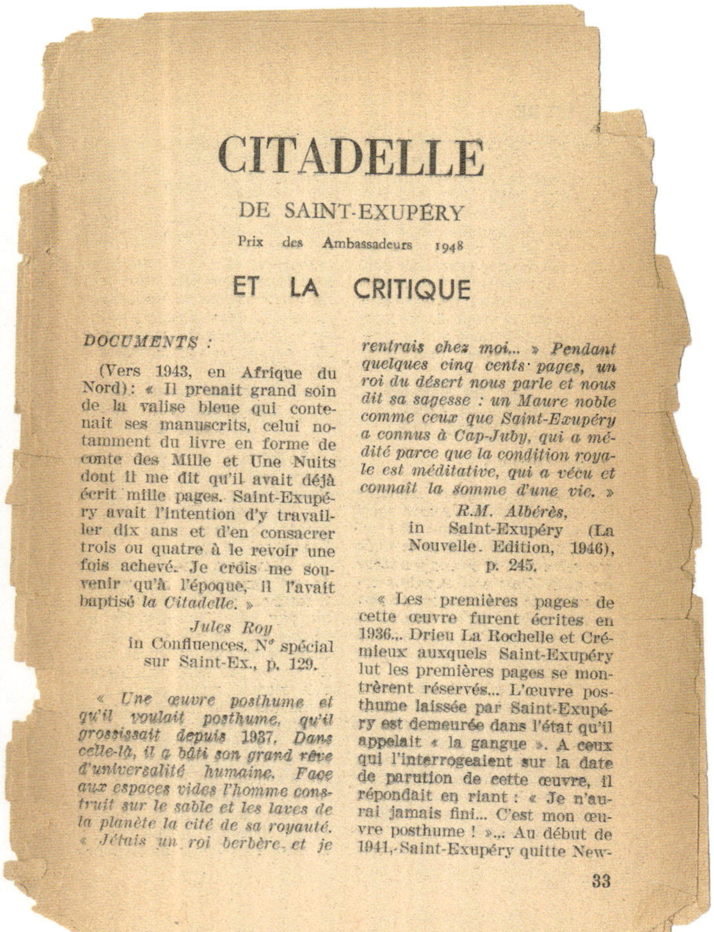

CITADELLE

DE SAINT-EXUPÉRY

Prix des Ambassadeurs 1948

ET LA CRITIQUE

DOCUMENTS :

(Vers 1943, en Afrique du Nord): « Il prenait grand soin de la valise bleue qui contenait ses manuscrits, celui notamment du livre en forme de conte des Mille et Une Nuits dont il me dit qu'il avait déjà écrit mille pages. Saint-Exupéry avait l'intention d'y travailler dix ans et d'en consacrer trois ou quatre à le revoir une fois achevé. Je crois me souvenir qu'à l'époque, il l'avait baptisé *la Citadelle.* »

Jules Roy
in Confluences, N° spécial sur Saint-Ex., p. 129.

« *Une œuvre posthume et qu'il voulait posthume, qu'il grossissait depuis* 1937. *Dans celle-là, il a bâti son grand rêve d'universalité humaine. Face aux espaces vides l'homme construit sur le sable et les laves de la planète la cité de sa royauté. « J'étais un roi berbère et je rentrais chez moi...* » *Pendant quelques cinq cents pages, un roi du désert nous parle et nous dit sa sagesse : un Maure noble comme ceux que Saint-Exupéry a connus à Cap-Juby, qui a médité parce que la condition royale est méditative, qui a vécu et connaît la somme d'une vie.* »

R.M. Albérès,
in Saint-Exupéry (La Nouvelle Edition, 1946), p. 245.

« Les premières pages de cette œuvre furent écrites en 1936... Drieu La Rochelle et Crémieux auxquels Saint-Exupéry lut les premières pages se montrèrent réservés... L'œuvre posthume laissée par Saint-Exupéry est demeurée dans l'état qu'il appelait « la gangue ». A ceux qui l'interrogeaient sur la date de parution de cette œuvre, il répondait en riant : « Je n'aurai jamais fini... C'est mon œuvre posthume ! »... Au début de 1941, Saint-Exupéry quitte New-

33

DER EWIG VERLIEBTE:

DER TRAUM DES UNGELIEBTEN

(1914

1944)

DEN WUNSCH ZU HEIRATEN ÄUSSERT SAINT EXUPÉRY schon recht früh. In einigen Briefen an seine Mutter, Rinette, Louise oder seinen Schwager sorgt er sich, wie er ein Mädchen finden und es ehelichen könne. Die Suche nach Liebe setzt mit dem Ende der Pubertät ein, als er Saint-Maurice verläßt und ins Internat muß. Mit dem Ende des Ersten Weltkriegs machte er seine ersten Erfahrungen in Liebesdingen, wahrscheinlich in Paris, in Form von flüchtigen Begegnungen mit Mädchen, die er «Poulettes» («Schätzchen») nennt, die aber für eine gemeinsame Zukunft ausscheiden. Da er einsehen muß, daß er nicht mit seiner Mutter zusammen sein kann, vertraut er ihr regelmäßig sein Bedürfnis nach Einheit, Harmonie und Ausgeglichenheit an, das nur eine Frau verstehen könne. Der schlecht verdaute Ödipus-Komplex hinterläßt in ihm den bitteren Nachgeschmack des Unerreichbaren und liefert ihn fortan der Suche nach Liebe aus. Diese gestaltet sich mal donjuanesk, mal kindlich, aber immer pathetisch, mit vielen romantischen Ergüssen und Klagen. Die Lücke versucht er, oft erfolglos, mit Schreiben und Fliegen zu füllen: zwei Wege, um zu seinem Stern zurückzukehren.

Unaufhörlich beklagt er sich bei seiner Familie über sein Junggesellendasein, das ewige Exil (das er mit der Erinnerung an die glücklichen Tage seiner Kindheit auszugleichen versucht) und «die zerstörte Vergangenheit», bis er 1931 Consuelo heiratet.

Für ihn, den jungen, katholisch erzogenen Aristokraten, dessen Mutter eine beispielhafte Witwe war, ist der Heiratsgedanke an sich etwas ganz Natürliches, widerspricht aber seinem Boheme-Leben. Einheit, das Ehepaar oder die einträchtige Liebe sind essentielle Motive seines literarischen Wortschatzes und nähren das biblische Ideal, das er in *Die Stadt in der Wüste* ausführt. Diese allgegenwärtige Suche wird durch die Geschehnisse und durch die Unstetigkeit, Untreue und Vergnügungssucht des Menschen in die Irre geleitet. Bei ihm jedoch herrscht der Geist über das Fleisch und die Stofflichkeit. Seinen Vertrauten gesteht er, wie verwirrt und einsam er ist.

Die geplatzte Verlobung mit Louise de Vilmorin wird für ihn zum Trauma, das er mehr schlecht als recht zu überwinden versucht. In einem Brief aus dem Jahre 1919 an seine Schwester Simone (genannt «Monot»), erwähnt er ein Mädchen namens Jeanne: die erste, so schreibt er, die ihm «zu schaffen gemacht hat»; seiner Mutter schreibt er 1923: «Ich brauche keine, die mir literarische oder idealistische Theorien auftischt», nachdem ihn drei Amerikanerinnen becirct haben …
1924 wird der Wunsch, eine Frau zu finden, präziser: «Ich wünsche mir ein ganz klein wenig, mich zu verheiraten, aber ich weiß nicht wen. Aber ich habe dieses ewige provisorische Leben so satt! Und außerdem habe ich einen großen Vorrat an Vaterliebe. Ich hätte gerne viele kleine Antoines.» Die geliebte Gattin wird nicht nur um ihretwillen gesucht, für ihn kommt gleich noch die Vaterliebe hinzu; vor allem verbindet er eine Heirat mit dem ersehnten Ende des «provisorischen Lebens». Die Idee des inneren Friedens, den eine Heirat bringt, hängt mit der Unerschütterlichkeit des Sakraments Ehe zusammen, die eine auf Begehren basierende Liebesbeziehung nach Antoines Überzeugung nicht bieten kann.

Ein von Antoine de Saint Exupéry zerschnittenes Photo von der Hochzeit seiner Schwester. Darauf zu sehen ist auch seine Cousine Yvonne de Lestrange, in die er heimlich verliebt war.

Vorangehende Doppelseite: Antoine de Saint Exupéry in New York.

Unten: Madeleine 1929 in Brest.

Rechts oben: Postkarte von Rinette an Antoine de Saint Exupéry (Vorder- und Rückseite).

Rechts unten: Korrigiertes Übungsblatt der Flugschule von Brest aus der Zeit, als Saint Exupéry Madeleine begegnet.

Im Wartesaal der Liebe

Ich mache ihnen auf immer gleiche Weise den Hof, den Colettes und Paulettes, den Suzys und Daisys, von denen eine wie die andere ist, und die nach zwei Stunden langweilig sind. Wartesäle sind das», schreibt er 1925 in einem Brief an Diche. In Antoines Vorstellung sind diese Eroberungen nur Vorspiele zur großen Liebe, die er mit aller Macht herbeisehnt. Die «Wartesäle» stehen für die Zeit der ersten Erfahrungen und Zähmungsversuche, die er sich während dieser langen Suche nach der (wahren) Liebe zugesteht. Immer ist es die Erinnerung an die unaussprechliche Liebe, die seine Mutter ihm gegeben hat, die seine Vorstellungen prägt von Liebe und Ehe und einer Frau, die bereit ist, ihm zuzuhören und ihn zu lieben, seine Leiden und schließlich seine Eskapaden zu ertragen. Den Wartesälen mit ihrem Kommen und Gehen stellt er die Beständigkeit Nazareths und das Bild der Heiligen Familie entgegen. Diese Phantasie sollte ihn verfolgen und sich auf sein gesamtes Liebesleben auswirken. Manchmal erwachsen daraus auch unbegründete Hoffnungen, wie zum Beispiel im Falle der rätselhaften Madeleine. Kurz vor seiner Abreise nach Argentinien lernt er sie in Brest kennen, wo er sich in Navigation nach dem Polarstern übt. Die junge Frau, die ihre Briefe mit «Mad» unterschreibt, scheint sehr verliebt in ihn zu sein und schreibt ihm: «Was Sie zu mir gesagt haben, hat mich ein wenig durcheinandergebracht. Ich wußte, ich würde Ihnen nicht antworten können. Doch will ich Sie auch nicht verlieren.»

Dem bürgerlichen Leben wenig zugeneigt, lebt er die meiste Zeit in einer Art ständiger Alarmbereitschaft, die seine innere Leere und Verzweiflung überdeckt. Er ist sprunghaft und widersprüchlich, gibt sich den Zerstreuungen eines mondänen Lebens ebenso gerne hin wie den einfachen Freuden im Kreise seiner Familie, er genießt die rauhe Freundschaft seiner Kameraden von der Staffel oder bei der Aéropostale, liebt es aber auch, sich ganz in die Einsamkeit zurückzuziehen und die Welt mit insektenhaft geschärfter Wahrnehmung zu betrachten. Wirkliches Gleichgewicht findet er nicht. Sie Suche nach Liebe gerät zum Alptraum: In seinen Briefen dominiert ein klagender, niedergeschlagener Ton. Er versucht sein Glück bei Rinette, obwohl er ganz offensichtlich nicht in sie verliebt ist, und mimt den unglücklichen Jungen. Nelly de Voguë schreibt er verzweifelte Briefe, ein gefangener «Kleiner Prinz», der «vor Kummer kaum atmen kann». Bei Silvia Hamilton wird er nicht müde, sein Scheitern zu beschreiben, und betont, wie froh er ist, endlich in den Krieg ziehen zu können. Bis hin zu jener Krankenschwester, die er im Zug nach Oran kennenlernt und der er eine Liebeserklärung macht, mit dem gleichen Vokabular, das er in solchen Situationen immer benutzt: Bekenntnis der Verzweiflung und der Einsamkeit, mitleiderregendes Flehen eines wehrlosen «Kleinen Prinzen». Dieses Verhältnis zu Frauen zeugt von der fehlenden charakterlichen Reife eines Mannes, der bemerkenswerte Klarsicht beweist, wenn es darum geht, die Weltlage zu eruieren.

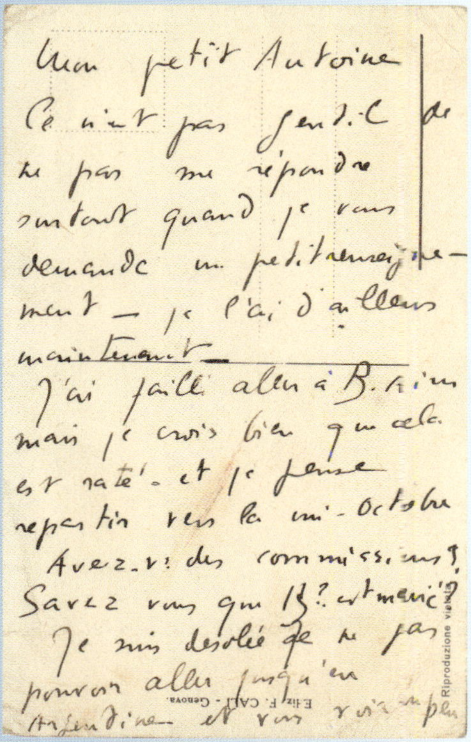

Mon petit Antoine
Ce n'est pas gentil de ne pas me répondre surtout quand je vous demande un petit renseignement — je l'ai d'ailleurs maintenant —
J'ai failli aller à B. Aires mais je crois bien que cela est raté – et je pense repartir vers la mi-Octobre
Avez-vous des commissions?
Savez vous que B.? est marié?
Je suis désolée de ne pas pouvoir aller jusqu'en Argentine et vous voir un peu

Edit. F. Cali - Genova.

Riproduzione vietata

«Stell dir vor, du bist zurück aus der Wüste und suchst, in der Freudlosigkeit der heißen Nächte, das Verbotene Viertel auf; du wählst eine aus, um an ihr die Liebe zu vergessen, und du berührst sie und hörst, wie sie mit dir spricht und dir antwortet. Aber irgendwann ist die Liebe aufgebraucht, auch wenn sie schön war, und dann brichst du deiner selbst entkleidet wieder auf, ohne echte Erinnerung daran.» *Die Stadt in der Wüste*

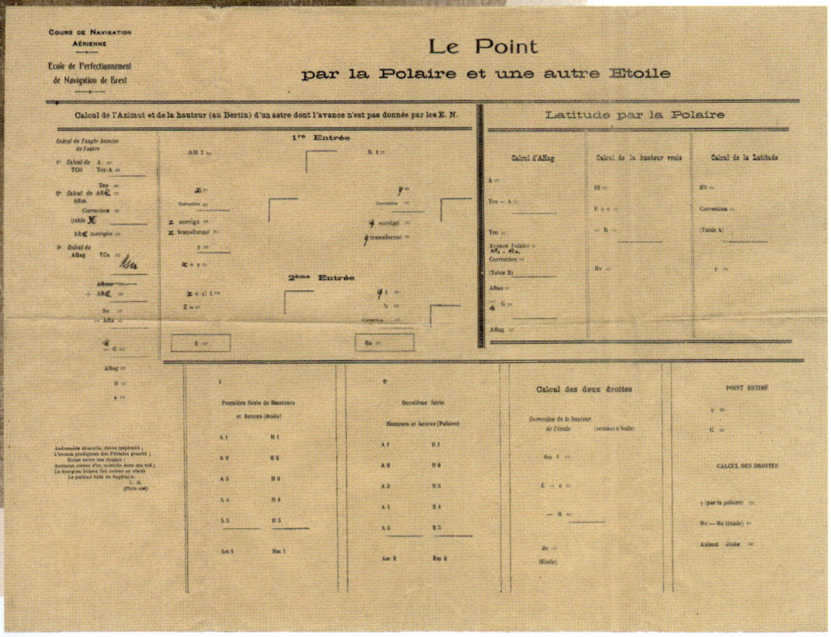

Cours de Navigation Aérienne

Ecole de Perfectionnement de Navigation de Brest

Le Point
par la Polaire et une autre Etoile

Calcul de l'Azimut et de la hauteur (au Bertin) d'un astre dont l'avance n'est pas donnée par les E. N.

1re Entrée

2me Entrée

Latitude par la Polaire

Calcul d'AHag

Calcul de la hauteur vraie

Calcul de la Latitude

Première Série de Hauteurs et heures (Étoile)

Deuxième Série Hauteurs et heures (Polaire)

Calcul des deux droites

Point estimé

Calcul des droites

Louise de Vilmorin,
Portrait aus dem Jahre 1925.

Loulou

Saint Exupérys gute Freunde in Bossuet heißen Henry de Ségogne, Saussine, d'Estienne d'Orves, Roussey de Sales und Vilmorin, ein Cousin zweiten Grades (über die Familie Lestrange). Antoine wird zu den Vilmorins eingeladen – die einen fürstlichen Lebensstil führen – und begegnet dort zum ersten Mal der kleinen Schwester seines Cousins: Louise, von allen Loulou genannt, die mit ihrer Anmut, ihrer Intelligenz, Kultiviertheit und Schönheit direkt einem Roman entsprungen zu sein scheint. Aufgrund eines Hüftleidens kann sie schlecht laufen und verbringt die meiste Zeit auf ihrem Liegesessel, den sie «Rossinière» getauft hat. Um den scharen sich ihre Gäste, eine ganze Horde schmachtender junger Männer, denen sie den ein oder anderen Gefallen gewährt: einen flüchtigen Kuß, einen Händedruck, ein Gedicht auf einem Blatt Papier, ein besticktes Taschentuch … Antoine erliegt ihrem Charme im Jahre 1918 und trifft sie an der baskischen Küste, wo sie sich zwischen 1919 und 1922 häufig aufhält. Doch erst 1922 verliebt er sich richtig in sie. Er ist damals ein junger Offizier der Luftwaffe und gewinnt ein gewisses Ansehen aufgrund seiner stets originellen Gespräche, seiner Kultiviertheit und seines scheinbar fröhlichen Gemüts. Seiner Mutter gegenüber erwähnt er sie jedoch erst im Frühjahr 1923. Er betrachtet Loulou als eine potentielle «Verlobte» und macht seine Mutter mit dieser Situation vertraut. Als er den Sommer zur Erholung in Vichy verbringt, schreibt er ihr: «Das Leben könnte so schön sein, wäre ich nicht so weit von ihr entfernt …» Im August willigt Louises (ebenfalls verwitwete) Mutter ein, daß das junge Paar zur Sommerfrische in die Schweiz fährt, allerdings in Begleitung einer Anstandsdame namens Mademoiselle Petermann. Sie verbringen eine herrliche Zeit in Reconvilliers, in der Nähe von Neuchâtel, mit Spaziergängen in den Wäldern und um den See. Den letzten Tag können die beiden sogar ohne ihre Aufpasserin in Genf verbringen. 40 Jahre danach erzählt Louise de Vilmorin in einem Artikel für die Frauenzeitschrift *Elle*, wie sie an jenem Tag die Stadt durchkämmten, auf der Suche nach einem Spezialgeschäft für Haarpflegeprodukte, das angeblich ein Mittel gegen Kahlköpfigkeit hatte – Saint Exupéry hatte damals schon mit Haarausfall zu kämpfen und deswegen Komplexe. Mit viel Humor und der ihr eigenen gutgelaunten Unbarmherzigkeit, läßt Louise durchblicken, daß dieses Herumirren in den Straßen von Genf zweifellos gewichtigen Einfluß auf ihre Entscheidung hatte, diese Beziehung nicht fortzusetzen.

Während Loulou noch in Reconvilliers bleibt, tritt Antoine seine neue Stelle an: einen Posten als Produktionsaufseher in den Ziegelwerken Boiron, den ihm seine künftige «Schwiegerfamilie» besorgt hat, da er ja unmöglich diese so gefährliche und unsichere Pilotenlaufbahn weiterverfolgen könne! Loulou schickt Marie de Saint Exupéry liebens-

«Ich begreife, wann du näherkommst und wann du dich entfernst, wann du zu mir kommst und wann du mich fernhältst.
Du bist für mich ein bißchen wie eine ungewisse Jahreszeit, in der ich meine Krankheit der Sonne aussetze.»
Brief an Louise de Vilmorin

würdige Zeilen, darauf versteht sie sich: «Liebe Madame, es war so freundlich von Ihnen, Antoine zum Fest zu uns zu schicken. Antoine betet Sie an, genauso wie ich, und wir sind voll der Liebe für Sie. Wenn wir verheiratet sind, kommen wir immer zu Besuch, das wird Ihr Herz erfreuen und Ihnen Kraft geben …»

Doch ungeachtet ihrer Versprechen fährt Loulou nicht nach Saint-Maurice. Sie ist unauffindbar, was typisch für sie ist, und pflegt damit die Aura der rätselhaften Frau. Ist sie nach Saint-Jean-de-Luz gefahren oder hat sie sich nach Verrières zurückgezogen? Antoine spürt, daß der Wind sich dreht. Er will den Bruch nicht herbeireden, wundert sich aber über Louises Schweigen, über ihr Verschwinden. Er möchte so sehr an die Verlobung glauben, daß er seiner Mutter verspricht, um den 15. September herum werde die offizielle Verlobungsfeier stattfinden. Die Wochen vergehen, und Loulou, die überhaupt kein Interesse daran hat, diese Verbindung aufrechtzuerhalten, schreibt Briefe voller Andeutungen und Zweideutigkeiten. Antoine interpretiert das als Rückzieher und flüchtet nach Biarritz: «Es ist wirklich traurig», schreibt er. Zwar sieht er sie an der baskischen Küste, kann aber nichts mehr tun: Louises Entscheidung ist gefallen, das Drängen ihres jungen «Verlobten», den sie mittlerweile pathetisch findet, ist ihr regelrecht lästig. Mit der Veröffentlichung ihrer Tagebücher im Jahre 1970 erfah-

ren wir ihre Sicht der Dinge: «Antoine hat oft nur die Fliegerei im Kopf. Er erzählt mir von schrecklichen oder grandiosen Momenten zwischen Himmel und Erde, während ich nur daran denken kann, wie wir unser künftiges Haus einrichten werden, und ihn mit der Frage unterbreche, ob er Polstersessel mag!» War es so? Man mag es bezweifeln, aber alles weist darauf hin, daß für Louise die Sache schnell klar war. Die junge «Prinzessin», wie sie von ihren Brüdern genannt wurde, träumte von einem anderen Leben, von Luxus und erlesenen Gesellschaften, exquisiten Kultur- und Reiseerlebnissen; das hätte Antoine ihr nicht bieten können. Tatsächlich heiratet sie im März 1925 – zum großen Verdruß Antoines, der noch einige Jahre brauchte, um sich von dieser Niederlage zu erholen – den 16 Jahre älteren, superreichen Henry Leigh-Hunt. Sie zog mit ihm nach Las Vegas, wo sie ein Leben führen konnte, das eher nach ihrem Geschmack war. Antoine kam mehrfach auf diese gescheiterte Liebesgeschichte zurück. Er tat so, als verstünde er Louises Beweggründe, und wenn er den Bruch in seinen Briefen erwähnte, dann weniger, um Louise Vorwürfe zu machen, als vielmehr, um sich selbst zu bemitleiden.

Links:
Antoine de Saint Exupéry in der Zeit, als er mit Loulou verkehrt.
Unten: Anfang eines Briefes von Louise de Vilmorin an Antoine de Saint Exupéry

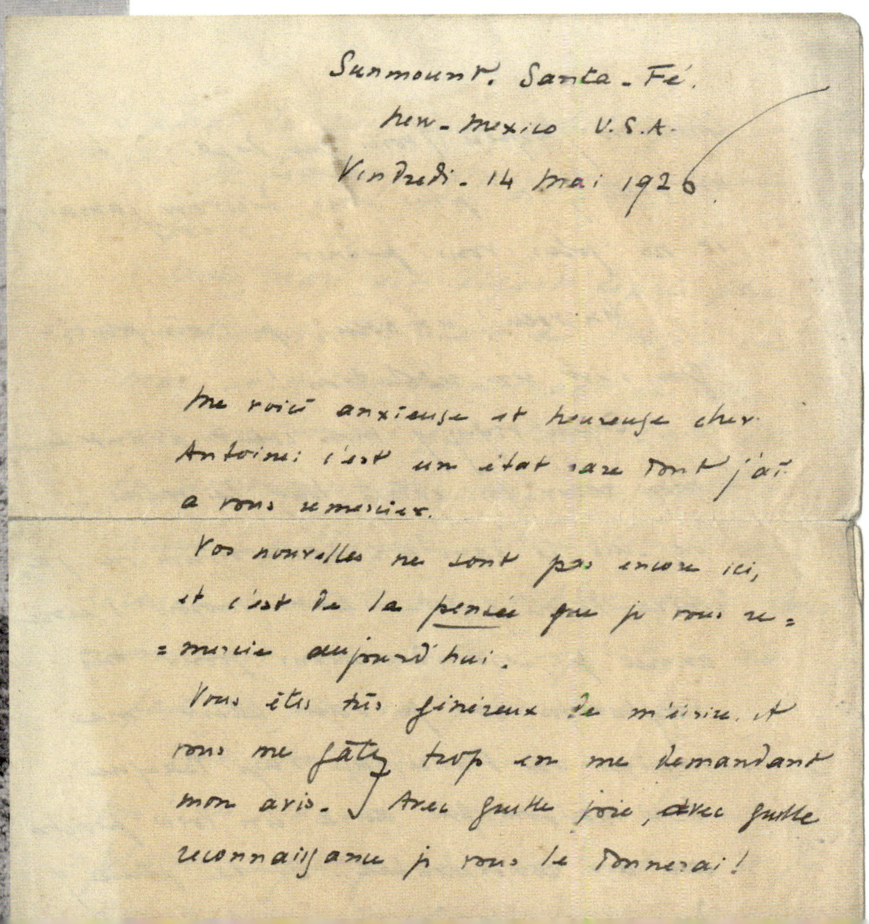

Sunmount. Santa-Fé.
New-Mexico U.S.A.
Vendredi - 14 mai 1926.

Me voici anxieuse et heureuse cher Antoine: c'est un état rare dont j'ai à vous remercier.
Vos nouvelles ne sont pas encore ici, et c'est de la pensée que je vous re=mercie aujourd'hui.
Vous êtes très généreux de m'écrire et vous me gâtez trop en me demandant mon avis. Avec quelle joie, avec quelle reconnaissance je vous le donnerai!

Antoine de Saint Exupéry am Pariser Bahnhof mit Yvonne de Lestrange und Gräfin Hélène de Vogüé.

Mütterliche Ratgeberin: Hélène de Vogüé

Er begegnet der verheirateten jungen Frau zum ersten Mal im Jahre 1929 bei Louise de Vilmorin. Sie ist 21, er 29. Zwei Jahre später ist er mit Consuelo verheiratet. Dem Ehepaar gelingt es zwischen Trennungen und Versöhnungen nicht, zu dem Gleichgewicht zu finden, das Antoine sich wünscht, betrachtet er das Eheleben doch meist nur im Hinblick auf sein eigenes Wohlbefinden. Die temperamentvolle Consuelo ist auf diesem Ohr taub und scheint weniger fügsam, als von Antoine erhofft. Außerdem hat er sich an das freie Bohemien-Leben eines Junggesellen gewöhnt, das er nutzt, um den Zwängen des Ehelebens zu entkommen … Die Liaison, die sich um 1935 zwischen der sehr wohlhabenden Hélène de Vogüé – meist Nelly genannt – und Antoine entspinnt, sollte bedeutenden Einfluß auf sein Leben haben. Antoines grundsätzliche Entscheidungen kann Nelly allerdings nicht ändern und ihn ebensowenig von seinen Ängsten befreien. Sein Werk entgleitet seiner Kontrolle, und ihre Gegenwart wird zu einer relativ festen Konstante im Leben des Schriftstellers. Von 1935 bis 1944 bleibt sie, obwohl er sich in New York von ihr trennt, eine seiner zugewandtesten und verläßlichsten Gesprächspartnerinnen. An sie schreibt er einen seiner letzten Briefe sowie jene, in denen er sich über die Zukunft der Welt und den Sinn des Lebens ausläßt. Mit ihr spricht er über seine Depressionen, und sie ist es auch, die er vor dem Krieg um finanzielle Unterstützung bittet. Von ihr erhält er die luxuriösesten Geschenke (teure Toilettenartikel, Schrank- und Handkoffer), und einmal kauft sie ihm sogar, wenn man den Biographen glauben darf, ein Flugzeug, eine Simoun. Die Familie Vogüé ist im Besitz der Zuckerwerke Saint-Louis und mehrerer hochherrschaftlicher Anwesen. Hélène selbst entstammt einer ostfranzösischen Unternehmerfamilie; während des Zweiten Weltkriegs übernimmt sie die Leitung des Aufsichtsrates des Familienunternehmens Cérabati. Sie ist elegant, groß und blond, kultiviert und gern gesehen in Künstler- und vor allem Literatenkreisen, gilt aber auch als sehr bestimmende, männlich-unerschrocken wirkende Person. Ihre Verbindung ist weniger stark als die zwischen Antoine und Consuelo und spielt sich eher auf geistig-rationaler, wenn nicht gar intellektueller Ebene ab. Er liebt es, sich mit ihr über Blaise Pascal zu unterhalten, über französische Klassiker, Theologie, französische Geschichte und zeitgenössische Schriftsteller wie André Gide, mit dem sie befreundet ist. Die Tatsache, daß sie verheiratet und Mutter ist, macht eine gewisse Diskretion unumgänglich, und Antoine ist gar nicht abgeneigt, diese Liaison im Geheimen auszuleben. Er schätzt vor allem, daß sie auf seine sonstigen Seitensprünge nicht mit Eifersucht reagiert. Die reiche, diskrete und einflußreiche Nelly vereint also viele Vorteile in sich. Außerdem ist sie eine echte Bewunderin seines Werkes und will ihrem Geliebten Unterstützung und die nötigen Verbindungen verschaf-

fen, um seinen Ruhm und sein Ansehen weiter zu mehren. Deswegen bleibt sie ihm stets zugewandt, auch wenn ihr Umfeld und ihre politische Einstellung sich für Antoine später, gegen Ende des Krieges, zu einem ernsten Problem entwickeln sollten.

Ist ihm klar, daß Nelly, mit ihrem Reichtum und ihren Beziehungen, kompromittierend für ihn sein kann? Ihr «Ausflug» nach Deutschland im Jahre 1937, an Bord eines von Antoine gelenkten Flugzeugs, dauert glücklicherweise nur kurz und endet in einem Fiasko, im Hof einer Oberschule, die sich als Hitlerjugendlager entpuppt. Nie und nimmer hätte Consuelo an so einer Expedition teilgenommen, dazu besaß sie zu viel gesunden Menschenverstand, und hätte sie davon erfahren, hätte sie Antoine sofort abgeraten ... Aber Consuelo ist nicht Nelly, deren politische Beziehungen undurchsichtig sind. Seit Antoines schwieriger Phase um 1935 sieht sich Consuelo mit Nelly konfrontiert und umgekehrt ... Als wollte er die Dinge klarstellen, schreibt Antoine Nelly kurz vor seinem Tod, daß er Consuelo niemals verlassen würde und daß diese Entscheidung unumstößlich sei. Persönlich begegnet sind sich die beiden Frauen nie, aber als Consuelo 1941 auf Antoines telegraphische Bitte hin zu ihm in die USA kommt, erfährt sie, daß Nelly dort mehrfach zu Gast war. Noch in den letzten Stunden seines Lebens schreibt Saint Exupéry Nelly sehr bewegende, tiefschürfende Briefe. Es sind jedoch keine Liebesbriefe mehr, denn nach seiner Rückkehr zu Consuelo trennt er sich von Nelly – ihn störte, daß sie alles organisieren, aller Welt Befehle erteilen und über sein Leben bestimmen wollte. Trotzdem ist sie die Adressatin des Briefes vom 30. Juli, in dem er von der «Qualität der Substanz» spricht, für ihn ein Zeichen der Verkörperung Gottes im Menschen. Nach seinem Tod setzt sich Nelly dafür ein, das Andenken an ihn hochzuhalten: Sie unterstützt die Vereinsgründung der Association des Amis de Saint Exupéry, mischt sich in die Veröffentlichung von *Citadelle (Die Stadt in der Wüste)* und *Écrits de guerre (Die innere Schwerkraft)* ein, arbeitet zusammen mit Pierre Quesnel an einer kritischen Ausgabe der *Notes de guerre*, die in der Éditon de la Pléiade erscheint, und wirbt für den Namen Saint Exupéry, während sie selbst im Hintergrund bleibt.

Die Heimlichtuerei gefällt ihr so gut, daß sie sogar die erste Biographie über den Piloten und Schriftsteller veröffentlicht, unter dem männlichen Pseudonym Pierre Chevrier. Das bis heute maßgebliche Werk verrät sich allerdings dadurch, daß hinter der scheinbar unpersönlichen Fassade die Emotionalität und das Detailwissen jener Frau durchschimmert, die ihn so sehr verehrt und bewundert hat ... Und sie ist eifrig bemüht, Consuelo auszublenden, die nur in einer Zeile abfällig erwähnt wird.

«Wer in erster Linie auf körperliche Liebe aus ist, wird nie den Zauber der Begegnung erfahren ...» *Die Stadt in der Wüste*

«Wenn es Frühling wird, besteht die Gefahr, daß es auch Winter wird. Gegenwärtig sein heißt, das Risiko der Abwesenheit eingehen.»
Briefe an Natalie Paley

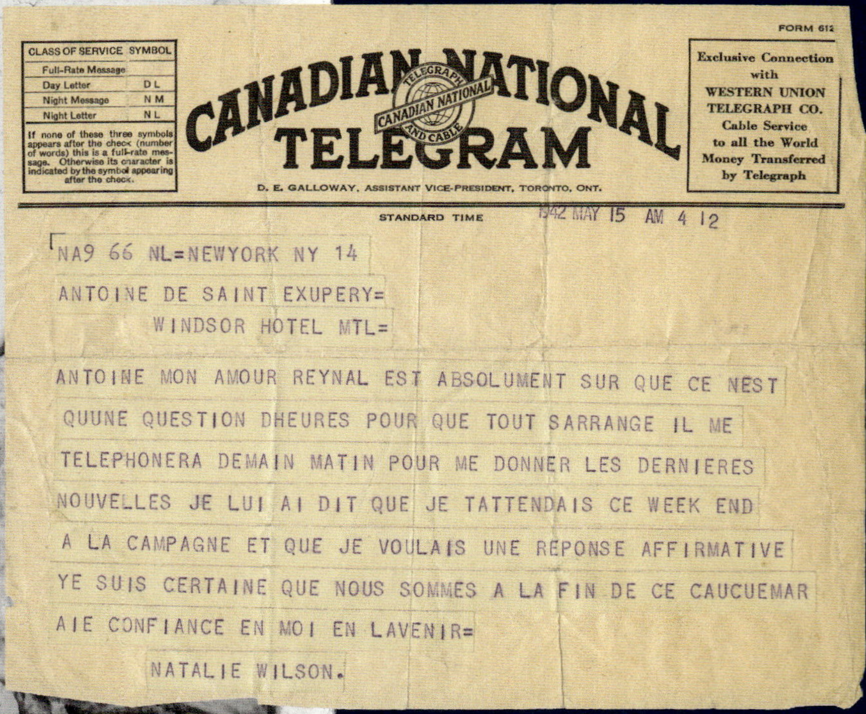

FORM 612

CLASS OF SERVICE	SYMBOL
Full-Rate Message	
Day Letter	DL
Night Message	NM
Night Letter	NL

If none of these three symbols appears after the check (number of words) this is a full-rate message. Otherwise its character is indicated by the symbol appearing after the check.

CANADIAN NATIONAL TELEGRAM

TELEGRAPH CANADIAN NATIONAL AND CABLE

D. E. GALLOWAY, ASSISTANT VICE-PRESIDENT, TORONTO, ONT.

Exclusive Connection with WESTERN UNION TELEGRAPH CO. Cable Service to all the World Money Transferred by Telegraph

STANDARD TIME 1942 MAY 15 AM 4 12

NA9 66 NL=NEWYORK NY 14
ANTOINE DE SAINT EXUPERY=
WINDSOR HOTEL MTL=

ANTOINE MON AMOUR REYNAL EST ABSOLUMENT SUR QUE CE NEST QUUNE QUESTION DHEURES POUR QUE TOUT SARRANGE IL ME TELEPHONERA DEMAIN MATIN POUR ME DONNER LES DERNIERES NOUVELLES JE LUI AI DIT QUE JE TATTENDAIS CE WEEK END A LA CAMPAGNE ET QUE JE VOULAIS UNE REPONSE AFFIRMATIVE YE SUIS CERTAINE QUE NOUS SOMMES A LA FIN DE CE CAUCUEMAR AIE CONFIANCE EN MOI EN LAVENIR=
NATALIE WILSON.

Weitere Musen

*Links:
Antoine de Saint Exupéry in Silvia Hamiltons New Yorker Apartment, um 1942.*

Telegramm von Natalie Paley an Antoine de Saint Exupéry, der sich gerade in Kanada aufhält.

In den USA hatte Saint Exupéry mehrere Romanzen, die von unterschiedlicher Dauer, aber intensiv genug waren, daß sie den Beteiligten dauerhaft in Erinnerung geblieben sind. Häufig ist es nur eine zärtliche Freundschaft, die er bei einer Frau sucht, ohne daß körperliches Verlangen im Vordergrund steht. Diese Beziehungen sind ein Ort der intimen Geständnisse und der ersehnten friedlichen Augenblicke. Ohne sich mit sentimentalen Feinheiten und liebesbedingten Komplikationen zu belasten, ist Antoine vor allem auf der Suche nach einer Harmonie und Einfachheit, wie er sie in den biblischen Texten und Psalmen des von ihm besonders geschätzten Johannes-Evangeliums findet. Consuelo und Nelly de Vogüé wissen um ihre Rivalinnen, reagieren aber ganz unterschiedlich darauf. Die schöne Frau aus El Salvador akzeptiert die Seitensprünge ihres Mannes nicht, weiß aber auch, daß sie ihn niemals wird von seinen Dämonen befreien können. Sie schäumt vor Wut, sie droht, kann aber nichts ausrichten. Also gibt sie auf und lebt schweigend weiter an seiner Seite. Antoine ist ihr für diese scheinbare Gleichgültigkeit dankbar, und diese Dankbarkeit verwandelt sich in die echte Liebe eines Ehegatten, als *Der kleine Prinz* veröffentlicht wird, nach seinem Weggang aus New York. Seine Briefe sind der Beweis: regelrecht Racine'sche Liebeshymnen an die Frau, zu der er in der Abwesenheit zurückfindet.

Nelly, die sehr an Antoine hängt, mischt sie sich nie in seine Liebeleien ein und begnügt sich damit, am Ast Consuelos, ihrer einzigen echten Rivalin, zu sägen. Bei Silvia Hamilton ist es die Jugend, der Elan und die Art, wie sich ihre Begeisterung in ihrem Gesicht widerspiegelt, die Antoine fasziniert. Im Sommer 1942, den er in Bevin House verbringt, dieser großen weißen Villa, die Consuelo an der Küste entdeckt hat und die sie «Haus des Glücks» oder «Haus des Kleinen Prinzen» nennt, weil Saint Exupéry sich dorthin zurückzieht, um besagte Erzählung zu schreiben, erreicht er zwar eine gewisse Ausgeglichenheit, kehrt aber trotzdem unter dem Vorwand geschäftlicher Angelegenheiten nach New York zurück. In Wirklichkeit besucht er Silvia Hamilton. Obwohl er kein Englisch spricht und sie kein Wort Französisch – eine gemeinsame Freundin, die Französisch-Lehrerin ist, übersetzt ihren gesamten Briefwechsel –, findet er bei ihr eine Form der Unschuld und der Freiheit, der Einfachheit und Natürlichkeit wieder, die er für immer verloren glaubte. Er fühlt sich in jener Zeit von allen verraten: den befreundeten Exilfranzosen, die die Résistance unterstützen, de Gaulle, der nicht viel von ihm hält … Er fühlt sich furchtbar, kann sich nicht vergeben, daß er Frankreich im Stich gelassen hat, und möchte mit allen Mitteln zurück. Mehr als je zuvor bedarf er der Unterstützung und neuer Energie. Silvia Hamilton gibt ihm beides, und sie möchte keine Paarbeziehung mit ihm, spricht niemals von Consuelo, läßt ihm viel Freiheit und verschafft ihm wieder Zugang zum Geist seiner Kindheit. Sie ist es aber auch, der er unheilvolle, düstere Briefe schreibt, denen sie

Mon cher =

Il y a des gens dans ce monde qui invariablement invitent la tragédie = Par leur risible penchant au drame, n'importe dans quelle direction ils se vouent, inévitablement ils finissent baignés de larmes = Pauvres innocents, la plus part demandent trop peu et offrent beaucoup trop! Et envers et contre tout, malgré leur constantes misères ils ne semblent jamais apprendre que la vie toujours perverse, préfère combler de faveurs ceux qui sont déjà opulents = Il existe encore un autre genre bien plus absurde – Ceux qui ingénument exaltés croivent qu'il est possible de vivre sans artifice = Même s'ils connaissent tous les tours du métier, l'expérience leur apprend de bonne heure que la candeur est un luxe sans valeur, et n'empêche

ils continuent à être continuellement blessé à chaque nouvelle découverte que leur simplicité sincère n'est ni une vertue ni une bonne qualité dans ce bas-monde = Ne me prenez pas pour un oracle grecque = Je n'ai pas l'intention ni la force en ce moment d'approfondir des idées général = J'aimerais seulement dire que la soirée d'hier devrait en partie du-moins me guérir de mon habitude de laisser parler mon coeur, de parler toujours le coeur sur la main et les larmes aux yeux = Même avec vous = La simplicité naive avec laquelle je vous ai parlé est bonne peut-être pour les petits anges du ciel ou pour les enfants retardés = Le résultat fut inévitable = Votre manque de joie à mon arrivée, votre calme acceptation de notre rencontre passagère votre détachement à mon départ, tout

Brief von Silvia Hamilton an Antoine de Saint Exupéry anläßlich seines Besuchs in Montréal.

cela confirme ce que je n'aurais pas du oublier —— qu'une femme, même desirable, doit toujours exprimer ses sentiments avec parcimonie = Il faut dorénavant que je me souvienne toujours de cette leçon, parceque je ne veux pas être baignée jusqu'à la fin de mes jours de larmes et de ridicul = Dorénavant je vais tâcher d'être inaccessible et j'aurai probablement plus de succès – mais je serai si lasse!

Vous devez sans doute savoir que mon 'vol à la lune' ne m'a pas rendue heureuse = J'ai été poussée à faire ce voyage par un mélange de mon esprit extravagance, mon désir, ma solitude totale ici, que sais-je! Je suis venue vers vous le coeur plein de générosité, de tendresse, de désir de vous voir et vous aider = J'ai manqué mon but = je n'ai même pas su me faire comprendre = Et pour ma part, je me sens maintenant

encore plus seule = Je me sens comme perdue = Et mon désir n'est que plus – grand =

Je crois vous avoir déjà dit que des mondes sont créés et détruits et re-créés dans ma tête = Des poemes merveilleux sont écrits et des chanson d'amour sont chantes = Des grondements de tonnerre et des beaux soleils s'alternent = Mais tout ca ce n'est que dans ma tête = Personne ne peut savoir ce qui se passe dans mon moi interieur = Personne ne peut être tenu responsable pour le fait que j'ai inherité de mon père cette maladive fantaisie rêveuse = Comment pouvez-vous savoir, par example, la triste image que je m'étais faite de vous ami très cher, tout seul là-bas au Canada, comment auriez-vous devinez que rien ni personne ne me retient ici à New York, que j'avais un désir fou de vous voir = Malheureusement, je n'ai jamai pensé que vous etiez

là-bas avec Madame votre femme – mais de toute façon je suis venue avec l'intention de rester un jour seulement (cela va sans dire que je serais restée davantage si vous en aviez exprimé l'envie ou le désir) = Je vous ai quitté le coeur gros – à tous vos ennuis, votre maladie, vos préoccupations je n'ai apporté aucun soulagement = Et la barrière du langage m'a privée de tout charme =

Je ferme cette lettre en vous envoyant mes pensées fidèls et mes souhaits les meilleurs

Silvia

nichts entgegenzusetzen versucht, weil sie weiß, daß dies seine Bestimmung ist. In seinen Briefen an Consuelo und Nelly beharrt er auf einer Idee, die zu seiner Obsession werden sollte: Man kann nur mit dem eigenen Blut unterschreiben.

Er hat noch andere Liebschaften, andere Gabys und andere Suzys, deren Namen in Vergessenheit geraten sind. Einige haben Spuren hinterlassen, wie Natalie Paley, deren glockenhelles Lachen den Weg in den *Kleinen Prinzen* gefunden hat, um das Funkeln der Sterne zu beschreiben. Die exzentrische und laszive Natalie (eigentlich Natalia), Tochter eines russischen Fürsten im Exil, versucht sich als Schauspielerin und verführt so unterschiedliche Männer wie Jean Cocteau und Saint Exupéry, der in ihren Armen den kleinen Jungen spielt. Immer das gleiche Lied, die gleiche Klage, die des Ungeliebten, der haltlos durch die Welt irrt, seitdem er den sicheren Hafen von Saint-Maurice verlassen hat und dem «Ozean» des mütterlichen Kokons entschlüpft ist. Dann gibt es noch Nadia Boulanger, die prominente Pianistin und Dirigentin, mit der Nelly de Vogüé ihn 1938 bekannt macht und für die er tiefe Zuneigung empfindet. In New York, wo sie während des Krieges Zuflucht sucht, spricht er oft von Consuelo, die er in Frankreich zurückgelassen hatte, von den Schwierigkeiten seines Lebens, von der geistigen Einsamkeit, die ihn quält. Aber stets kommt zur uneingestandenen Suche nach Liebe ein inneres Suchen, das jegliches Begehren auslöscht.

Vielleicht ist auch noch Anne Morrow Lindbergh zu nennen, die Frau des berühmten Piloten, mit der er eine lange Brieffreundschaft unterhält. Sie bewundert ihn sehr, aber nichts läßt darauf schließen, daß sie ein echtes Liebesverhältnis hatten. Saint Exupéry beschreibt ihr seine Gemütszustände, seine Sorgen und schließlich sein Unvermögen, in dieser Welt zu leben. Sie erholte sich nur schwer von dem Schmerz, den sein Tod in ihr auslöste. In ihrem Tagebuch hält sie fest: «Ein Ehemann, eine erfolgreiche Ehe, das ist für mich die ganze Erde. Charles ist für mich Erde, Universum, Leben. Saint Ex war nicht Erde, sondern Sonne, Mond, Sterne, um die Erde zu erhellen und die ganze Welt und das Dasein schöner zu machen. Und nun ist die Erde nicht mehr hell, und sie hat ihre Schönheit verloren. Ich gehe meinen Weg weiter, stolpernd und freudlos.» Wenn man ihr ganzes Tagebuch liest, scheint es, als hätte sie diesen Mann ganz und gar verstanden, sein Unvermögen zu leben und seine Fähigkeit, andere zu erleuchten. Als sie erfährt, daß er die USA verläßt, schreibt sie am 29. März 1943: «Aber er ist kein Kind. Er hat nicht das ‹harte Herz eines Kindes›. Er ist eher wie eine Frau, die nie erwachsen geworden ist [...]. Man möchte ihn trösten [...]. Aber man weiß genau, daß es unmöglich ist.» Damit ist alles gesagt.

Unten:
Antoine de Saint Exupéry
1942 in Kanada.
Rechts: Fürstin Natalia Paley.

Rechts:
Brief von Nadia Boulanger an Antoine de Saint Exupéry.

Die letzte Eroberung

Er trifft sie in einem Zug in Algerien, wenige Monate vor seinem Tod. Ihre Existenz wird erst sehr spät offenbar, als ihre Erben nach ihrem Ableben ihre Briefe versteigern. Der Briefwechsel, der 2008 unter dem Titel *Lettres à l'inconnue* veröffentlicht wird (die Kinder der Verstorbenen wollten nicht, daß ihr Name öffentlich werde), beleuchtet auf sehr bewegende Weise Antoines tiefe Verzweiflung und Einsamkeit. Sie bezeugen das immer gleiche Bedürfnis, geliebt zu werden, seine Unreife. Keine politischen oder geistigen Betrachtungen, nur diese Bedürftigkeit, diese Zerbrechlichkeit, die seine Lebenskraft und seine Dynamik zerfressen. Diese Briefe werden im Nachhall des *Kleinen Prinzen* geschrieben, der schon kurz nach seinem Erscheinen in den USA Erfolge feiert, während eines Krieges, in dem sein geliebtes Frankreich chancenlos ist. Alles, wovor es ihn graust, scheint gerade Wirklichkeit zu werden. Er ist an einem Punkt angelangt, wo er sich gezwungen sieht, sich an jede Möglichkeit des Geliebt-, Gehört- und Verstanden-Werdens zu klammern. In jener Phase schickt er Consuelo die schönsten Liebesbriefe, die er je geschrieben hat, aber gleichzeitig erfindet er auch eine Geschichte mit dieser jungen Krankenschwester. Eine unmögliche Beziehung: Sie liebt ihren Mann und teilt ihm das mit; außerdem ist sie schwanger, und wenn sie Antoines Verzweiflung auch versteht, so empfindet sie die Begegnung doch nicht als schicksalhaft oder romantisch, sondern sieht vielmehr den tragischen Aspekt. Saint Exupéry bringt seine eigene Geschichte ins Spiel, setzt alles auf eine Karte: In dem Augenblick, in dem er seine Briefe schreibt, gibt er sich selbst vollkommen auf.

Wahrheit oder schöner Schein? Eher letzteres, möchte man meinen. Die Litanei aus Seufzern und Klagen ist dominanter als je zuvor, da Antoine mitten in einer Depression steckt. «Heute gibt es keinen Kleinen Prinzen», schreibt er, «nie wieder. Der Kleine Prinz ist tot.» «Ich bade in dieser leeren Zeit, in der es für mich nichts mehr zu träumen gibt.» Als die junge Frau ihn abweist, bemüht er sich um einen Dialog und benutzt dabei die Strategien des *Kleinen Prinzen*, wenn auch auf weniger geschickte Weise: Zeichnungen, die in der Originalausgabe des Buches keine Verwendung fanden, und Sprechblasen, in denen er seine Liebe erklärt und sein Leid schildert. Bemerkenswert ist das häufige Vorkommen des *ich* in all diesen Briefen. Immer und immer wieder spricht er von sich, von seinen Träumen und seinen unerfüllten Kindheitswünschen, von seiner Freude an Märchen, dem einzigen Raum, wo sein Dasein Erfüllung finden kann. Die junge Rot-Kreuz-Krankenschwester widersteht jedoch all seinen emotionalen Erpressungsversuchen, all dem psychischen Druck, den er aufbaut. Antoine findet sich in der Einsamkeit wieder, die er schließlich als zu ihm gehörig akzeptiert: dieses immer wachsame Herz, und nur das Schweigen der Welt antwortet. «Schade, daß überhaupt nicht Frühling ist», meint er abschließend in seinem letzten Brief, der mehr an ihn selbst als an seine Brieffreundin gerichtet ist.

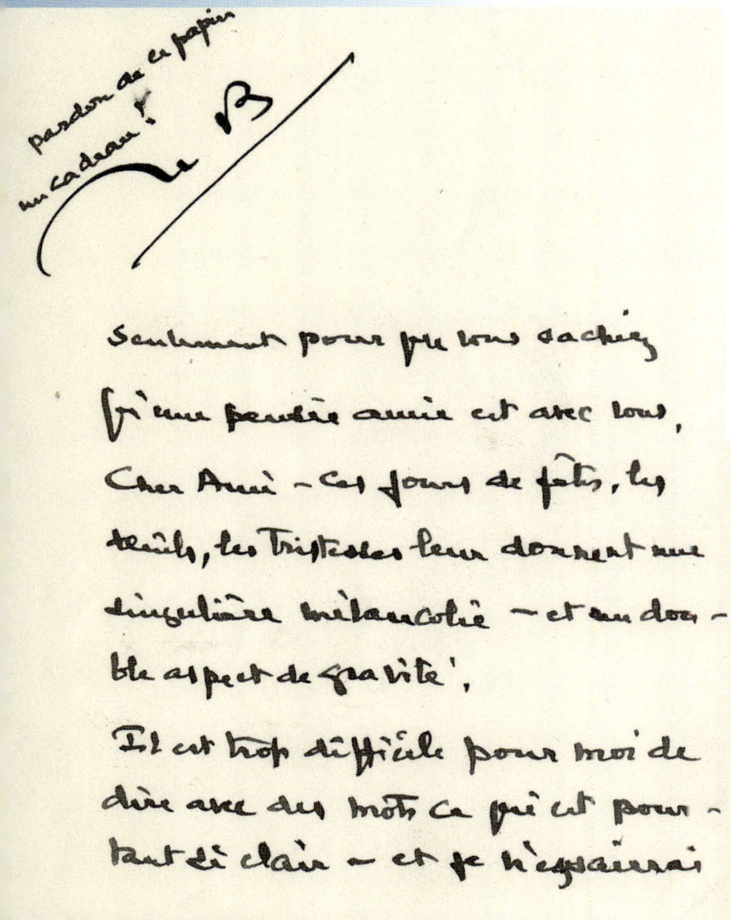

pardon de ce papier
un cadeau!
NB

Seulement pour que vous sachiez
qu'une fervente amie est avec vous,
Cher Ami – ces jours de fêtes, les
deuils, les tristesses leur donnent une
singulière mélancolie – et un dou-
ble aspect de gravité.
Il est trop difficile pour moi de
dire avec des mots ce qui est pour-
tant si clair – et je n'essaierai

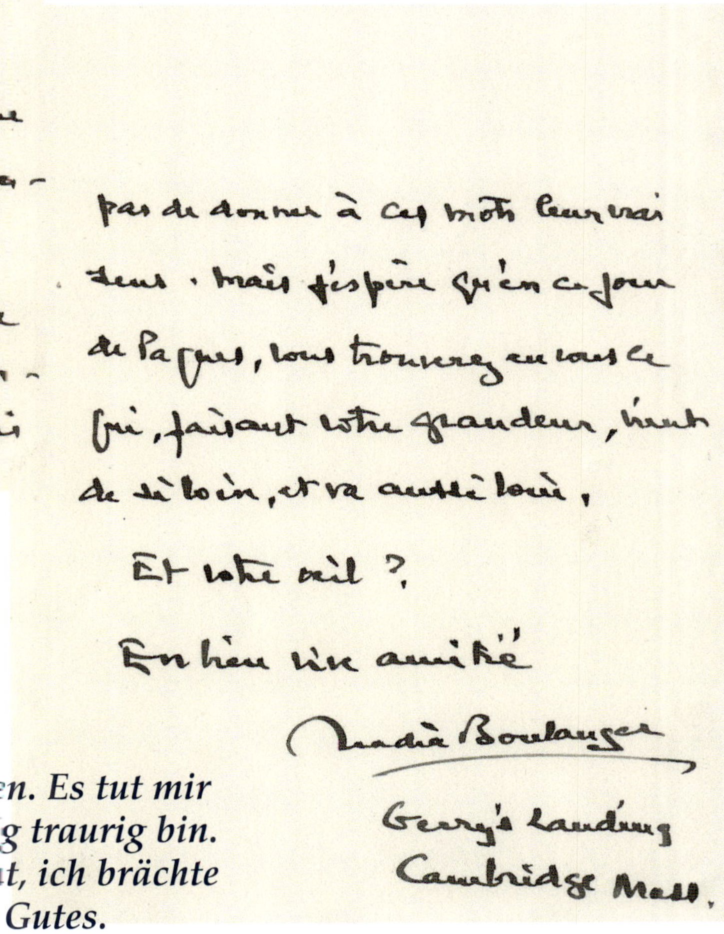

pas de donner à ces mots leur vrai
sens. Mais j'espère qu'en ce jour
de Pâques, vous trouverez en vous ce
qui, faisant votre grandeur, vient
de si loin, et va aussi loin.

Et votre oeil?

En bien vive amitié

Nadia Boulanger

Gerry's Landing
Cambridge Mass.

«Ich will nicht mehr mit dir streiten. Es tut mir leid, wenn ich manchmal ein wenig traurig bin. Du hast bei so vielen Dingen Recht, ich brächte dir zweifellos mehr Schlechtes als Gutes. Zweifellos? Nein, aber vielleicht. Daher habe ich große Entscheidungen gefällt und du kannst mich wiedersehen. Ich bin dein Freund. Natürlich würde das kleinste bißchen Frühling meine Entscheidungen aufweichen – schade, daß überhaupt nicht Frühling ist.» Lettres à l'inconnue

DER EHEMANN:

DER TRAUM VON NAZARETH

1931

1944)

Rechts: Consuelo 1943 in New York.
Vorangehende Doppelseite: Das Ehepaar auf den Treppenstufen vor Consuelos Haus in Nizza, wo Antoine de Saint Exupéry Nachtflug *fertigschreibt.*

DIE IDEE DER EHE HAT SAINT EXUPÉRY in seiner Jugend sehr beschäftigt. Seine christlich-aristokratische Familientradition hat bei ihm ein brennendes Verlangen nach Einheit ausgelöst, verkörpert durch das fromme Idealbild seiner Kindheit, die Heilige Familie in Bethlehem. In seinen Briefen spricht er unzählige Male davon, wie er die Wiedervereinigung der Familie herbeisehnt: Er träumt davon, «jene, die er liebt» um den Tisch mit dem weißen, faltenfreien Tischtuch versammelt zu sehen. Für ihn gipfelt die absolute Liebe im Sakrament der Ehe. Sein ganzes Leben lang treibt ihn die Sorge um die Bewahrung dieses Sakraments um, das Versprechen, das er Consuelo am 23. April 1931 in Agay gegeben hat. Doch seine Suche nach Liebe beschränkt sich nicht auf Consuelo: Seine Seitensprünge erlegen der Ehe schwere Prüfungen auf, unter denen sie aber nicht zerbricht. Bis zum Schluß sind seine «vergänglichen Liebschaften» weniger als ehebrecherische Akte zu interpretieren, sondern vielmehr als der schmerzliche Widerschein eines zu lange erträumten Ideals. Die unerwartete Begegnung mit Consuelo, 1930 bei der Alliance française in New York, hat ihn wie ein Blitz getroffen. Eine Amour fou, eine Liebe voller Leidenschaft, die in Zeiten von Krieg und Gefahr ihren Höhepunkt erreicht. Nie waren seine Briefe leidenschaftlicher, erbitterter und intensiver als jene, die er damals Consuelo schickt. So wird diese Beziehung für alle Zeit besiegelt, als hätte er endlich, kurz vor seinem Tod, erkannt, daß es Consuelo war, die ihn, allen Angriffen auf ihre Ehe zum Trotz, am meisten beschützt und geliebt hat.

«Du bist kein Ziel,
keine Belohnung,
kein Schmuckstück,
das verehrt wird und
dessen ich bald
überdrüssig würde.
Du bist Weg, Fahrzeug
und Ladung.
Und ich werde des
Werdens nicht müde.»
Die Stadt in der Wüste

Unten: Henrique Gomez Carrillo, Consuelos verstorbener Ehemann. Sie ist bereits Witwe, als sie Antoine de Saint Exupéry kennenlernt.

Rechts: Ausschnitt aus einer Zeitung aus Buenos Aires, in der über die Ankunft von Consuelo berichtet wird.

Rechts unten: Einladung zu einem Konzert von Ricardo Viñes am 4. September 1930.

Eine romantische Begegnung

Gab es je einen besser arrangierten Zufall als dieses Zusammentreffen? Nichts schien dafür zu sprechen, daß Antoine de Saint Exupéry eines Tages der strahlend schönen Consuelo Suncin über den Weg laufen würde, der Witwe des 1927 verstorbenen guatemaltekischen Schriftstellers Gomez Carrillo. Wir schreiben das Jahr 1930. Antoine ist Direktor des argentinischen Luftpostunternehmens Aeroposta Argentina mit Sitz in Buenos Aires. Er mag die Stadt nicht und dreht, so oft er kann, ein paar Runden im Flugzeug. Er flüchtet vor den gesellschaftlichen Verpflichtungen und Abendveranstaltungen, zu denen die französische Gemeinde oder ortsansässige Gastgeber einladen. Erst, wenn er Argentiniens karge Landschaften überfliegt, die sonnenverdorrte Pampa und die schroff aufragenden Berge, mit denen er sich so gerne mißt, entfaltet dieses Land für ihn seinen Reiz. Consuelo kommt auf Einladung des Präsidenten nach Argentinien, einem alten Freund Carrillos, der ihr Unterstützung bei der Abwicklung des Nachlasses ihres verstorbenen Mannes zusagt. Auf dem Liniendampfer nach Buenos Aires kommt sie mit einigen Reisenden ins Gespräch und schließt neue Freundschaften, zum Beispiel mit Benjamin Crémieux, Schriftsetzer, Autor und Lektor bei Gallimard, der bei der Alliance française in Buenos Aires einen Vortrag halten will. Es ist eine fröhliche Reise. Consuelo bezaubert durch ihre zügellose Phantasie, ihre Redseligkeit, ihren klangvollen, melodischen Akzent und ihre Schönheit. Sie ist 29 Jahre alt, nur wenig jünger als Saint Exupéry. Sie ist eine Künstlerseele, voller Ideen und Poesie, sie ist großzügig und, unter der Oberfläche ihres aufsehenerregenden Gebarens, tiefsinnig und ernst. Crémieux lädt sie zu seinem Vortrag ein und besteht darauf, daß sie kommt. Er läßt nicht locker. Sie verspricht nichts. Vielleicht …

Sie kommt tatsächlich, leistet ihrem neuen Freund Gesellschaft beim Geplauder in den Salons der Alliance française, will sich aber noch vor dem anschließenden Cocktailempfang aus dem Staub machen. In der Garderobe trifft sie Antoine de Saint Exupéry, der ihr den Weg versperrt und sie nötigt, sich wieder zu setzen. Es ist Liebe auf den ersten Blick, wie ein Blitzschlag, brutal, absolut. Welcher geheime Befehl bringt ihn dazu, ihr derart drängend, fast schon unschicklich, den Hof zu machen? Welche Gewißheit hat sich seiner bemächtigt, daß er sie bittet, ihn auf einen kleinen Rundflug zu begleiten, worauf sie eingeht, amüsiert und überrascht zugleich? Er verspricht ihr überwältigende Sinneseindrücke, ein nie dagewesenes Erlebnis, den Blick auf den Rio de la Plata vom Himmel aus und erklärt ihr, er habe in ihr seinen «kleinen Paradiesvogel» gefunden?

Antoine bringt sie, Crémieux und Ricardo Viñes zum Flugplatz der Aeroposta Argentina. Er bietet Consuelo den Platz neben dem seinen an, und schon fliegen sie über Buenos Aires … Die Stimmung ist vergnügt und freundschaftlich. Antoine ist nicht zu brem-

El crítico Benjamín Cremieux con D. Ricardo Viñes, a su llegada al puerto

…esembarcadero de la dárena na. Mi primer palabra, nos dijo, ha de ser de gratitud para Los Amigos del Arte y en especial para su presidenta, la señora Sansinena de Elizalde, de la cual la generosa iniciativa me permite realizar este viaje.

En el ciclo de conferencias que ofreceré en Buenos Aires, trataré de mostrar el movimiento de las grandes corrientes de arte y de pensamiento que se han sucedido y entrecruzado en Francia desde el fin de la guerra: espíritu de inquietud, de evasión, de aventura, de misticismo, y sobre todo, nos agregó, a partir de 1925, espíritu de descubrimiento y de reconstrucción.

Más adelante el señor Cremieux se expresó así: "Trataré de mostrar bien que sirviéndome de la literatura francesa, la unidad o la convergencia de los esfuerzos de toda la literatura de Europa, desde 1918."

Nos habló asimismo de las relaciones de nuestro país con Francia, estableciendo su carácter intelectual a pesar de las diferencias de continentes.

No me sorprende, agregó, la amplitud de miras de los argentinos y vuestra voluntad de argentinidad me parece sumamente saludable, porque está acompañada en todos los casos de universa-

Gómez Carrillo, Maeterlink, Leroux y otros amigos de Francia.

El padre Pedro Landhe

Llegó, como decimos, el padre vasco-francés don Pedro Landhe. Trátase de un jesuita brillante, natural de Bayona, que es novelista, filólogo y orador sagrado. Nos habló de sus obras, a nues-

La señora viuda de Gómez Carrillo

tro requerimiento, y del espíritu esencialmente vasco que en ellas impera. En la actualidad el padre Landhe es miembro de la Academia de la Lengua Vasca de Bilbao y en estos momentos tiene en preparación un diccionario vasco-francés. Ultimamente en Francia ha ofrecido por radiotelefonía una serie de sermones que ha coleccionado, nos manifestó, en varios volúmenes titulados "L'Evangelie par dessus les tois", "Le bon pasteur" y "Les pauvres de l'evangile".

EN EL INSTITUTO D

sen, ist frech und galant, beschwört Consuelo, ihn zu küssen, ihn zu heiraten … «Küssen Sie mich, oder ich stürze mich in die Fluten … Was für kleine Hände, geben Sie mir Ihre Hand, für immer!» «Ich möchte aber nicht als Einarmige herumlaufen», scherzt Consuelo. «Aber nein! Ich bitte Sie, mich zu heiraten. Ich liebe Ihre Hände, ich möchte sie für mich alleine haben!» Als Consuelo ablehnt, droht er, den Steuerknüppel loszulassen und sich ins Meer zu stürzen, wenn sie seine Bitten nicht erhört. Die Minuten vergehen, die Maschine fliegt Loopings; unten in Buenos Aires gehen die ersten Lichter der Abendbeleuchtung an. Es ist ein Moment der strahlend hellen, bunten Manegen, der Kinderspiele, der verrückten Versprechungen, des schallenden Gelächters und der kleinen verhaltenen Ängste. Glückliche Erinnerungen steigen aus großer Tiefe empor. Es ist der Augenblick, in dem sich alles ändern und in dem man alles, was man verloren oder unerreichbar glaubte, wiedererlangen kann. Nach der Landung führt Saint Exupéry die kleine Truppe in seine Wohnung. Er überläßt Consuelo sein Bett und sagt zu ihr: «Sie haben nichts zu befürchten, ich werde Ihnen keine Gewalt antun. Ich möchte geliebt werden. Stehlen mag ich die Dinge nicht. Ich möchte, daß man sie mir gibt.» Consuelo sagt zu allem ja, zu den kommenden Tagen, zu dem möglichen Glück, zum wiedergefundenen Leben. «Als ich aufwachte, lag ich in seinen Armen», erzählt sie.

AMIGOS DEL ARTE
FLORIDA 659

CUARTO CONCIERTO

DE

RICARDO VIÑES

EL

JUEVES 4 DE SEPTIEMBRE DE 1930

A las 18.15 horas

Se ruega a los socios presenten su tarjeta.
Los que no lo fueren pagarán 5 pesos.

«Tonnio, mein fliegender Fisch, mein einzigartiger Schmetterling, meine Liebe, mein Zauberkästchen.»

Die Rose des kleinen Prinzen: Erinnerungen an eine unsterbliche Liebe

Linke Seite: Consuelo auf der Terrasse des Hotels Negresco in Nizza, um 1929.

Oben: Consuelo auf dem Liniendampfer nach Buenos Aires, in Begleitung des Pianisten Ricardo Viñes und des NRF-Autors Benjamin Crémieux.

Unten: Consuelo mit dem japanischen Maler Foujita, einem Freund ihres Mannes Henrique Gomez Carrillo.

Ratgeberin, Muse, emanzipierte Frau, Gattin

Unten: Consuelo auf der Titelseite der Zeitschrift La Parisina.

Unten: Consuelo und Antoine
Rechte Seite: Photographie mit Widmung, die Antoine de Saint Exupéry stets bei sich hatte. Auf die Rückseite hatte Consuelo geschrieben: «Ne me perds pas! Ne te perds pas. A bientôt!» – «Verlier mich nicht! Verirr dich nicht. Bis bald!»
Darüber: Consuelo, damals noch Madame Gomez Carrillo, in einem Modejournal, um 1927.

Sie kommt in El Salvador zur Welt. Aus ihrer Heimat hat sie einen Hang zu Mythen und Legenden, eine bild- und wortreiche Sprache, leidenschaftliche Gefühle und unbändige Begeisterungsfähigkeit mitgebracht. Sie wächst wohlbehütet auf einer Hacienda auf, hat aber ihren eigenen Kopf: Als kleines Mädchen liebt sie es, in die Pampa zu entwischen und sich mit der schöpferischen Energie und den Zauberkräften der Erde aufzuladen. Schon früh will sie auf eigenen Beinen stehen, geht in die Vereinigten Staaten, um andere Kulturen kennenzulernen, dann nach Europa, dem damaligen kulturellen Zentrum der Welt. Sie ist auf zahlreichen Photographien zu sehen. Sie posiert gerne, spielt ihre Schönheit aus. Sie ist klein, hat wunderbar feingliedrige Hände, wie Antoine sofort bemerkt, ihre großen Augen können feurige Blicke aussenden, mit denen sie ihr Gegenüber fixiert. Ihr Lachen wird im Paris der 1920er Jahre berühmt. Antoine liebt dieses Lachen, das in Kaskaden perlend herabsteigt. Da ihr die üblichen gesellschaftlichen Gepflogenheiten fremd sind, verzaubert sie ihn, ohne es darauf anzulegen, einfach nur durch die Natürlichkeit ihrer Sprache und Gesten, durch ihr Wesen, die Anständigkeit, die er in ihrem Blick sieht. Er ist ihr sofort verfallen und gesteht ihr sogleich: «Ich weiß, daß Sie meine Frau sind, ich schwöre es Ihnen.» Seit ihrer Heirat, wenige Monate nach ihrer ersten Begegnung, bis zu Antoines Verschwinden 1944 hält ihre Ehe vielerlei Angriffen stand – den Ansprüchen von Saint Exupérys Familie, den Fallstricken, die Nelly de Vogüé auslegt, den Gerüchten der Pariser Kreise und den Feindseligkeiten gewisser eifersüchtiger Schriftsteller. Sie durchleben Gewitterstürme und Trennungen, die aber immer nur vorübergehend sind. Sie ziehen mehrfach um, und Antoine nötigt seine Frau zu einem Boheme-Leben. Sie nimmt alles an ihm hin: Abfuhren und Kränkungen, Untreue und Gleichgültigkeit; sie unterstützt ihn beim Schreiben seiner Werke, packt ihm Körbe mit Proviant und heißem Tee für seine Reisen, wartet im eisigen Morgengrauen von Toulouse-Matabiau auf seine Rückkehr, oder im großen weißen Château La Feuilleraie, wo er sie trotz Krieg und Massenauswanderung zurückläßt, während er schon in New York weilt …

Sie ist seine Muse und Ratgeberin, das Vorbild für die Rose des Kleinen Prinzen, seine «Pimpinelle», wie er sagt, das kleine Mädchen oder die kleine Prinzessin, der er die Fortsetzung seines Märchens verspricht, sie ist seine Frau, seine Gebieterin, seine Geliebte, seine Schwester, seine Freundin, seine Ratgeberin, auch seine Leidtragende … Aber sie liebt ihn so, wie er ist, weil sie weiß, wie zerbrechlich und weich er ist und vor allem wie außerordentlich begabt. Wie könnte sie also auch nur daran denken, ihn zu verlassen? Als er ihr im November 1941 von New York aus telegraphiert, sie solle kommen, gibt sie alles auf, sogar den jungen Architekten Bernard Zherfuss, der ihr seit Antoines Abwesenheit den Hof macht. Denn nichts und niemand kann sie daran hindern, wieder mit Antoine zusammenzusein …

«Chéri, ich küsse dich. Ich leide. […] Reich mir rasch deinen Arm, damit ich ruhig sein kann, damit ich ein kleines Stück von dir sein kann. Consuelo.» *Die Rose des kleinen Prinzen: Erinnerungen an eine unsterbliche Liebe*

LA MODE ET LES MODES

(Voir l'explication détaillée des gravures page 26).

On verra par notre Couverture, tirée d'abord en noir et en or, puis en couleurs, que nous ne restons jamais insensibles à la beauté et que nous désirons demeurer les pionniers des nouvelles découvertes industrielles qui peuvent enrichir l'immense domaine de la mode.

Comme nous avons eu souvent déjà l'occasion de le dire et de le répéter ici, le succès des FILÉS DE CALAIS a entraîné la Haute Couture et c'est ainsi que la Maison Chéruit n'a pas hésité à créer spécialement pour ce Numéro une admirable robe du soir portant le nom de

Photos Seeberger Frères

BARONNE DE VILLIERS TERRAGE
ENSEMBLE DE DŒUILLET-DOUCET

Mme ***

Mme GOMEZ CARILLO

Mme ALBERT DIEUDONNÉ

LA MODE AUX COURSES

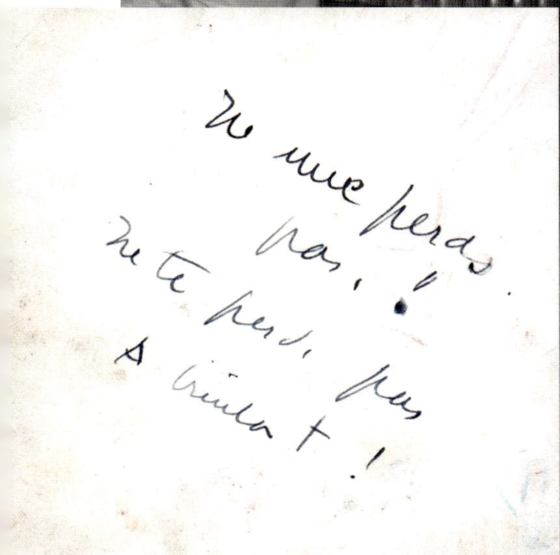

Zwei Enfants terribles in den Wirren der 1930er Jahre

Zwischen 1930 und der französischen Kriegserklärung liegen schwierige Jahre, Vorzeichen der Katastrophe, die die ganze Welt in Brand setzen wird. Es ist das Ende eines Zeitalters, mit letzten Ausbrüchen der Sorglosigkeit und einer immer deutlicher werdenden Bedrohung durch ein Deutsches Reich, das auf Eroberung und Rache aus ist. Der Spanische Bürgerkrieg, die schwelenden Konflikte in der Sowjetunion, der Vormarsch der Ideologie in Deutschland, das Aufkommen des Faschismus, die zunehmende Intoleranz und die Diskriminierung der jüdischen Gemeinden weltweit lassen das Schlimmste befürchten. Antoine und Consuelo durchleben dieses Jahrzehnt in einem Gefühl der Dringlichkeit, einem Hunger nach Leben und in der Hektik beunruhigender Vorbereitungen. Ihre Ehe baut auf den angeschlagenen Fundamenten einer Kultur auf, deren Zusammenbruch der visionäre Antoine nahen sieht. Diese Instabilität und Unsicherheit wirkt sich auch auf ihre Ehe aus. Antoine fühlt sich mit einer echten Mission betraut. Als Pilot wie als Schriftsteller will er die menschliche Kultur rehabilitieren, die durch Unstimmigkeiten getrennten Menschen wieder zusammenführen, «die Truppe zusammenhalten», dem Gewissen zum Sieg über Gewalt und Krieg verhelfen und der Welt zur Neugeburt in jenem unvordenklichen Frieden, nach dem er nicht aufhört zu streben. Von Idealismus erfüllt und von Zweifeln und Widersprüchen durchdrungen, befindet er sich in dem gleichen Zustand der Verwirrung und des Unbehagens wie die Welt um ihn herum. Wie dem heimlichen Haß der falschen Freunde entkommen, dem Neid der literarischen Kreise, den schwierigen Freundschaften im Fliegermilieu? Wie diese harmonische Ehepaarbeziehung erreichen, die er sich seit seiner Jugend so sehr wünscht? Wie diesen begehrlichen Körper zufriedenstellen, der immerzu neue Eroberungen fordert? Und wie kann Consuelo ihrerseits dieses souveräne Gleichgewicht erreichen, nach dem sie sich ebenfalls sehnt? Wie können diese beiden wirklich eins werden? Er vernachlässigt sie, aber verläßt sie nie; er trifft sich häufig mit anderen Frauen, aber sie will nie das Band der Leidenschaft zerreißen, das sie mit ihm verbindet. Beide wissen, daß diese Leidenschaft, die unter den unwahrscheinlichsten Umständen in Buenos Aires geboren wurde, eine unerschütterliche Verbindung zwischen ihnen geschaffen hat. Etwas unendlich Heiliges, das sie nicht zerstören können. Consuelo beruhigt und tröstet Antoine, sie hilft ihm bei der Vorbereitung seiner Expeditionen und Nachtflüge, berät und unterstützt ihn beim Schreiben, und Antoine weiß, daß er sich auf sie verlassen kann, daß sie uneigennützig und loyal ist, ohne dabei ihr ureigenes, strahlendes und aufbrausendes Wesen einzubüßen. Sie kennen sich durch und durch. Sie lassen die bösen Zungen reden und die Gerüchte überkochen. Ihre Briefe sind bewegend und offenbaren die Zärtlichkeit, die Antoine für seine Frau empfindet, und die Aufmerksamkeit, die Consuelo ihm permanent entgegenbringt.

Dieser Briefwechsel ist für Antoine lebensnotwendig: Inmitten seiner Depression und Sorgen ist sie es, um die seine Gedanken kreisen, und sogar seine Mutter bittet er inständig, «die arme kleine Consuelo» zu beschützen, die «so zart und ganz allein» ist. Und er fügt hinzu: «Nimm sie auf, Mama, wie deine eigene Tochter, mir zuliebe.»

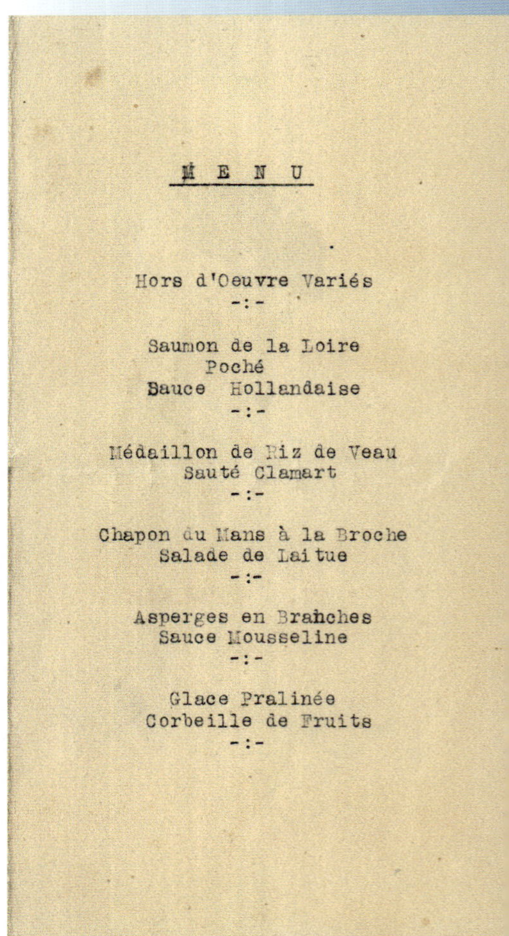
MENU

Hors d'Oeuvre Variés
-:-
Saumon de la Loire
Poché
Sauce Hollandaise
-:-
Médaillon de Riz de Veau
Sauté Clamart
-:-
Chapon du Mans à la Broche
Salade de Laitue
-:-
Asperges en Branches
Sauce Mousseline
-:-
Glace Pralinée
Corbeille de Fruits
-:-

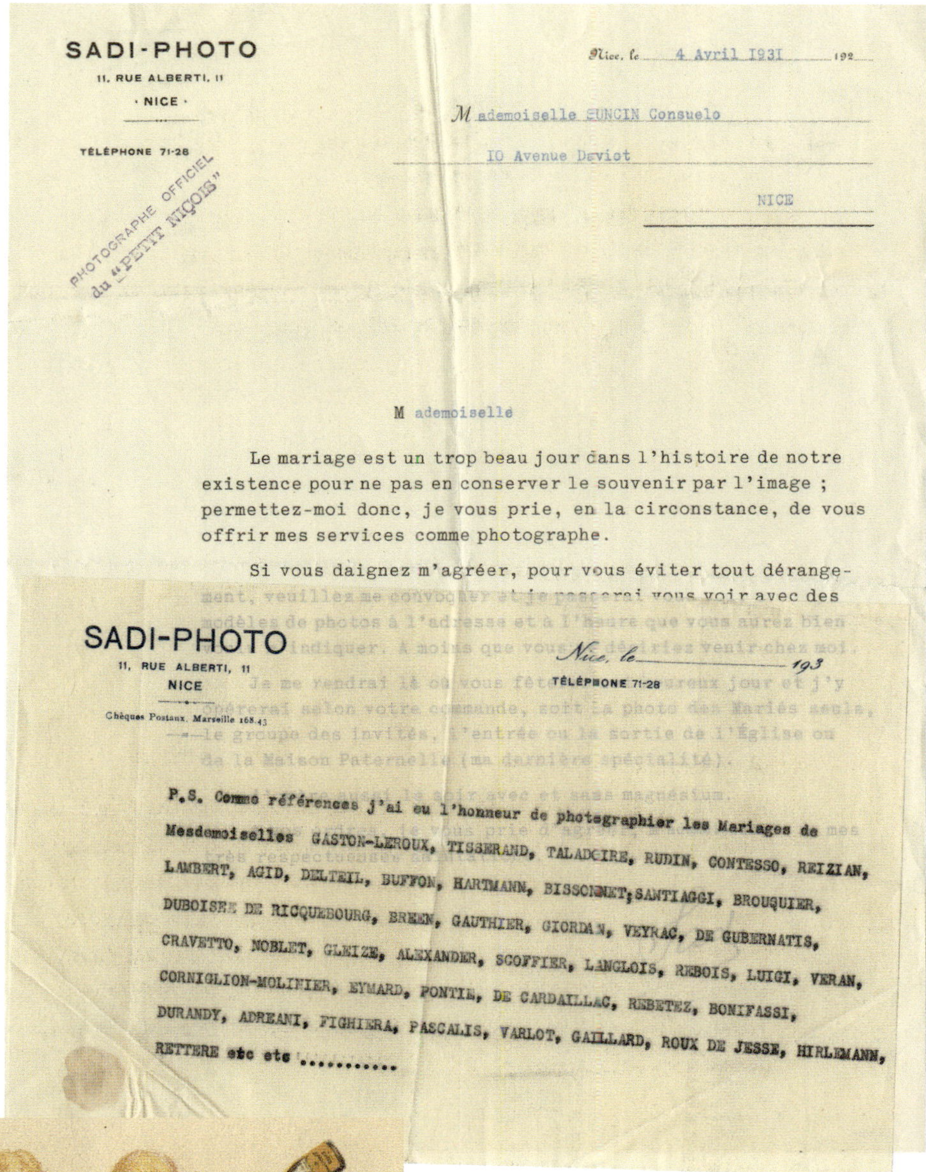

SADI-PHOTO

11, RUE ALBERTI, 11

· NICE ·

TÉLÉPHONE 71-28

PHOTOGRAPHE OFFICIEL du „PETIT NIÇOIS"

Nice, le 4 Avril 1931 192

Mademoiselle SUNCIN Consuelo

10 Avenue Deviot

NICE

Mademoiselle

Le mariage est un trop beau jour dans l'histoire de notre existence pour ne pas en conserver le souvenir par l'image ; permettez-moi donc, je vous prie, en la circonstance, de vous offrir mes services comme photographe.

Si vous daignez m'agréer, pour vous éviter tout dérangement, veuillez me convoquer et je passerai vous voir avec des modèles de photos à l'adresse et à l'heure que vous aurez bien voulu m'indiquer. A moins que vous ne désiriez venir chez moi.

Je me rendrai là où vous fêterez cet heureux jour et j'y opérerai selon votre commande, soit la photo des Mariés seuls, le groupe des invités, l'entrée ou la sortie de l'Église ou de la Maison Paternelle (ma dernière spécialité).

SADI-PHOTO

11, RUE ALBERTI, 11

NICE

Chèques Postaux, Marseille 168.43

Nice, le 193

TÉLÉPHONE 71-28

P.S. Comme références j'ai eu l'honneur de photographier les Mariages de Mesdemoiselles GASTON-LEROUX, TISSERAND, TALADOIRE, RUDIN, CONTESSO, REIZIAN, LAMBERT, AGID, DELTEIL, BUFFON, HARTMANN, BISSCHNET, SANTIAGGI, BROUQUIER, DUBOISE DE RICQUEBOURG, BREEN, GAUTHIER, GIORDAN, VEYRAC, DE GUBERNATIS, CRAVETTO, NOBLET, GLEIZE, ALEXANDER, SCOFFIER, LANGLOIS, REBOIS, LUIGI, VERAN, CORNIGLION-MOLINIER, EYMARD, PONTIE, DE CARDAILLAC, REBETEZ, BONIFASSI, DURANDY, ADREANI, FIGHIERA, PASCALIS, VARLOT, GAILLARD, ROUX DE JESSE, HIRLEMANN, RETTERE etc etc ....

Die Hochzeit von Antoine de Saint Exupéry und Consuelo in Agay, am 23. April 1931: Menü, Heiratsurkunde, Werbeschreiben eines Photographen, der sich für die Hochzeitsphotos empfiehlt.

In Consuelos Ehering ließ Antoine die Widmung eingravieren: «Antoine à Consuelo 1931».

Unten rechts: Mietquittung für das Haus in der Calle Tagle in Buenos Aires. In diesem Haus, in Gegenwart Consuelos, beginnt Antoine, an Nachtflug zu arbeiten. Später wird er schreiben, daß diese Zeit die glücklichste in seinem Leben war.

MAIRIE DE NICE
(ALPES-MARITIMES)

EXTRAIT du Formulaire Général des actes de l'État-Civil adopté par la Commission de l'État-Civil instituée au Ministère de la Justice

Le certificat de célébration civile, dont le seul but est de garantir le ministre du culte contre l'éventualité de poursuites fondées sur les articles 199 et 200 du Code pénal, ne doit énoncer ni les âges, professions, domiciles et filiation des époux, ni leurs mariages antérieurs.

Certificat de Célébration Civile

Le mariage de de Saint Exupéry Antoine Jean Baptiste Marie Roger et de Suncin Consuelo a été célébré en cette Mairie aujourd'hui vingt deux avril mil neuf cent trente un

L'Officier de l'État-Civil délégué,

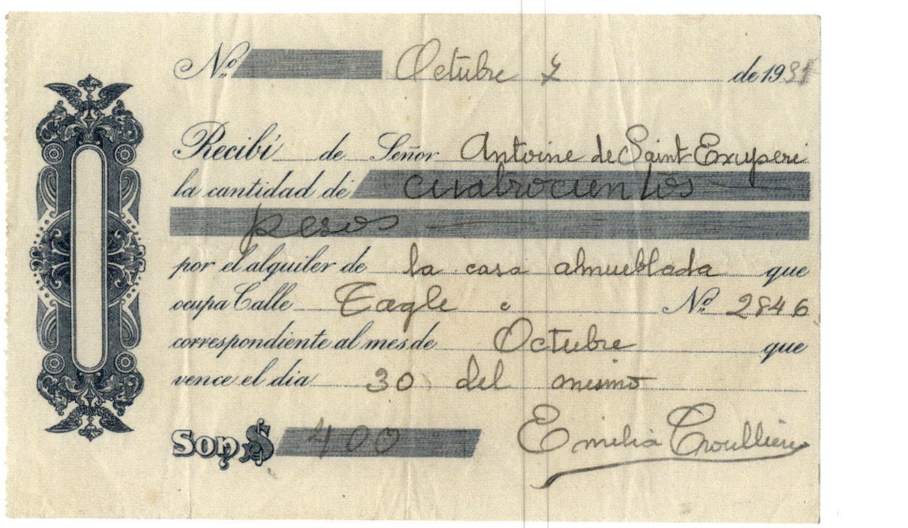

No Octubre 2 de 1931

Recibí de Señor Antoine de Saint-Exuperi la cantidad de cuatrocientos pesos por el alquiler de la casa amueblada que ocupa Calle Tagle No 2846 correspondiente al mes de Octubre que vence el día 30 del mismo

Son $ 400

Emilia Troullier

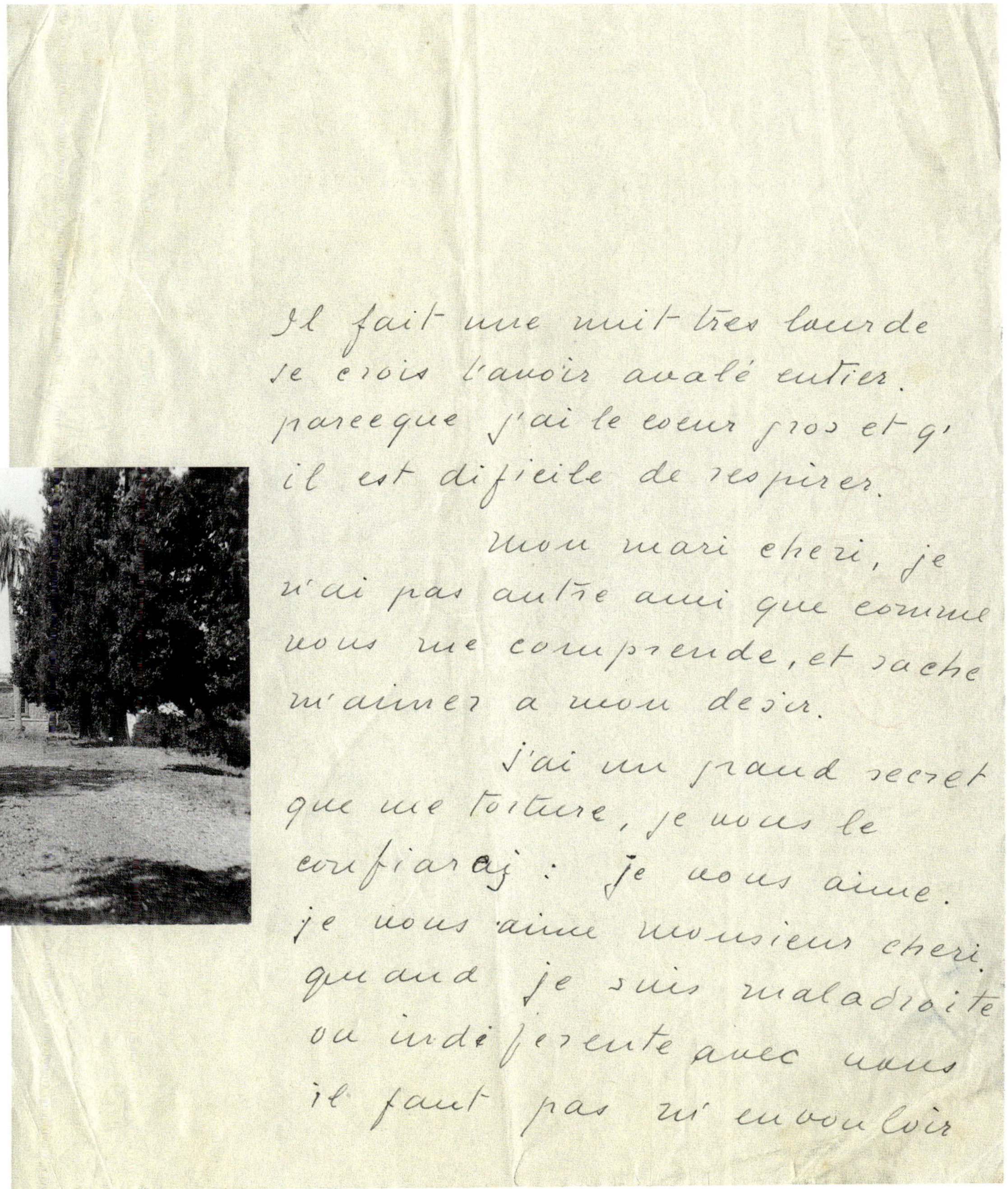

Il fait une nuit très lourde
je crois l'avoir avalé entier.
pareeque j'ai le coeur gros et q'
il est dificile de respirer.

Mon mari cheri, je
n'ai pas autre ami que comme
vous me comprende, et sache
m'aimer a mon desir.

J'ai un grand secret
que me torture, je vous le
confiaraj : je vous aime.
je vous aime monsieur cheri.
quand je suis maladroite
ou indiferente avec vous
il faut pas m'en vouloir

Linke Seite: Die Hochzeit.
Oben: Das Haus in der Calle Tagle, zwischen dem Rio de la Plata und einem baumbestandenen Park gelegen. Daneben ein Brief von Consuelo an Antoine de Saint Exupéry, der gerade an Nachtflug *arbeitet. Er denkt darüber nach, dem Buch den Titel* Nuit lourde *zu geben, nach einem poetischen Ausdruck, den Consuelo in diesem Brief verwendet hat.*

«Die arme kleine Consuelo […] so ganz allein, tut mir unendlich leid. Sollte sie eines Tages in der Provence Zuflucht suchen, nimm sie auf, Mama, wie deine eigene Tochter, mir zuliebe.» *Antoine an seine Mutter*

Auf Schloß La Feuilleraie: die Königin der Rosen

Im Jahr 1939 wagt Saint Exupéry, der immer bestimmt hat, wohin das Ehepaar als nächstes zieht (oft zum großen Mißfallen Consuelos, die von einem beständigeren Heim träumte), den Mietkauf eines Anwesens im Pariser Umland, nahe Combs-la-Ville, im Wald von Sénart: La Feuilleraie ist ein hübsches Schlößchen, umgeben von einem Park. Dort bringt er Consuelo unter. Da ein Auto vorhanden ist und sie Arbeit hat (bei einem spanischen Radiosender in Paris empfängt sie Künstler und andere bedeutende Persönlichkeiten), freut sie sich über den neuen Wohnsitz, der ihr friedlicher und gemütlicher erscheint als das, was Antoine ihr davor zugemutet hat. Für Antoine ist La Feuilleraie eine Art Wiedergutmachung für den Verlust von Saint-Maurice: Er braucht weite, aristokratische Räume, sie wirken beruhigend auf ihn. Das imposante Anwesen gilt ihm nicht als Zeichen seines gesellschaftlichen Erfolgs, sondern ist der Versuch, sich an einem Ort zu verankern, Wurzeln zu schlagen, sichtbare Bezugs- und Orientierungspunkte zu schaffen. Ganz sicher möchte er auch seine Frau glücklich machen, ihr ein schönes Umfeld bieten, mit ihr ein echtes Heim gründen. Doch gleichzeitig erliegt er auch seinen Schwächen. Die Entfernung von Paris führt dazu, daß er nicht jeden Tag nach La Feuilleraie zurückkehrt, und die erhoffte festere Verbindung lockert sich wieder. In ihren *Erinnerungen* erzählt Consuelo, wie schwer es ihrem Mann fällt, mit ihr zusammenzuwachsen, sich niederzulassen, während tausend neue Ideen ihn ablenken, ihn unaufhörlich Ängste plagen, er nicht in der Lage ist, dieses «Hier und Jetzt» zu genießen, obwohl er sich in *Stadt in der Wüste* so oft und weise darauf beruft. Auf La Feuilleraie führt das Ehepaar daher mehr oder weniger getrennte Leben, trotz Consuelos unermüdlicher Bemühungen, die mit der Unterstützung einer jungen Freundin das Haus schmückt, den Garten bestellt, Glyzinien und Rosen pflanzt. Saint Exupéry fährt regelmäßig hin, meist unangekündigt, und Consuelo läßt sich alles Mögliche einfallen, um den Tag fröhlich und vergnüglich zu gestalten. Saint Exupéry schöpft aus ihrer ureigenen Lebensenergie; er liebt ihre blumengeschmückten Tische, die vor Lebendigkeit sprühenden Gespräche mit ihr, die Poesie, mit der sie sich umgibt. Aber er kann auch grausam und unfreundlich sein, die Wiedersehensfreude durch eine überstürzte Abreise zunichte machen … Doch Consuelo ist, trotz der abweisenden Haltung und des Unwillens ihres Mannes, eine strahlende und großherzige Heldin. Das Leben hilft ihr immer über allen Groll hinweg.

Wenn er nicht da ist, umgibt sie sich gerne mit Freunden und verhindert, daß Niedergeschlagenheit von ihr Besitz ergreift. Sie bewahrt sich ihre Eigenschaft, immer aufmerksam und neugierig zu sein, und versucht, Sorgen und Ängste positiv umzudeuten. Als sie einmal in einer eisigen Nacht von Paris zurückkommt, bemerkt sie reges Treiben bei ihrem Nachbarn, dem Besitzer einer Gärtnerei. Sie hält an und fragt, was hier vor sich gehe. «Es ist wegen des Frostes, Madame», erklärt der Gärtner, «all meine Rosen werden eingehen, und wir haben nicht genügend Tuch, um sie abzudecken …» Consuelo findet sogleich eine Lösung: Sie eilt nach Hause, zieht aus Schränken und Truhen die großen, mit den Initialen

Antoine und Consuelo de Saint Exupéry.

der Saint Exupérys bestickten Laken hervor und gibt sie ihrem Nachbarn, der damit seine Pflanzungen bedecken kann. Seit dieser Begebenheit wird sie im Dorf «die Königin der Rosen» genannt. Hat sich Saint Exupéry, dem nichts entgeht, daran erinnert, als er beschreibt, wie der Kleine Prinz seine geliebte Rose unter eine Glasglocke stellt, bevor er seinen Planeten verläßt? Das neue Leben auf La Feuilleraie sieht sich zunehmend mit der drohenden Kriegsgefahr konfrontiert, die in Europa immer mehr um sich greift. Noch bietet das Schlößchen Schutz. Consuelo richtet sich dort ein, mit einer Freundin und Vertrauten, einem Zimmermädchen, einer Köchin und einem Ehepaar, das sich um den Garten kümmert. Sie legt Pflanzungen an, freundet sich mit den benachbarten Bauern an, kauft Kaninchen und Hühner, die sie selbst aufziehen möchte. Sie ist fest entschlossen, in diesem friedlichen Hafen ihren Mann zurückzuerobern. Antoine läßt sich darauf ein. Vom Charme seiner Frau aufs Neue verzaubert, stattet er ihr Besuche ab, wie es ein heißblütiger Liebhaber tun würde, und haßt es, Consuelos Freunde vorzufinden. Dann verläßt er das Anwesen, diniert im Dorfbistro und verbringt den Abend damit, ihr endlose Liebesbriefe zu schreiben! In jenem Frühling 1939 ist Consuelo glücklich. Flieder und Pfingstrosen blühen im Park, sie ist ganz vernarrt in ihr neues Schoßhündchen, die Obstbäume biegen sich unter ihrer Last … Zusammen mit Véra, einer jungen Russin, die sie eingestellt hat – wohl wissend, daß Antoine ihr schöne Augen macht –, vergnügt sie sich, erfreut sich an Näharbeiten, schmückt das Haus mit riesigen Blumengestecken, empfängt Freunde aus Künstlerkreisen, renoviert den kleinen Jagdpavillon, um ein Gästehaus daraus zu machen … Aber die Zeit schreitet fort und Antoine wird mobilisiert. Im Hôtel du Grand Balcon in Toulouse macht er sich Sorgen um Consuelo, die auf La Feuilleraie geblieben ist und deren Familie darauf drängt, sie solle sofort nach El Salvador zurückkehren. Antoine stellt sich dagegen und rechtfertigt dies mit einer Art emotionaler Erpressung: Ohne sie, sagt er zu ihr, hielte ihn nichts mehr im Leben … Angesichts des feindlichen Vormarschs jedoch verlangt nun auch Antoine, im Juni 1940, daß sie die Gegend unverzüglich verläßt. Der Bahnhof von Jarcy wurde schon bombardiert. Noch in derselben Stunde gibt Consuelo das Anwesen in die Obhut des Gärtnerpaares und reist ab. Sie läßt alles, wie es ist, alle Gegenstände, Möbel, Habseligkeiten, persönlichen Dinge, auch Dokumente. Das Ehepaar Saint Exupéry sollte nie mehr dorthin zurückkehren …

«Danke, daß du einfach nur diesen Satz zu mir gesagt hast, ich werde ihn nie vergessen: ‹Danke, daß du dich an mich geklammert hast wie eine starrköpfige kleine Krabbe.› Wenn ich dich verliere, werde ich das nicht überleben.» *Consuelo de Saint Exupéry*

Massenflucht und Exil in Oppède

Saint Exupéry erfaßt sehr schnell den Ernst der Lage, das Vorrücken der Deutschen, die unmittelbar bevorstehende Massenflucht, der Zusammenbruch des französischen Wertegerüsts, ein Land, das dem Feind ausgeliefert ist. Zwar bekennt er sich zu den unvergänglichen Werten von Arbeit, Familie und Vaterland, die er als machtvoll und notwendig einschätzt, aber ein Anhänger Pétains ist er deswegen noch lange nicht. Er kennt das Umfeld des Marschalls, den dort herrschenden Zynismus und das niedrige Niveau jener, die ihn hofieren, und verspürt nicht die leiseste Neigung, sich ihnen anzuschließen. Pétain und seine Freunde hingegen sähen Saint Exupéry gerne in ihren Reihen, ist sein Werk doch in gewisser Hinsicht dem großen jüdisch-christlichen Erbe nahe, auf das sie sich berufen. Und damit beginnt die wahre Tragödie Saint Exupérys: Wie kann er seine Liebe zu Frankreich, seinem Geburtsland, seiner Heimat unter Beweis stellen, wie kann er sich als Erbe des Christentums bezeichnen, ohne sich als vermeintlicher Unterstützer von Pétains Régime zu kompromittieren? Schnell wächst in ihm der Wunsch, das Land zu verlassen – nicht aus Angst um sein Leben oder weil er sich nicht einbringen will, sondern weil sein Weggang ihm zu jenem Zeitpunkt als die beste Form des Widerstands erscheint. Consuelo hält sich in der unbesetzten Zone auf. Er trifft sie in Pau, wo sie voller Angst auf ihn wartet. Aber sein Kommen verläuft nicht so, wie sie sich das vorgestellt hatte. Saint Exupéry gibt sich schweigsam, launisch. Ein Besuch im Wallfahrtsort Lourdes bringt sie einander ein wenig näher. Das Ehepaar badet im heiligen Wasser – aber ob die beiden für das Gleiche beten?

Zweifel sind angebracht. Die unverwüstliche, mit starker Lebensenergie gesegnete Consuelo möchte wieder zu sich finden, während Antoine in die USA aufbricht. In Marseille trifft sie einen alten Freund, der ihr vorschlägt, zusammen mit örtlichen Kunststudenten ein zerfallenes mittelalterliches Dorf zu restaurieren: Oppède-le-Vieux. So verrückt die Idee unter den gegebenen Umständen auch scheinen mag, Consuelo findet sie wunderbar, fast surrealistisch. Sie akzeptiert mit Freuden und entwickelt sich in Oppède bald zur Muse der Gruppe. Ihre Anmut, ihre unverstellte Lebendigkeit wirken Wunder. Sie organisiert Gesellschaftsabende, fängt wieder an zu malen, widmet sich der Bildhauerei und beginnt, angesichts Antoines Schweigen, eine Affäre mit dem jungen Architekten und späteren Prix-du-Rome-Preisträger Bernard Zherfuss. In Oppède ist man vom Partisanengeist der Widerstandskämpfer weit entfernt. Trotzdem fühlt Consuelo sich immer von denen angezogen, die sich widersetzen, von den Ausgeschlossenen, den Gefangenen, den Armen, den Geknechteten. Ihr Aufenthalt in der Provence ist für sie kein Versteck, sondern ein Akt des Widerstandes. Robert Tinger, Herausgeber von Consuelos Erzählung *Oppède* (erschienen 1945 bei Brentano's), erklärte in New York, sie seien nur eine «Gruppe von Architekten und Künstlern [gewesen], die sich vorgenommen hatten, ihre Kunst weiterhin zu unterrichten, um die Überlebenden für die Zeit nach der Ära der Zerstörung auf den Wiederaufbau vorzubereiten». Allerdings war die Gruppe, wie Zherfuss nach seinem Weggang von Oppède 1942 bemerkte, «ziemlich weit weg vom Geschehen. Wir hatten keine Ahnung, wie das Leben in der besetzten Zone war. Erst als ich in Spanien war, habe ich das Grauen der Besatzung verstanden und mich den Gaullisten angeschlossen.» Für Consuelo ist die Liaison mit dem gutaussehenden Architekten eine Art Pause

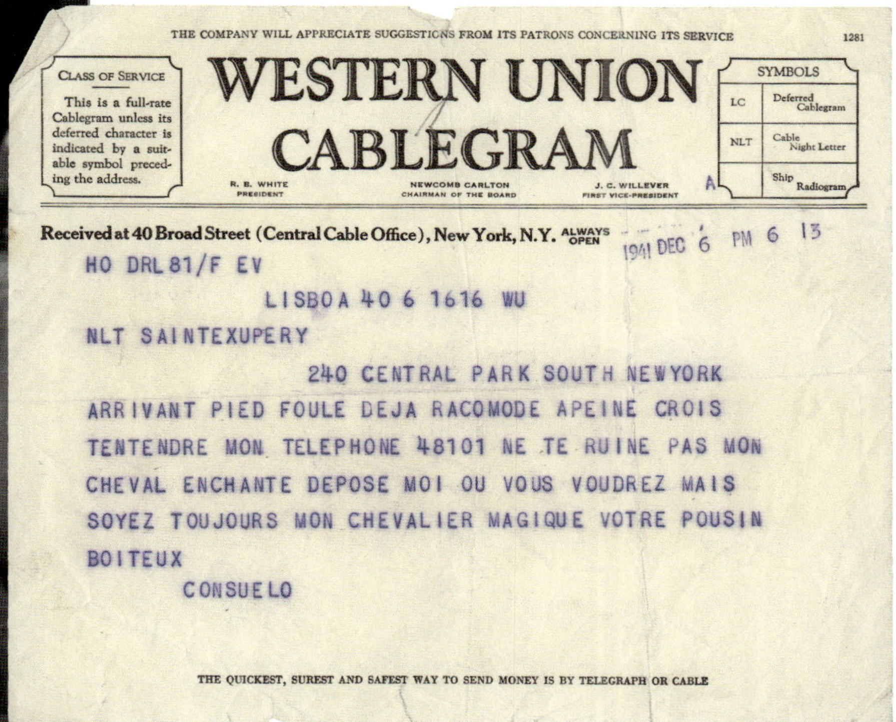

THE COMPANY WILL APPRECIATE SUGGESTIONS FROM ITS PATRONS CONCERNING ITS SERVICE 1281

CLASS OF SERVICE
This is a full-rate Cablegram unless its deferred character is indicated by a suitable symbol preceding the address.

WESTERN UNION CABLEGRAM

R. B. WHITE PRESIDENT — NEWCOMB CARLTON CHAIRMAN OF THE BOARD — J. C. WILLEVER FIRST VICE-PRESIDENT

SYMBOLS
LC Deferred Cablegram
NLT Cable Night Letter
Ship Radiogram

Received at 40 Broad Street (Central Cable Office), New York, N.Y. ALWAYS OPEN 1941 DEC 6 PM 6 13

HO DRL81/F EV
LISBOA 40 6 1616 WU
NLT SAINTEXUPERY
240 CENTRAL PARK SOUTH NEWYORK
ARRIVANT PIED FOULE DEJA RACOMODE APEINE CROIS
TENTENDRE MON TELEPHONE 48101 NE TE RUINE PAS MON
CHEVAL ENCHANTE DEPOSE MOI OU VOUS VOUDREZ MAIS
SOYEZ TOUJOURS MON CHEVALIER MAGIQUE VOTRE POUSIN
BOITEUX
CONSUELO

THE QUICKEST, SUREST AND SAFEST WAY TO SEND MONEY IS BY TELEGRAPH OR CABLE

Oben: Consuelo in Oppède.
Rechts daneben: Telegramm mit surrealistischen Einsprengseln, das Consuelo Antoine anläßlich ihrer baldigen Ankunft in New York 1941 schreibt.

«Mein Tonnio, ich will nicht, daß du traurig bist, ich will nicht, daß du einsam bist wie ein Schmetterling, der keine Blume hat, auf der er sich niederlassen kann.» *Consuelo de Saint Exupéry*

von der leidenschaftlichen Beziehung zu Antoine. «Ich wollte im Herzen meines Mannes wohnen», sagt sie, «er war mein Stern, mein Schicksal, mein Glaube, mein Ziel ...» In seinen seltenen Briefen versucht Antoine nicht, diese Leidenschaft zu bremsen, sondern bestärkt sie, facht sie sogar an, so daß Consuelo sich nie ganz verlassen oder verleugnet fühlt. Er wiederholt immer wieder, er brauche sie wie den Sommer, und bezeichnet als Mysterium, daß diese Liebe nie sterben wollte ... Und als sie am Ende des Sommers 1941 von ihm ein Telegramm erhält, in dem er sie inständig bittet, sofort zu ihm nach New York zu kommen, bevor durch die Seeblockade kein Durchkommen mehr sei, läßt sie alles hinter sich, Oppède und ihren schönen Geliebten, der ihr glühende Briefe schreibt, um sie zum Bleiben zu bewegen. Doch Consuelo folgt Antoines Ruf. Sie nimmt in letzter Minute ein Flugzeug nach Portugal via Barcelona und dann ein Schiff nach New York. In Lissabon gelingt es ihnen zu telefonieren: Sie können kaum sprechen, so sehr sind sie von ihren Gefühlen überwältigt. Doch in ihrem Schweigen schwingt alles mit: die Begegnung bei der Alliance française, der Heiratsantrag an Bord des Flugzeugs, die unglaublichen Loopings über Buenos Aires, die Nacht, in der sie einander in den Armen liegen, die Wanderschaft des Ehepaars von der möblierten Wohnung in die Hotelsuite, vom Luxusappartement ins Studio, und dieses unsichtbare Band, das sie zusammenhält. Die leuchtende Erinnerung an Almería und Valencia. November 1941. Ihnen bleiben nur noch 14 Monate, die sie gemeinsam erleben können ...

Links: Consuelo, gesehen von Man Ray.
Unten: Portrait von Consuelo, gemalt von Emlen Etting.

Ein schwieriger Aufenthalt in New York

Hat das Wunschbild von Vertrauen und Harmonie, an das beide sich ganz naiv klammern, eine realistische Chance in New York, diesem «Müllhaufen», zwischen Freunden auf der Durchreise und falschen Freunden, zwischen politischen Rivalitäten und vor allem angesichts Antoines Launenhaftigkeit, seines komplizierten Charakters, seiner kindlichen Anwandlungen? Wie kann man sich versöhnen, das Sakrament der Ehe bewahren, die Vergangenheit hinter sich lassen und nicht in alte Laster zurückfallen? Und wie kann Antoine vor seinen Ängsten geschützt werden, die immer mehr Macht über ihn erlangen, vor seiner inneren Einsamkeit, vor dem, was sich als schwere Depression herausstellen sollte? Wie könnte es Consuelo gelingen, diese «spirituelle Einsamkeit» zu füllen, die ihrem Mann von 1942 an zusetzt und so sehr an ihm nagt, daß er sich genötigt fühlt, sich «im Kugelhagel reinzuwaschen», als letzte Läuterung? Trotzdem versucht sie in New York, das Spiel mitzuspielen. Antoine läßt sie im Stich und kommt zu ihr zurück, überhäuft sie mit Geschenken und vernachlässigt sie. Er ist voller Sorge um das Fortschreiten des Krieges, verzweifelt daran, wie «sein» Frankreich mit den unverwechselbaren Regionen und Dörfern, mit der bewundernswürdigen Sprache – der Sprache Péquys und de Barrès' – langsam «verwässert» im Strom der tragischen, blinden, immer engeren Verflechtung der Welt, in der die Menschen nur noch Termiten in anonymen Babel-Städten sind … Mehr als je zuvor sucht er Anschluß an Consuelo und seine Familie, erklärt, er wolle kämpfen, um endlich wieder glücklich mit allen, die er liebt, an einem Tisch zusammenzusitzen, um an den Traum von Saint-Maurice anzuknüpfen … Consuelo paßt sich der Situation an. Sie hat ihren Freundeskreis, den Antoine verabscheut. Surrealisten sind ihre Familie. Mit ihnen findet sie einen neuen Zugang zur Malerei, wagt mehr Farbe, befreit sich nach den Ratschlägen von Dalí, Picasso, Max Ernst. Sie verkehrt mit Malern und Dichtern, die eher ihrem Charakter und der überschwänglichen Fülle ihres Heimatlandes entsprechen. Antoine nimmt diesen Zustand hin, ist im Innern aber sehr unglücklich darüber und träumt weiterhin von der idealen Liebe, von dem Ehepaar, das so innig vereint ist wie Zwillinge, von einer Zukunft, in der sie beide sich wiederfinden, weit weg von allen Intrigen …

TITLE: PORTRAIT OF CONSUELO DE SAINT EXUPERY
ARTIST: EMLEN ETTING
MUST BE CREDITED
COURTESY
MIDTOWN GALLERIES
605 MADISON AVENUE
NEW YORK 22, N. Y.
PLAZA 8-1153
PLEASE RETURN

«So habe ich lange über den Sinn des Friedens nachgedacht. Neugeborene Kinder verbreiten Frieden, eine eingebrachte Ernte, das endlich aufgeräumte Haus; die Ewigkeit, zu der die vollbrachten Dinge zurückkehren. Friede der vollen Scheunen, der schlafenden Schafe, der gefalteten Wäsche, Friede der einzigen Perfektion, Friede dessen, was Gott zum Geschenk wird, sobald es gelungen ist.» *Die Stadt in der Wüste*

Intermezzo in Bevin House

Da Antoine in New York vor Angst stirbt und unfähig ist, in dieser erstickenden Megastadt ein neues Buch zu beginnen, beschließt Consuelo, ein Haus am Meer zu mieten. Sie lassen sich in Bevin House nieder, einem großen weißen Haus, auf das sie durch Zufall gestoßen ist. Sie verbringen dort den Sommer des Jahres 1942. Consuelo ist fest entschlossen, ihn zurückzuerobern, weit weg von Freunden und Polemik, weit weg auch von seinen Geliebten. Sie ist es, die ihn ermuntert, den *Kleinen Prinzen* zu schreiben, sie wacht darüber, daß nur einige ausgewählte, treue Freunde (die Maurois, Denis de Rougemont, André Rouchaud) zu Besuch kommen, beobachtet aufmerksam das Fortschreiten des Manuskripts und ist ganz und gar für ihren Mann da. Sie malt dort ihre schönsten Bilder: die Landschaft rund um Bevin House, die üppig bewachsen ist und ihrer Liebe zu Dschungel und Wildnis entgegenkommt. Die dort verbrachten Monate sollten die schönsten sein, die sie je mit ihm erlebt hat. So wird Bevin House zum «Haus des Glücks» oder «Haus des *Kleinen Prinzen*». Es ist die Geschichte einer Geburt: Der *Kleine Prinz* erblickt hier das Licht der Welt, ihrer beider Kind vielleicht. Sie mimt die Ahnungslose, wenn Antoine unter dem Vorwand eines «politischen» Termins nach New York fährt. Sie weiß, daß er Silvia Hamilton trifft, sie in ihrer Wohnung aufsucht, ihr Kapitel aus dem *Kleinen Prinzen* vorliest, daß er der Versuchung erliegen wird. Sie läßt ihn gewähren, in dem Wissen, daß auch er sich niemals von ihr trennen könnte, daß auch er durch eine Art magischen Pakt an ihre Liebe gebunden ist. Sie weiß außerdem, daß seine Reisen nach Washington in anderer Hinsicht noch folgenreicher sind: Antoine will in den Krieg ziehen, will an der Seite seiner Landsleute gegen die Deutschen kämpfen. Was de Gaulle ihm hartnäckig verwehrt, hofft er von den Amerikanern zu bekommen. Losfliegen, endlich in die Schlacht ziehen, sich nicht mehr «im Hinterhalt verkriechen», zum blutenden, klopfenden Herzen Frankreichs zurückkehren, dieses von ihm so geliebten Landes! Der «Friede von Northport», wie Consuelo sich ausdrückt, ist in Gefahr. Sie weiß, daß sie Long Island früher oder später verlassen werden und daß Antoine wieder in den Krieg ziehen wird. Sie weiß, was auf dem Spiel steht … Schatten ziehen über die Tage des Glücks.

Unten: Brief, den Consuelo Antoine aus Washington schreibt: «Ein kleiner Brief, um dir zu sagen, daß Der Kleine Prinz *sehr, sehr gut ankommt …»*

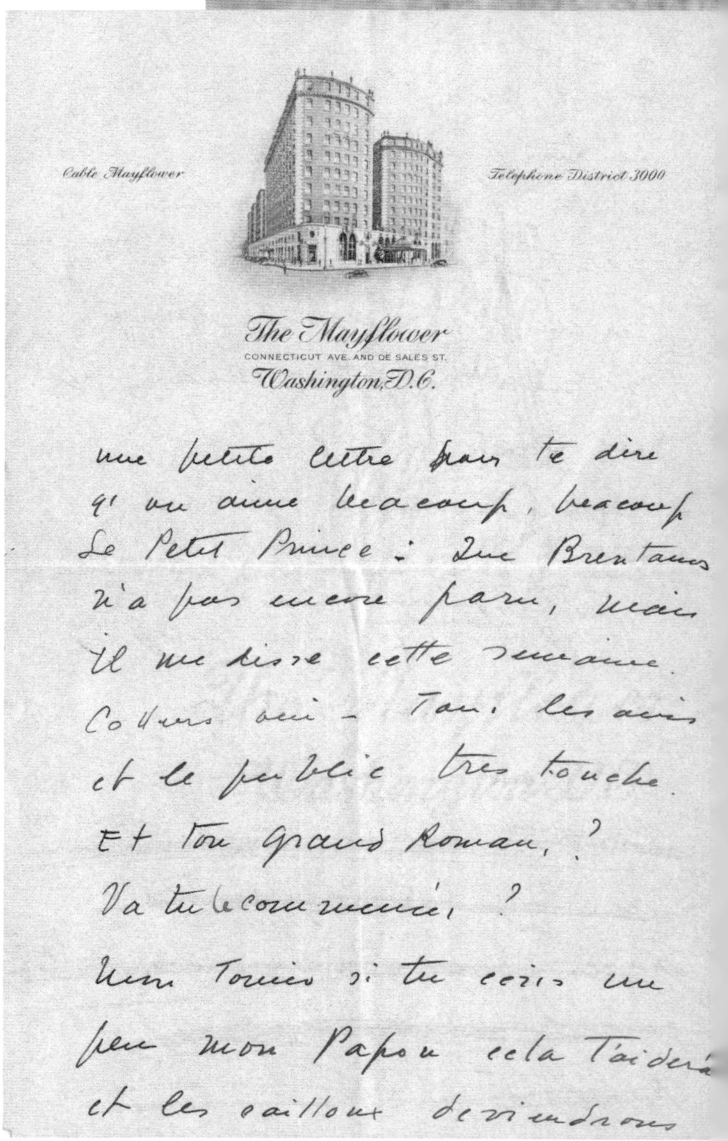

Cable Mayflower

Telephone District 3000

The Mayflower
CONNECTICUT AVE. AND DE SALES ST.
Washington, D.C.

une petite lettre pour te dire
qu'on aime beaucoup, beaucoup
Le Petit Prince : Chez Brentanos
n'a pas encore paru, mais
il me disait cette semaine.
Ca vient ici – Toni les amis
et le public tres touche.
Et ton grand Roman ?
Va tu le commencer ?
Mon Tonio si tu ecris un
peu mon Papou cela t'aidera
et les cailloux deviendront

Oben: Consuelo und ein paar Freunde im Garten von Bevin House,
während drinnen Der kleine Prinz geschrieben wird.

«Ich gebe mein Leben, um den Frieden von Agay zu schützen, die Abendessen mit Lazareff oder deine Enten (die du übrigens verkehrt zubereitest, denn die Haut ist nicht richtig knusprig), um ‹Werte› zu schützen. Den Wert der Dinge, die ich liebe.»

Die innere Schwerkraft

Aufbruch und Abschied

Consuelo hält den Abschied in ihren *Erinnerungen* fest. Antoine will ein kurzes Adieu, ohne Tränen. Zuerst verabschiedet er sich von seinen Freunden, dann packt er seinen Koffer, vergißt nicht, die noch unkorrigierten Druckfahnen des *Kleinen Prinzen* einzupacken, frisch aus der Druckerei, und bereitet sich schließlich auf die schwierigste Aufgabe vor: seine Frau zurücklassen. Ein höchst emotionaler Moment, bedenkt man die Gewissensbisse, die mit hineinspielen, das dumpfe Schuldgefühl, das er mit sich herumträgt, angesichts seiner Seitensprünge und all der kleinen Grausamkeiten, die er seiner Frau zugemutet hat. Er überläßt sie der Obhut ihres gemeinsamen Freundes Denis de Rougemont, besucht Silvia Hamilton, gibt ihr die Manuskriptseiten des *Kleinen Prinzen* und eines seiner wertvollsten Besitztümer: seinen Photoapparat, eine Zeiss Ikon. Eine dunkle Vorahnung erfaßt Consuelo. Eine innere Stimme flüstert ihr zu, daß sie ihn nicht wiedersehen wird. Antoine, der ewige Charmeur, sagt zu ihr, sie werde die letzte Frau sein, die er in New York küßt, da er den Geschmack ihres letzten Kusses auf seinen Lippen festhalten möchte. Er verspricht ihr, die Fortsetzung des *Kleinen Prinzen* zu schreiben, den er ihr am Ende nun doch nicht, wie ursprünglich geplant, gewidmet hat: Die Widmung gilt nun, auch auf Anraten Consuelos, seinem jüdischen Freund Léon Werth «als er noch ein Junge war» … Er macht sie zur Hüterin ihres Hauses, ihrer Liebe, seines Werkes, von allem, was sie auf so wundersame Weise verbindet und was ihnen niemand wegnehmen kann. Consuelo ist für alle Zeit die Rose des *Kleinen Prinzen* mit ihren vier Dornen, er ist überwältigt von ihr, von dieser Liebe. Nach seiner Abreise sitzt sie lange Zeit niedergeschlagen in ihrem Wohnzimmer. Die großen Fenster blicken auf den Hudson. Sie weiß, daß in der Nacht ein Schiff vorüberfahren und Antoine mit sich nehmen wird. «Ich hörte keinen Laut», schreibt sie, «[...] denn du warst nicht in diesem Gewässer, sondern in mir, in meinem tiefsten Inneren.» Bevor er ging, bat er sie, ihm einen schützenden Mantel aus Liebe mitzugeben, damit die Kugeln ihn nicht treffen könnten. «Ich mache dir diesen Mantel, mein Liebster. Er soll dich bis in alle Ewigkeit behüten», antwortete sie ihm.

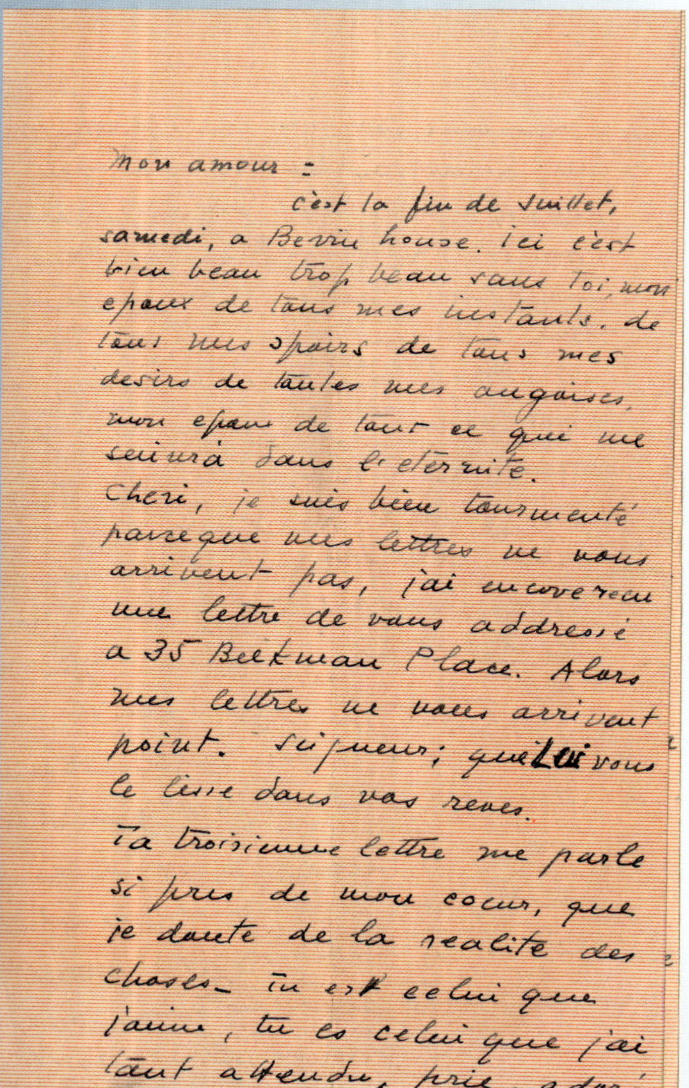
Mon amour :
c'est la fin de Juillet,
samedi, a Bevin house. ici c'est
bien beau trop beau sans toi, mon
epoux de tous mes instants. de
tous mes espoirs de tous mes
desirs de toutes mes angoisses,
mon epoux de tout ce qui me
suivra dans l'eternite.
Cheri, je suis bien tourmenté
parceque mes lettres ne vous
arrivent pas, j'ai encore recu
une lettre de vous addressé
a 35 Beekman Place. Alors
mes lettres ne vous arrivent
point. Seigneur; que Dieu vous
le lise dans vos reves.
Ta troisieme lettre me parle
si pres de mon cœur, que
je doute de la realite des
choses– tu est celui que
j'aime, tu es celui que j'ai
tant attendu, prie, adoré

Links und unten: Brief Consuelos an Antoine nach seinem Aufbruch in den Krieg und Telegramm von Consuelo an Antoine vom 28. Juni 1944, einen Monat vor seinem Verschwinden.
Rechte Seite: Letztes Photo des Ehepaars in New York. Consuelo ist im Krankenhaus und kann nicht dabei sein, als ihr Mann in den Krieg zieht. Er organisiert diese letzten Aufnahmen.

HEURE MENTION DE SERVICE
-19 LAKEGEORGENY 19/26 29 22 1.500 VEAST
CHERI DONNEZ NOUVELLES ROCKLEDGE HOUSE
BOLTON ROAD NEW YORK MON AMOUR REVENEZ MOI
TOUT ENTIER = CONSUELO SAINTEXUPERY

«Deine Telegramme haben mich aus dem Bett geholt, das ich seit einem Monat nicht mehr verlassen hatte. Du bist meine einzige Musik. Zwei Monate ohne Nachricht von dir. Ich verirre mich in deinem Schweigen. Mein einziger Horizont ist unsere Liebe und deine Arbeit. Ich flehe dich an, deinen großen Roman zu beginnen …» Consuelo de Saint Exupéry

Antoine, *in memoriam*

Consuelo wartete noch einige Monate auf die unwahrscheinliche Rückkehr Antoines. Etwas in ihr hatte noch Hoffnung, aber die Tage vergingen und es gab immer noch kein Lebenszeichen von ihm. Sie rang sich dazu durch, endgültig Abschied zu nehmen, indem sie eine große Messe zu seinen Ehren in New York feiern ließ. Sie dachte daran, nach Frankreich zurückzugehen. Ihre «Wiederannäherung» in den Vereinigten Staaten hatte das große Feuer ihrer Liebe neu entfacht, hatte Antoine zu ihr gesagt. Zwar hatte es neue Enttäuschungen und neue Seitensprünge gegeben, aber das sommerliche Intermezzo in Bevin House hatte sie von neuem zusammengebracht. Die Briefe, die er ihr schrieb, nachdem er in den Krieg gezogen war, lassen eine wiederaufflammende Leidenschaft erkennen. Er schrieb ihr die schönsten Liebesbriefe, die seiner Feder je entsprungen sind. Und auch wenn er in jener Zeit auch anderen Frauen Liebesbriefe schrieb, wußte Consuelo, die er nicht hinters Licht führen konnte, daß er auf merkwürdige Weise aufrichtig war. Mit ihrer Heirat hatten sie einen unbezwingbaren und heiligen Pakt geschlossen. Sie stellte sich endlich der Frage, wie es nun weitergehen solle. Sie mußte sich mit der Familie ihres Mannes auseinandersetzen. Sie wußte, wie wenig Sympathie diese ihr entgegenbrachte. Nun, da Antoine verschollen war, der darüber gewacht hatte, daß sie niemals schlecht behandelt wurde, fühlte sie sich allen Rückschlägen, allen Schikanen schutzlos ausgeliefert. Bis sie über das Vermögen ihres Mannes verfügen konnte – es galt der Grundsatz der ehelichen Gütergemeinschaft –, mußte sie eine Erwerbsquelle finden. Außerdem war es wichtig, den Kontakt zu Antoines Vertrauenspersonen herzustellen und alles aufzubewahren, was Antoine einst gehört hatte, Papiere, Manuskripte, Unterlagen, Familienstücke, Habseligkeiten … Zu ihrer großen Überraschung wurde *Der Kleine Prinz* ein Bestseller, dessen Erfolg sich rasch auch außerhalb der USA, wo er zuerst erschienen war, verbreitete. Die Erzählung wurde Antoines Referenzwerk, sein Gravitationszentrum. Sie fing an, den *Kleinen Prinzen* wie den Sohn zu lieben, den sie nie hatten. Sie wußte auch um ihren Platz im Herzen der Geschichte: Sie war die einsame Rose, die der Kleine Prinz auf seinem Planeten zurückgelassen hatte, was er sehr bereute, und zu der er am Ende zurückkehrte. Tief in ihrem Inneren glaubte sie an dieses Märchen. Sie hielt trotz allem an dem feierlichen Versprechen fest, das sie einander einst gegeben hatten: dem anderen zu schreiben, solange sie nicht zueinander kommen konnten. «Mein Liebster», schrieb sie also, «ich spüre, wie die Kälte der Bronze und des Marmors meine Füße gefrieren läßt, nicht jedoch mein Herz, denn selbst wenn du nie-

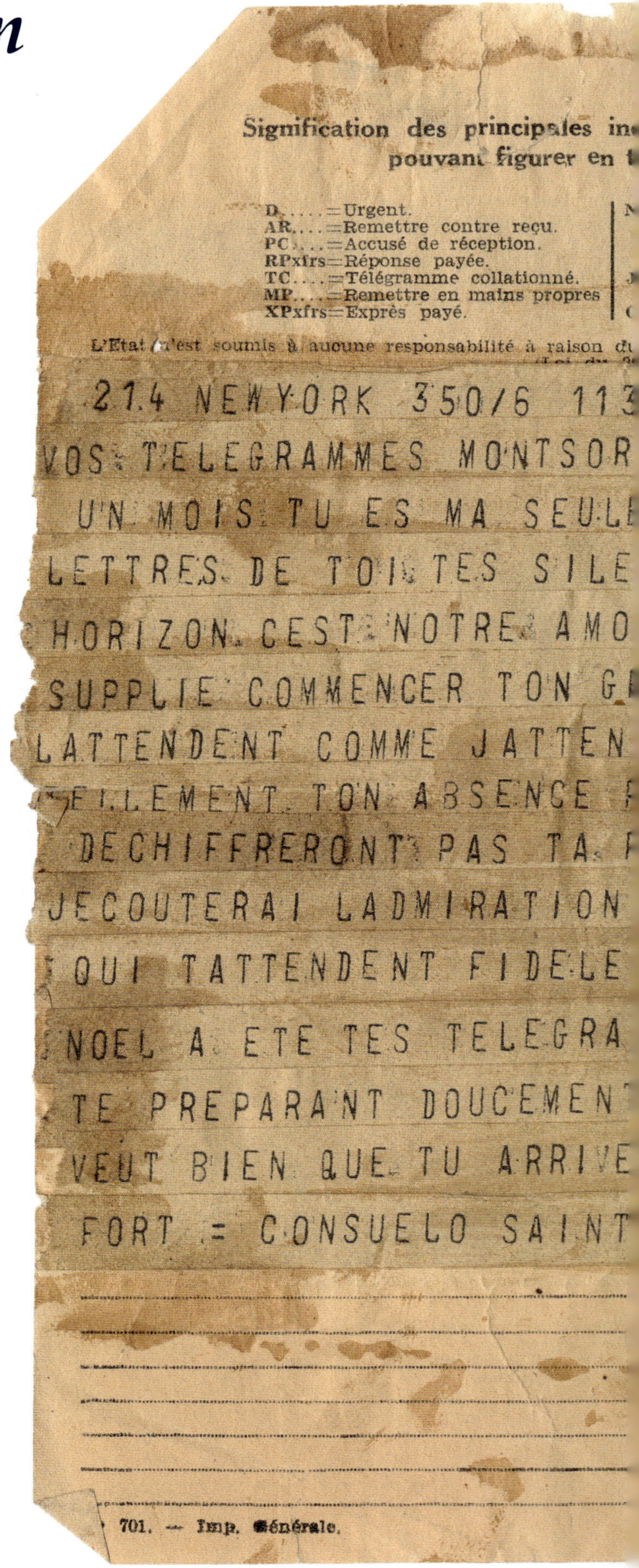
Signification des principales in
pouvant figurer en t

D.....=Urgent.
AR....=Remettre contre reçu.
PC....=Accusé de réception.
RPxfrs=Réponse payée.
TC....=Télégramme collationné.
MP....=Remettre en mains propres
XPxfrs=Exprès payé.

L'Etat n'est soumis à aucune responsabilité à raison du

21.4 NEWYORK 350/6 113
VOS TELEGRAMMES MONTSOR
UN MOIS TU ES MA SEUL
LETTRES DE TOI TES SILE
HORIZON CEST NOTRE AMO
SUPPLIE COMMENCER TON G
LATTENDENT COMME JATTEN
ELLEMENT TON ABSENCE F
DECHIFFRERONT PAS TA F
JECOUTERAI LADMIRATION
QUI TATTENDENT FIDELE
NOEL A ETE TES TELEGRA
TE PREPARANT DOUCEMENT
VEUT BIEN QUE TU ARRIVE
FORT = CONSUELO SAINT

701. — Imp. Générale.

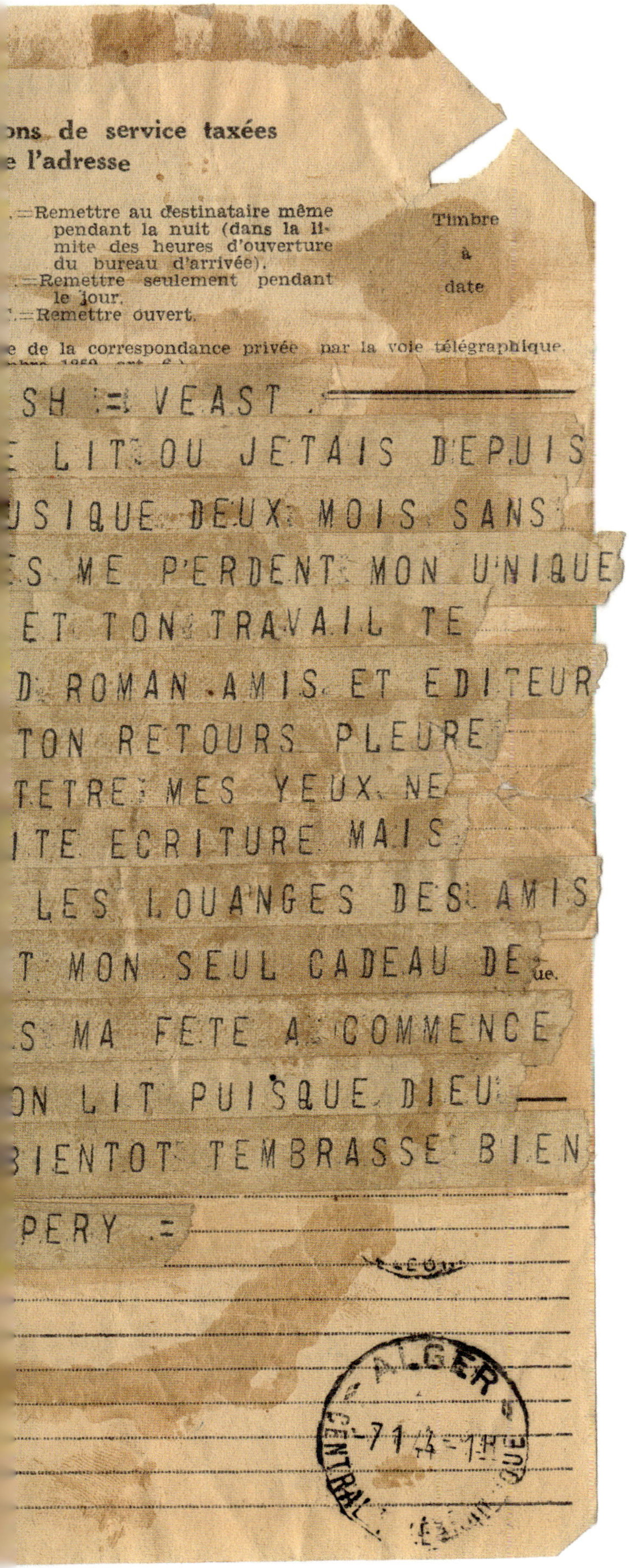
ons de service taxées
e l'adresse

.=Remettre au destinataire même pendant la nuit (dans la limite des heures d'ouverture du bureau d'arrivée).
.=Remettre seulement pendant le jour.
.=Remettre ouvert.

Timbre à date

e de la correspondance privée par la voie télégraphique

SH = VEAST .
E LIT OU JETAIS DEPUIS
JSIQUE DEUX MOIS SANS
S ME PERDENT MON UNIQUE
ET TON TRAVAIL TE
D ROMAN AMIS ET EDITEUR
TON RETOURS PLEURE
TETRE MES YEUX NE
ITE ECRITURE MAIS
LES LOUANGES DES AMIS
T MON SEUL CADEAU DE
S MA FETE A COMMENCE
ON LIT PUISQUE DIEU
BIENTOT TEMBRASSE BIEN
PERY =

ALGER CENTRAL
7 7 44

mals zurückkommen solltest, werde ich immer hinter dir stehen, und du wirst mir einen kleinen Platz neben dir freihalten, neben dem Kleinen Prinzen, gleich beim Lieben Gott.» Nach der offiziellen Todesmeldung schrieb sie weiter: «Ja, ich hatte allen Grund, stolz zu sein. Ich war für dich die kleine Prinzessin, die Blume, denn du hast immer mit deinem Gewissen und deinem Herzen gesprochen, deine Rose, und ganz sicher warst du der Kleine Prinz.» Viele bestätigten, daß sie wirklich Saint Exupérys Inspirationsquelle war, wie auch der alte Buchhändler in Tanger, Louis Daléas, der Antoine aus der Zeit von *Nachtflug* kannte: «Diese Leidenschaft war es, die ihn dieses Buch schreiben ließ. Er ahnte, daß er Consuelo nicht mehr wiedersehen würde und wollte ihr ein Zeugnis seiner Liebe hinterlassen.» Als sie nach Frankreich zurückkehrte, brachte sie alle Erinnerungsstücke ihres gemeinsamen Lebens in Sicherheit. Tapfer weihte sie Schulen ein, durchschnitt blau-weiß-rote Bänder, nahm an Gedenkfeiern teil, wurde von hohen Vertretern des Staates empfangen, suchte auch Ablenkung bei Schmeichlern. Als Markenbotschafterin von Air France reiste sie auf Kosten der Fluggesellschaft, um für das Werk ihres Mannes zu werben. Aber sie war auch Künstlerin, eine Freundin der ganz Großen jener Zeit, Ernst, Picasso, Dalí, Dérain … Sie mußte sich gegen die Familie ihres Mannes zur Wehr setzen, die sie – jedoch ohne Erfolg – mit einer gewissen Herablassung als Randfigur abstempeln wollte. Sie empfand sich keineswegs als Komparsin. Also malte sie, machte Skulpturen, erzählte ihre Geschichte in bekannten Sendungen. Dann, mit zunehmendem Alter, zog sie sich an die Côte d'Azur zurück, nach Grasse. Sie sagte, die Rose habe ihren Glanz verloren und zeigte die deutlich hervortretenden blauen Adern an ihren einst so feingliedrigen Händen. Die Blütenblätter sind welk geworden, sagte sie humorvoll, und jetzt sind nur noch die Dornen übrig. Von Asthma geplagt, wie die hustende Rose des Kleinen Prinzen, starb sie 1979 in Grasse an den Folgen einer Lungenentzündung. Ihre sterblichen Überreste ruhen an der Seite ihres früheren Mannes, Gomez Carrillo, auf dem Friedhof Père-Lachaise in Paris.

«Ich lag wach, ich hörte keinen Laut, aber ich spürte dich durchs Wasser gleiten, in jeder Minute, denn du warst nicht in diesem Gewässer, sondern in mir, in meinem tiefsten Inneren.» *Die Rose des kleinen Prinzen: Erinnerungen an eine unsterbliche Liebe*

Telegramm von Consuelo an Antoine de Saint Exupéry vom 1. Juli 1944, dem Monat, in dem der Pilot verschwand.

DER FREUND:

DER TRAUM VON SOLIDARITÄT

(1914

1944)

AUCH WENN ER SICH ZU EINSAMKEIT UND EINEM MÖNCHISCHEN Leben hingezogen fühlte und es genoß, in den einsamen Momenten des Schreibens oder Fliegens eine heilige Verbundenheit mit unsichtbaren Mächten zu spüren, war Saint Exupéry doch auch sehr auf andere Menschen angewiesen und forderte ihren Beistand manchmal überschwenglich ein. Auf Menschen zuzugehen war Bestandteil seiner Theorie der Verbundenheit, auf der seine alltägliche Lebensphilosophie aufbaute und von der er sich Hinweise erhoffte, wie die Welt diesen geistigen Frieden erlangen könne, der ihm so sehr am Herzen lag. So kommen zwei Gesichter dieses Mannes zum Vorschein, im Leben und im Werk, an der Schnittstelle zwischen seinem persönlichen und dem kollektiv erlebten Abenteuer. Mal baute er Brücken, um beide Seiten zu verbinden, mal riß er sie wieder ein. Er kannte willkommene Zeiten der Einsamkeit, aber auch erzwungene, in Orconte (Südfrankreich), in New York (allem Anschein zum Trotz), in Algier und in Borgo. Niedergeschlagen und von jenen enttäuscht, von denen er sich betrogen fühlte, flüchtete er sich ins Schreiben und, noch radikaler, in die Sehnsucht nach Aufopferung. Sein einnehmender Charakter, sein Witz, seine Begeisterungsfähigkeit, sein hellwacher Geist und sein natürlicher Charme bewirkten, daß er meistens bewundert (und das schon von frühester Kindheit an, von der Mutter und den Schwestern) und verwöhnt wurde, er war gefragt und wurde dafür wiederum verspottet, verachtet und ausgegrenzt. In sein intensiv gelebtes und pausenlos kreatives Leben treten jene, denen er sich anvertraut hat, um sie um Hilfe zu bitten oder einfach sein Dasein menschlicher zu gestalten. Er verfügte nicht immer über die nötige Urteilsfähigkeit, um zwischen wahren und falschen Freunden zu unterscheiden; von allen verlangte er, auf ihr Zugehörigkeitsgefühl zu achten – woher stamme ich, von wem bzw. wovon stamme ich ab. Dabei war ihm bewußt, daß er allein der Welt nicht wiedergeben konnte, was man ihr geraubt hatte: ihre ursprüngliche Ordnung. Er wußte intuitiv um diese Ordnung und war sicher, daß einzig die Gemeinschaft der Freunde sie wiederherstellen konnte.

«Der Freund im Menschen ist der Teil, der für dich da ist und der dir eine Tür öffnet, die er vielleicht nirgendwo sonst öffnet. Und dein Freund ist wahrhaftig, und alles, was er sagt, ist wahr, und er liebt dich …» Die Stadt in der Wüste

H. DE SÉGOGNE

Vol Alpin

A mon vieil Antoine que j'ai
jadis beaucoup plaint et que
j'aime toujours, cet hommage d'un
incapable qui a essayé sans succès
de s'élever à sa hauteur

Ségogne

Widmung von Henry de Ségogne. Er und Antoine de Saint Exupéry hatten sich angefreundet, als sie sich in der École le Bossuet erfolglos auf die Marineakademie vorbereiteten.

Vorangehende Doppelseite: Antoine de Saint Exupéry und sein treuer Freund Prévot, der Mechaniker, mit dem er während seines Rekordversuchs auf der Strecke Paris-Saigon in der libyschen Wüste abstürzt.

Freundschaft in ihrer Vollendung: *Die Stadt in der Wüste*

«Es könnte sein, daß du einfach mein Freund bist. Dann werde ich dich aus Liebe zu dir empfangen, so wie du bist. Wenn du humpelst, werde ich dich nicht zum Tanzen auffordern. Wenn du diesen oder jenen haßt, werde ich sie dir nicht als Tischnachbarn zumuten. Wenn du Nahrung brauchst, werde ich dich versorgen.» *Die Stadt in der Wüste*

In seinem allerletzten Meisterwerk, das er als «das Tabernakel» bezeichnet, dem zum Zeitpunkt seines Verschwindens unvollendeten Text *Citadelle* (dt. *Die Stadt in der Wüste*), versammelt Saint Exupéry seine Gedanken über die Freundschaft. Es ist der Text eines durch Jahre und Erfahrung weise gewordenen Autors. «Der Freund», sagt er, «ist zunächst derjenige, der nicht urteilt. [...] Er öffnet dem Landstreicher die Tür, auch seiner Krücke und seinem Stock, und fordert ihn nicht zum Tanzen auf, nur um über seinen Tanz zu urteilen.» Der Verrat, den gewisse Freunde an ihm begangen haben, hat ihn so sehr getroffen, daß er sterben will: sich Kränkung und Schmerz im Maschinengewehrfeuer abwaschen. Er fühlt sich von all dem Haß und der Feindschaft besudelt, von Gott entfernt, denn Freundschaft, so sagt er in *Citadelle*, ist Einigung und die Überbrückung von Gegensätzen, der Weg zu Gott. «Und der Freund im Tempel, dem ich, dank Gott, begegne und mit dem ich Seite an Seite stehe, ist derjenige, der mir sein Gesicht zuwendet, und es ist das gleiche Gesicht wie meines, von demselben Gott erleuchtet. Denn nun ist die Einheit vollkommen, auch wenn er Ladenbesitzer ist und ich Hauptmann bin, oder er Gärtner und ich Matrose auf hoher See.» Freundschaft ist für ihn vor allem auch die Zeit der Ruhepausen und «des großen Fließens über den Niederungen der Gewöhnlichkeit».

Freundschaft als Zeit des Entstehens, des heiteren Friedens, eine Zeit der Anfänge. Ein Ort des Willkommenseins, an dem Gott «dich empfängt». Was Saint Exupéry wie besessen beim anderen sucht, ist die Gelegenheit, aus seiner Quelle zu schöpfen, zu «erfahren, woher er spricht, denn dort liegt seine besondere Macht und sein unerschöpflicher Vorrat». Gegenseitigkeit, Verbundenheit, Einklang, Versöhnung, Weg zu Gott: So lauten die Bedingungen der Freundschaft, die er sein ganzes Leben lang umzusetzen versucht. Dazu kommen natürlich noch Enttäuschung, Verrat, Feigheit und Egoismus. Und die unermüdliche Arbeit der Selbstentäußerung, um besser empfangen zu können.

Telegramm von Jean Mermoz an Antoine de Saint Exupéry, in dem er ihm zur Verleihung des Prix Fémina gratuliert. Jean Mermoz war für Antoine immer ein Vorbild.

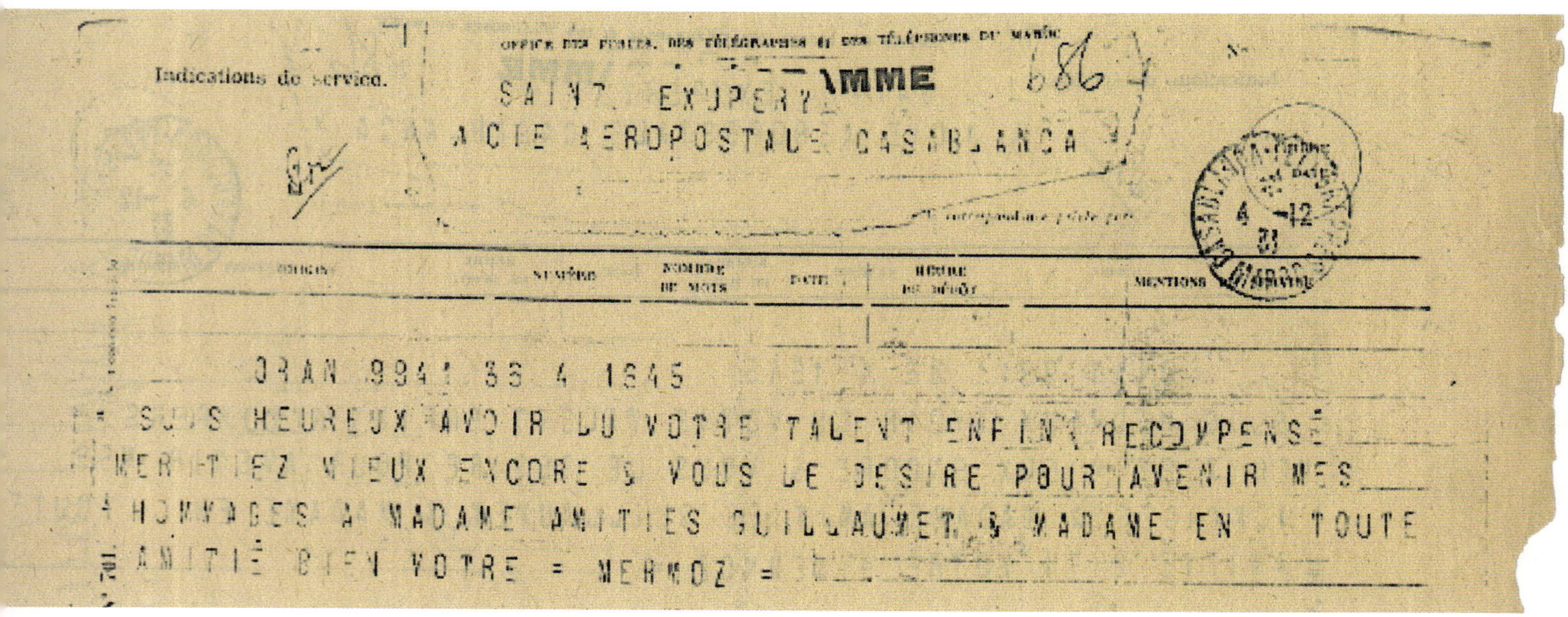

Indications de service.

SAINT EXUPERY

ACIE AEROPOSTALE CASABLANCA

686

ORAN 9941 33 4 1645

SUIS HEUREUX AVOIR LU VOTRE TALENT ENFIN RECOMPENSE MERITIEZ MIEUX ENCORE & VOUS LE DESIRE POUR AVENIR MES HOMMAGES A MADAME AMITIES GUILLAUMET & MADAME EN TOUTE AMITIE BIEN VOTRE = MERMOZ =

«Freundschaft erkenne ich daran, daß sie nicht enttäuscht werden kann.» Die Stadt in der Wüste

Falsche Freunde

New York machte all das sichtbar, was Saint Exupéry in seinem Inneren schon immer gespürt hatte: den Verfall der Werte, an die er glaubte, die Wahrhaftigkeit von Gefühlen, den Einklang zwischen der Welt und den Menschen, das Halten von Versprechen, den Anspruch eines jeden, erwachsen zu werden. Er fand keine Worte, die hart genug gewesen wären, um jene anzuklagen, die, in seinen Augen, diese Werte veruntreuten und sich in Blendwerk und Lügengespinste verirrten. Nie empfand er das Gefühl des Verrats so deutlich wie in New York. Er haßte seine Handlungsunfähigkeit (daher seine Depression und Verzweiflung) und daß er sich mit falschen Freunden eingelassen und damit selbst geschadet hatte. Diese wiederum vergalten ihm seine Geringschätzung mit solcher Macht, daß er sich genötigt fühlte zu gehen – und dieses Mal, um des Opfers Willen. Er empfand seinen Weggang als Weg, sich von ihren Beleidigungen und Verleumdungen reinzuwaschen. Sich im Kugelhagel reinwaschen, nannte er es. Die Glorifizierung des Kampfes war sein letzter, alles entscheidender Einsatz, um die Stadt in der Wüste zu erreichen. André Breton, dessen surrealistische Werte er verachtete, war der Hauptverantwortliche für seine Isolation und sein inneres Exil in New York. Als politischer Günstling de Gaulles, dessen politisches Engagement den Franzosen nur die Wahl ließ, entweder mit ihm Widerstand zu leisten oder als Unterstützer des Vichy-Regimes dazustehen, verurteilte Breton Saint Exupérys Aufrufe zur nationalen Versöhnung scharf. Gezielt verfälschte er die eigentliche Botschaft aufs Übelste und schaffte es, Zwietracht in Antoines Umfeld zu säen. So brachte er Schriftsteller wie Jacques Maritain auf seine Seite, den Saint Exupéry zutiefst bewunderte und der sich nun mit ungekannter Heftigkeit gegen ihn wandte.

In den Monaten vor seiner Abreise im März 1943 wurde Saint Exupéry immer stärker isoliert und er selbst wurde immer verzweifelter. In einem Brief an Nelly de Vogüé zeichnet er sich noch einmal: eine Skizze des Kleinen Prinzen, gefangen in einer lichtlosen Zelle. Zwar isoliert und demoralisiert, gleichzeitig aber auch sich selbst treu, eisern und kampfbereit. Es gab nur eine Lösung, grausam zwar, aber am wirkungsvollsten: sich engagieren, sich aktiv einbringen. Die falschen Freunde verschafften ihm die Gelegenheit, mit sich ins Reine zu kommen.

Der Tisch von Bernard Lamotte

Lamotte war einer der ersten von Saint Exupérys Freunden, die ihn bei seiner Ankunft in New York bei sich aufnahmen. Der Maler und hervorragende Werbezeichner wohnte mit seiner Frau Lilian in einem einfachen Apartment in Manhatten, 3 East 53rd Street, das er durch den Ausbau einer Terrasse auf dem Dach des Gebäudes vergrößerte. So entstand eine Art Club der Exilfreunde, ein Treffpunkt, den sie «le Bocal» nannten. In dem kleinen Schuppen, den Lamotte zwischen den Hochhaustürmen aus Stahl und Glas zusammenbastelte, drängten sich Schriftsteller, Künstler und Schauspieler. Er baute auch einen niedrigen Holztisch, auf den all seine Freunde ihren Namen einritzen sollten. Jean Gabin, Ingrid Bergman, Jean Sablon, Greta Garbo, Marlene Dietrich, Jean-Pierre Aumont, Charlie Chaplin kamen seiner Bitte gerne nach. Saint Exupéry, der von seinen Freunden stets einen Extra-Liebesbeweis einforderte, reservierte sich eine Ecke für sich allein. Dort zeichnete er ein kleines Männlein, noch etwas ungeschickt zwar, aber es trug bereits ganz offensichtlich die Züge des Kleinen Prinzen. Zeichnete er da sich selbst? Es ist eine finstere Zeit, in politischer Hinsicht wie auf privater Ebene. Antoine fühlt sich zwischen den New Yorker Exilanten nicht wohl, empfindet es als verantwortungslos, von einem Fest zum anderen zu schlendern, während die Menschen in Frankreich leiden und kämpfen. Der kleine Junge, der in ihm schlummert und von dem er nicht loskommt, diktiert ihm bereits die prophetischen Worte des Kleinen Prinzen. Dieser breitschultrige Bär von einem Mann, wie Consuelo ihn beschrieb, zeichnet sich mit unsicheren Linien auf dem rohen Holz des Tisches, als ahnte er, daß er bald sterben würde, ohne wirklich gelebt zu haben. An diesen feuchtfröhlichen Abenden, in denen dem Byrrh eifrig zugesprochen wurde, schonte sich der stets unterhaltsame Saint Exupéry nicht, ließ keinen Spaß aus und schien, oberflächlich betrachtet, überhaupt nicht kummervoll. Seine, wie er es nannte, «geistige Einsamkeit» behielt er für sich.

«Mein Freund ist ein Standpunkt. Ich muß erkennen können, von wo er spricht, denn darin ist er sein eigenes Reich und unerschöpflicher Vorrat.»
Die Stadt in der Wüste

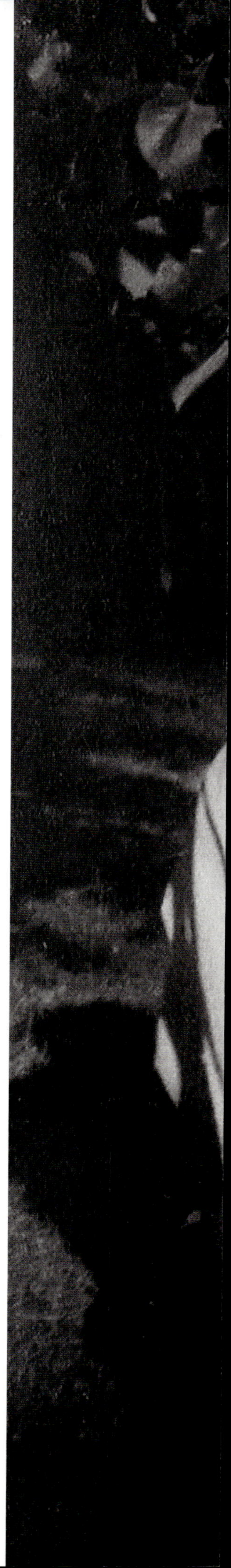

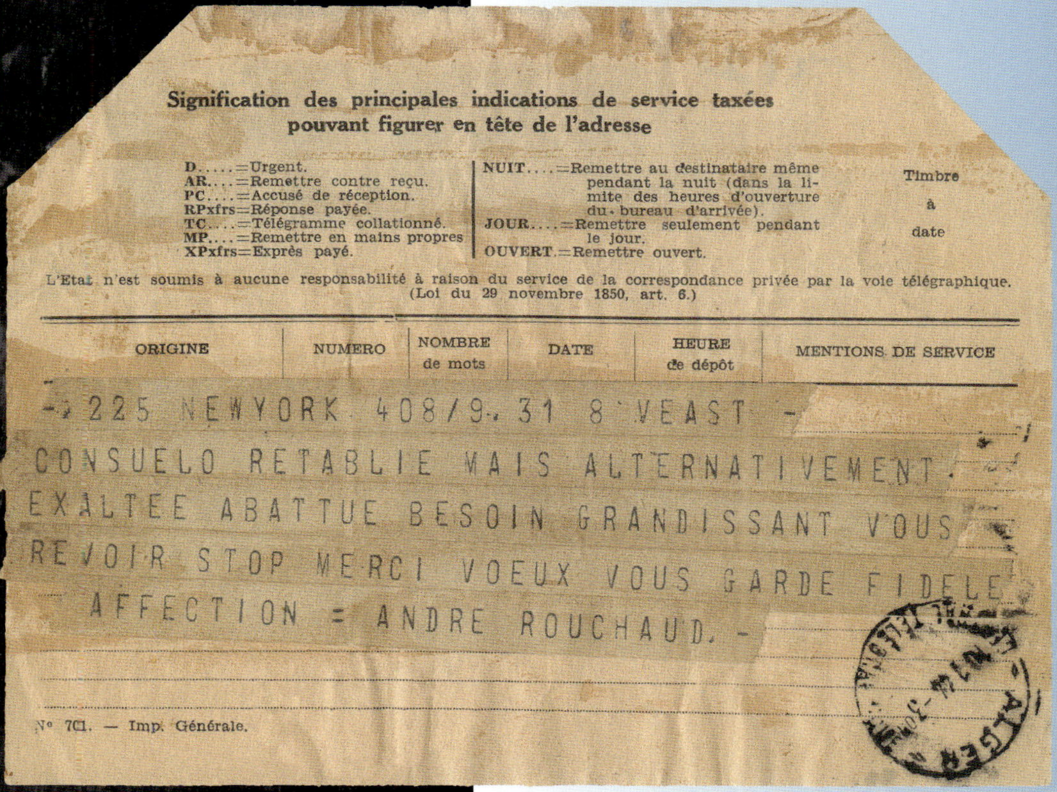

Signification des principales indications de service taxées pouvant figurer en tête de l'adresse

D.....=Urgent.
AR....=Remettre contre reçu.
PC....=Accusé de réception.
RPxfrs=Réponse payée.
TC....=Télégramme collationné.
MP....=Remettre en mains propres
XPxfrs=Exprès payé.
NUIT....=Remettre au destinataire même pendant la nuit (dans la limite des heures d'ouverture du bureau d'arrivée).
JOUR....=Remettre seulement pendant le jour.
OUVERT.=Remettre ouvert.

Timbre à date

L'Etat n'est soumis à aucune responsabilité à raison du service de la correspondance privée par la voie télégraphique. (Loi du 29 novembre 1850, art. 6.)

ORIGINE	NUMERO	NOMBRE de mots	DATE	HEURE de dépôt	MENTIONS DE SERVICE

-225 NEWYORK 408/9 31 8 VEAST -
CONSUELO RETABLIE MAIS ALTERNATIVEMENT
EXALTEE ABATTUE BESOIN GRANDISSANT VOUS
REVOIR STOP MERCI VOEUX VOUS GARDE FIDELE
AFFECTION = ANDRE ROUCHAUD. -

Nº 701. — Imp. Générale.

André Rouchaud, Geschäftsmann in New York, kennt Antoine de Saint Exupéry schon lange. Wie Bernard Lamotte gehörte er zu den ersten, die den Freund bei seiner Ankunft in den Vereinigten Staaten in Empfang nahmen. Antoine gab dem Interpunktions-Fan oft Texte zur Übersetzung oder Korrektur.

Rechts:
Antoine de Saint Exupéry an Bord seines Flugzeugs F-ANRY Caudron 630 Simoun, im Gespräch mit seinem Freund Léon Werth, auf dem Flugplatz von Ambérieu, 1935.

«Ich mag Saint Exupéry, wie er die Nase in den Wind hält, seine unersättlichen Augen, seine Überschwenglichkeit, seine Tollpatschigkeit, seine rauhen, abgearbeiteten Hände, sein entzücktes Lachen. Er paßt nicht ins gewöhnliche Maß, er muß von der Gefahr gelenkt werden [...] Handeln vereinfacht ihn.» *Pierre Dalloz in* Écrits de guerre

Eine ganz bestimmte Vorstellung von Freundschaft

In den dunkelsten Stunden des Krieges ist sie plötzlich da, die vorher nur verschwommen vorhandene Erinnerung an einen Nachmittag am Ufer der Loire, mit seinem Freund Léon Werth. Saint Exupéry hat diesen glücklichen Augenblick wie aus der Zeit herausgelöst erlebt, und seine Rückkehr ist für ihn wie Balsam. Diese Erinnerung rettet ihn vor dem Übel der Welt, wäscht ihn von allem Schmutz rein, ist ein Beweis für die Schönheit des Lebens. Sie ist wie eine zweite Taufe, weil sie ein Stück Ewigkeit ins Spiel bringt und den Moment damit zu etwas Heiligem erhebt. Diese Erinnerung kommt mehrmals wieder hoch und entreißt ihn der Verzweiflung. Es ist ein strahlender Tag, mit diesem unvergleichlichen, goldenen Licht, das sich oft auf die Ufer der Loire legt – das Bild erinnert an ein ewiges Frankreich, das Land Ronsards und der Renaissance. Genau die gleiche Erinnerung kommt auch Léon Werth wieder ins Gedächtnis, am 9. August 1944: «Ich denke an so viele Stunden der Freundschaft», schreibt er in seinem *Journal.* «[...] Und die Herberge von Fleurville, diese Stunden in der Herberge von Fleurville, wo das Leben für uns nach Vollkommenheit schmeckte.» Diese wunderbaren Stunden sind mit der Idee des Lächelns verknüpft: Das Lächeln ist für Saint Exupéry der vielleicht heiligste und, in Anbetracht seiner Bescheidenheit und Schlichtheit, der treffendste Ausdruck des vergänglichen Glücks.

Freunde wie Brüder

Freunde und Freundinnen prägen Antoines Leben seit seiner Schulzeit in Bossuet. Er nimmt sie mit in seine Abenteuer. Er schreibt ihnen, wenn er irgendwo Station macht, ist fordernd, sogar tyrannisch, aber immer unendlich aufmerksam. Er spricht während seiner langen Postlinienflüge mit ihnen, erinnert sich mit ihnen an gemeinsame Erlebnisse, braucht sie, um sich zu beruhigen, liest ihnen stundenlang seine frisch geschriebenen Texte vor und versucht die ganze Zeit, mit ihnen die ideale Gemeinschaft zu gründen, in der sie eine gedankliche und emotionale Einheit bilden könnten. Sie umgeben ihn wie konzentrische Kreise, und Antoine weist ihnen, je nach Kreis, bestimmte Rechte und Pflichten zu. Abgesehen von seiner Mutter, seinen beiden Schwestern und Consuelo, seiner nicht verhandelbaren Verwandtschaft, gibt es zunächst die Angehörigen des ersten Kreises: die Freunde aus der Kindheit. Danach die aus der Zeit als Jugendlicher in Bossuet: Henry de Ségogne, Henri de Vilmorin, Charles de Sales, Bertrand de Saussine. Und die Frauen, die er reihenweise betört, die aber nicht alle zu seinen Geliebten werden. Mit Renée de Saussine, genannt Rinette, hat Antoine immer beide Ebenen gepflegt, die der Liebe und die der Freundschaft. Wenn er ihr schreibt, häufig in Momenten des Zweifels oder der Einsamkeit, verzichtet er auf die galanten Formulierungen und die sentimentale Lyrik, die er sonst häufig benutzt (und sich dabei nicht selten wiederholt). Zu Rinette wünscht er sich ein brüderlich-kameradschaftliches Verhältnis, fast eine Männerfreundschaft, und nennt sie dementsprechend in seinen Briefen «vieil ami», «alter Kumpel». Silvia Hamilton ist während seines New Yorker Exils seine Geliebte, aber er nimmt ihr gegenüber auch die Haltung des großen Bruders und Beschützers ein, auf den sie wiederum aufpassen muß. Andere Frauen, wie Ann Lindbergh oder die Schauspielerin Annabella, behandelt er ebenfalls wie Freundinnen. Annabella war mit Tyrone Power liiert, doch Saint Exupéry gelingt es immer, diese Frauen in Form einer heimlichen Komplizenschaft an sich zu binden. In diesem kleinen Hofstaat nimmt Léon Werth eine Sonderrolle ein. Zuerst lernen sie einander als Schriftsteller kennen und schätzen. Der herrschende Antisemitismus veranlaßt ihn, auf Zuraten Consuelos, ihm den *Kleinen Prinzen* zu widmen, und auch sein *Brief an einen jüdischen Freund* (*Lettre à un ami juif*), ein regelrechter Freundschaftsvertrag, ist ihm zugeeignet. Während seines amerikanischen Exils von Dezember 1940 bis April 1943 kommt er mit Schriftstellern wie André Maurois, Paul-Émile Victor oder Denis de Rougement wieder enger in Kontakt. Er vertraut ihnen vollkommen und kann sie zu jeder Tages- und Nachtzeit herbeizitieren, um ihnen neue Textauszüge vorzulesen oder sie um Rat zu fragen. Maurois schildert eine kleine Anekdote aus Bevin House, wo er das Ehepaar Saint Exupéry besuchte. Mitten in der Nacht weckt Antoine seine Frau und bittet sie übermütig,

Henri Guillaumet, der für Antoine de Saint Exupéry schon mehr Bruder als Freund ist.

ungeachtet Maurois' offensichtlicher Müdigkeit, ihnen jetzt sofort ein paar Spiegeleier zu braten! Wenn er ruft, müssen alle springen. Das ist sein Makel, den ihm jedoch viele gerne verzeihen. Zu den eher zurückhaltenden Freunden zählt André Rouchaud, der Consuelo auch nach Antoines Verschwinden beistand und ihr sehr zugetan war. Oder Denis de Rougemont, der zu den wenigen Vertrauten zählte, die die Intimität seines Exils auf Long Island teilen durften. Dieser Freundeskreis umgibt Saint Exupéry wie eine lebensrettende Pufferzone. Er stärkt sein Selbstvertrauen, trägt ihn auf gewisse Weise, da seine Freunde immer verfügbar und ihm vollkommen zugetan sind. Die Respektsbezeugungen, die alle nach seinem Tod geschrieben haben, zeigen, was für ein außerordentlicher Freund er war. Er hatte nicht immer ein offenes Ohr für ihre Probleme, aber er war so kreativ, so begeisterungsfähig, daß er seine Umgebung mit einer Woge des Glücks überflutete. Außerhalb dieses Kreises gab es namenlose Begegnungen, bei denen er, wie er sagte, neue Kräfte schöpfen konnte. Meist handelte es sich dabei um einfache Leute, Handwerker, Bauern, die er ganz besonders mochte, weil sie mit ihren Händen arbeiteten, im Gegensatz zu den ihn umgebenden sauberen Intellektuellen, die, in seinen Augen, nur heiße Luft produzierten und so taten, als hätten sie etwas zu sagen. Mit ihnen verband ihn ein Gefühl tiefgreifender Gemeinschaft; seine darauf beruhende Erkenntnisse flossen in sein großes Werk ein: *Die Stadt in der Wüste.*

«Wir zweifeln an ihm,
wir verraten ihn, wenn wir
an seinen Tod glauben.
Ich hingegen hoffe.
Er ist abgestürzt, verletzt.
Er wird von Bauern gepflegt.»
Leon Werth in Écrits de guerre.

Et maintnain au revoir, mon cher Antoine, et j'espère que ça ne sera pas trop longtemps avant que vous retournerez ici. Vous avez beaucoup d'amis qui parle de vous tres souvent.

Comme toujours, il y a le dilemme a comment finir une lettre sans vous pour me conseiller ! Et comme toujours je dis d'une facon probablement pas du tout correcte, mai très sincere, que je vous envoie tant de pensees, et des souhaits que vous soyez heureux, ou au moin pas trop malheureux dans ces jours si troublé.

Et finalement de vous envoyer, comme toujours, tout mon affection.

E. Galbraith.

«Auf diesem leidvollen Planeten der Qualen und des Hasses, hat er mit uns die kurzen Ferien eines Genies verbracht, das sich verlaufen hat; schnelle und erfüllte Tage, die ich mir immer wieder ins Gedächtnis rufe, um mein trauriges Gedächtnis zu betäuben. […] Ich habe ihn sehr gemocht, und ich werde immer um ihn weinen.» *Léon-Paul Fargue in* Écrits de guerre

Der zweite Kreis

Die Familie Reynal. Eugène Reynal ist Antoine de Saint Exupérys Verleger in New York. Seine Frau Élisabeth unterhielt einen freundschaftlichen Briefwechsel mit dem Schriftsteller.

Einem Kreis stand er zwar ein wenig mißtrauisch gegenüber, pflegte aber trotzdem regelmäßigen Kontakt. Er bestand aus den Autoren der bei Gallimard erscheinenden *Nouvelle Revue Française*, bestimmten Journalisten sowie ein paar Politikern. Anvertraut hat er sich ihnen nur selten. André Gide zum Beispiel, der immerhin das Vorwort zu *Nachtflug* schrieb und ihm bei Gallimard in vielen Dingen behilflich war, genoß keineswegs sein volles Vertrauen. Consuelo wußte, wer es gut mit ihm meinte und wer nicht, und Saint Exupéry verließ sich in der Auswahl seiner Freunde oft auf sie, weil er ihr Urteilsvermögen und ihren Menschenverstand schätzte. Dennoch gelang es ihm manchmal nicht, gewissen Versuchungen zu widerstehen. Einem gehobenen Lebensstandard oder Luxus war er hin und wieder nicht abgeneigt, konnte jedoch genausogut in einer Dienstmädchenkammer leben. Irgendwie beeindruckten die Pariser High Society und die Eliten den kleinen Provinzadligen, der so arm war, daß das Schloß der Familie verkauft werden mußte, aber andererseits so berühmt, daß New York ihn zum besten Schriftsteller des Jahres erhebt! In Manhattan mit Filmstars verkehren zu können, imponierte ihm durchaus, genauso wie der Erfolg seiner Bücher. Und dennoch war er mit den Gedanken woanders, war melancholisch, sehnte sich nach dem Ideal ohne Aussicht auf Erfüllung. In Amerika war er ein Umherirrender. Den Pariser Bohemien, der nachts mit Léon-Paul Fargue durch die Bars und Cabarets von Saint-Germain-des-Prés zog, gab es nicht mehr. In New York war seine innere Ziellosigkeit ins Unermeßliche angewachsen, und man sah in oft spät in der Nacht allein durch Manhattan wandern …

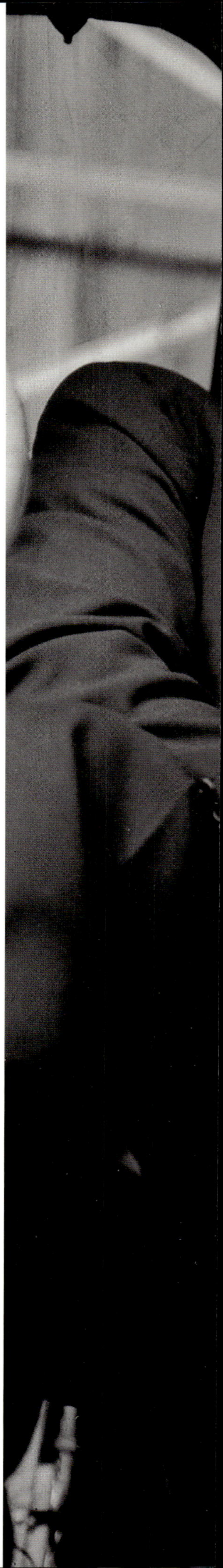

Henri Guillaumet und Antoine de Saint Exupéry im Cockpit eines Flugzeugs.

«Von der 2/33»

Er war immer auf der Suche nach Bindungen, nach Verbundenheit und Zugehörigkeit. Einem Ort, einem Land, einer Familie entstammen, einer Sprachgemeinschaft angehören, einer Gesellschaft, einer Kultur, einem Glauben. Dort liegt die Keimzelle seines Schreibens und seiner gesamten Existenz. Aber wie dem gerecht werden in einer Welt, die sich in Auflösung befindet, einer versprengten, irregeleiteten Welt? Und wie könnte er gleichzeitig auf seine Kindheit, die Liebe zu seiner Mutter, seine Ideale, die Geschichte seines Landes verzichten? In den Wirren der 1940er Jahre sieht Saint Exupéry die Vorboten des großen globalen Ausverkaufs. Er spürt, daß der Untergang unmittelbar bevorsteht, und beteuert laut, beinahe trotzig, seine Zugehörigkeit zu seiner Heimat, seiner Kindheit, seinen Werten und seiner Kultur. Die Reaktionen sind scharf, man stempelt ihn als «Reaktionär», gar als Anhänger des Vichy-Regimes ab. Das kränkt ihn zwar, aber im Grunde schenkt er dem keine Beachtung. Während seiner geistigen Agonie wird er nicht müde, seine Zugehörigkeit und Herkunft zum Ausdruck zu bringen: «Ich bin von der 2/33», ich stamme aus meiner Kindheit, ich stamme aus meinem Land, ich entstamme meiner Kultur, meiner Heimat usw. Dies sagt viel über seinen damaligen Gemütszustand aus. Er hat die große Lehre aus seiner Kindheit gezogen, hat sie unendlich sublimiert und mit dem Bild der Mutter umkränzt, aber angesichts des Werteverfalls, der nach dem Krieg unvermeidlich um sich greifen wird, klingt die Lehre aus der Aéropostale-Zeit wie eine Provokation. Von den Männerfreundschaften und der Brüderlichkeit, die er bei der Aéropostale und in seiner Fliegerstaffel erfahren hat, schwärmt er in all seinen Erzählungen. *Flug nach Arras* widmet er daher all seinen Kameraden aus der Fernaufklärergruppe 2/33, Major Alias, Beobachter-Hauptmann Moreaux und den Oberleutnants Azambre und Dutertre: «[Sie] waren meine Kameraden an Bord, [...] und sie werden in mir ein Leben lang einen treuen Freund finden», schreibt er. Diese mächtige, leuchtende Freundschaft ist für ihn auch Liebe. Sie schwingt in seinen Texten mit und besteht nur «aus Verbindungen». Diese Liebe ist «meine Substanz. Ich gehöre zu dieser Truppe. Das ist alles.» Er kommt immer wieder darauf zurück, denn ohne diese Liebe fühlt er sich «ein bißchen tot». «Ich gehöre zu Guillaumet. Ich gehöre zu Gavoille, ich gehöre zu Hochédé. Ich gehöre zur Gruppe 2/33. Ich gehöre zu meinem Land, und alle aus der Truppe gehören zu diesem Land ...» Die Freundschaft, von der er spricht, erwächst nicht aus einer stürmischen Leidenschaft, sondern es handelt sich um echte Liebe: «ein Netz aus Verbindungen, das einen werden läßt». Darum geht es: um Verbindung, die eint, die zusammenbringt und befruchtet. Alle Erkenntnisse Saint Exupérys beruhen auf dieser Gewißheit der Freundschaft, die Verbundenheit ermöglicht und «die rauheste Winternacht in einen Weihnachtsabend» verwandelt, schreibt er in *Flug nach Arras.*

«Aber wenn du mich zähmst, werden wir einander brauchen. Du wirst für mich einzig sein in der Welt. Ich werde für dich einzig sein in der Welt ...» *Der kleine Prinz*

DER SOLDAT:

DER TRAUM VOM HELDENTUM

(1926

1944)

Antoine de Saint Exupéry im Jahre 1922, während seines Militärdienstes.

Vorangehende Doppelseite: Antoine de Saint Exupéry steigt in sein Flugzeug, um von der Basis in Alghero, Sardinien, zu einem Aufklärungsflug zu starten.

FÜHLTE SICH SAINT EXUPÉRY TATSÄCHLICH zum Militär berufen? Mag es in einer so angesehenen Adelsfamilie wie der seinen auch üblich gewesen sein, eines seiner Kinder der Armee zu geben – der auf Unabhängigkeit bedachte, unberechenbare Boheme bemerkte bald, daß eine militärische Laufbahn nicht das Richtige für ihn war. Für sein ziemlich zufällig gewähltes Studium konnte er sich auf Dauer auch nicht begeistern. Einzig sein Wunsch zu fliegen, der gleich nach seiner Lufttaufe feststand, hat ihn auf den uns bekannten Weg geführt. Sein Eintritt in die Luftpostgesellschaft Aéropostale, wozu ihm Beppo de Massimi 1926 verhalf, bot die Gelegenheit dazu. Das zivile Unternehmen mit Sitz in Montaudran, von Didier Daurat mit eiserner Hand geführt, machte ihm sein tiefes Verlangen bewußt, dieses absolute innere Bedürfnis, das plötzlich in Gestalt der Fliegerei seinen Ausdruck fand. Im Flug die mönchische Einsamkeit des Piloten, am Boden die wiedergefundene Brüderlichkeit, und vor allem die absolute Verbundenheit mit den Elementen des Kosmos: Er sah sich in der Rolle des Engels und des Wächters, die er wie ein Priesteramt annahm. Im Ersten Weltkrieg konnte er nicht mitkämpfen, was ihn reichlich frustrierte. Als er, mit dem militärischen Grad eines Hauptmanns ausgestattet, 1939 mobilisiert wurde, profitierte er von seinen Erfahrungen als Postflieger. Und er konnte seinen sehr gefühlsbetonten Patriotismus ausleben, sein tiefsitzendes Bedürfnis, seine Nation, sein Geburtsland, seine Kultur zu schützen. Daß er 1943 noch einmal in den Dienst der Armee trat – was er sich von New York aus hart erkämpfen mußte –, ist einerseits als Akt der Verzweiflung zu werten, um seinen Schuldgefühlen zu entkommen, die ihn im Exil verfolgten, andererseits aber auch als sein Blutopfer, sein Geschenk ans Vaterland. Nur wenige seiner Schriftsteller- und Künstlerfreunde zogen derart schonungslos und entschlossen in den Kampf, der für ihn zum mystischen Abenteuer wurde.

«Ich habe beschlossen, mich vollkommen aufzureiben, und weil man immer bis an seine Grenzen gehen muß, lasse ich mich nicht davon abbringen.»

Die innere Schwerkraft

Die Ausbildung zum Piloten

Fernglas, Feldmütze und Fliegermaske der Armee, die Antoine de Saint Exupéry gehört haben.

Saint Exupéry verdient seine ersten Sporen als Zivilpilot im Auftrag der Aéropostale. Die legendäre Luftfahrtgesellschaft (genannt «La Ligne») ist der Schmelztiegel seiner Erfahrungen und der Katalysator seiner Berufung. Durch sie wird ihm klar, daß er fliegen will, durch sie erlangt er den Mut, die innere Stärke, die mentale Größe und schließlich die wilde, furchtlose Entschlossenheit, die ein Kriegspilot mitbringen muß. Alles, was er später in *Flug nach Arras* niederschreiben wird, hat er während seines phänomenalen Aéropostale-Abenteuers gelernt, bewältigt und reifen lassen. In der Phantasiewelt seiner Kindheit spielte das Rittertum eine entscheidende Rolle. Fasziniert von abenteuerlichen Geschichten aus dem Mittelalter wie den Kreuzzügen, hat sich ihm der Wunsch zu dienen schon früh erschlossen. Er vereint typisch ritterliche Tugenden in sich: Rechtschaffenheit, Verwegenheit, Wagemut, Ehrgefühl, Gerechtigkeitsgefühl, Beschützerinstinkt und der Wunsch, die eigene Kultur zu verteidigen. Schon mit dem Ritter-Aklin-Spiel, das er mit seinen Geschwistern im Park von Saint-Maurice-de-Rémens zelebrierte, bot er den Elementen die Stirn, forderte die dicken Regentropfen heraus, die, in seiner kindlichen Vorstellung, Maschinengewehrfeuer glichen. Tradition und Erziehung gaben ihm dieses ritterliche Ideal vor, das er in der Fliegerei vervollkommnen konnte. Das Flugzeug ist daher, von den ersten Flügen an, seine Zauberwaffe, sein Ritterdegen. Kontinente miteinander zu verbinden, die Post über Meere und Wüsten hinweg zu transportieren, ist auch eine Art, am Triumph der Menschheit mitzuwirken. In *Nachtflug* wie in *Südkurier* kommt diese Fliegertheologie zum Ausdruck, die Mystifizierung des Flugzeugs, durch die der Pilot zum Vermittler zwischen Mensch und Erde wird … Die Ausbildung, die Daurat ihm mit eiserner Disziplin angedeihen läßt, macht ihn bereit für dieses «merkwürdige Opfer». Das «Schicksal des europäischen Postverkehrs» in Händen zu halten, bedeutet, sein Leben aufs Spiel zu setzen, sich der Einsamkeit zu stellen und seine Pflicht zu erfüllen. Im Gegenzug «ist der Weg mit Sternen gepflastert», und das Flugzeug bringt ihn «zu den Feldern des Lichts». Saint Exupéry lernt, daß alles Austausch und Geschenk ist. Die in *Die Stadt in der Wüste* festgehaltene Erkenntnis ist bereits in der Ausbildung zum Piloten angelegt: In der allgegenwärtigen Nähe des Todes und dem Willen, über ihn zu triumphieren, ohne Angst vor der Niederlage, liegt die Chance, den Sieg davonzutragen.

«Vor dem Beruf des Zuschauers hat es mich immer gegraust. Was bin ich, wenn ich nicht teilhabe?» Flug nach Arras

Der Kriegspilot

Offizierstreffen am Luftstützpunkt Alghero auf Sardinien, photographiert von John Phillips.

Nach seiner Mobilisierung 1939 wird Saint Exupéry im November dem Geschwader 2/33 zugeteilt und im Dezember in Orconte in der Champagne einquartiert. Hier durchläuft er die Feuerprobe. Man könnte es auch eine «Feuernacht» nennen: In diesem nächtlichen Luftkampf, auf dem Flug nach Arras, durchlebt er, ganz nach dem Vorbild Blaise Pascals (den er sehr bewundert), die Art von mystischer Prüfung, die nötig ist, um ein furchtloser «Kriegspilot» sein zu können. Die Lehrjahre bei der Aéropostale haben ihn gestählt: Er fürchtet weder die einsamen Stunden über der Wüste – er schätzt sie als Momente der mönchischen Askese, des Nachtgebets – noch die Berge, die vor ihm aufragen und überwunden werden wollen. Darüber hinaus gibt es nur noch Selbsthingabe, die Hingabe an das, woran man glaubt. In diesem Sinne ist das Fliegen Antoines Passion, im christlichen Sinne des Wortes, so Jules Roy über den Freund. Ahnt er, was ihn erwartet, als er am 24. Juli in La Marsa bei der Taufe seines Patenkindes (dem Sohn von Hauptmann Gavoille) der Patin (die Frau von General Mast) zuraunt: «Eines Tages werde ich nicht zurückkommen und ihr werdet mich nicht wiedersehen», und damit fast die gleichen Worte wie Jesus Christus verwendet? Sicher ist, daß er sich nach und nach das Schicksal des Kleinen Prinzen zu eigen macht: den Planeten Erde verlassen, zu seinem inneren Stern zurückkehren, von der Welt verschwinden. 1939, in der einsamen Kälte von Orconte, beschleicht ihn eine Ahnung dieses Verschwindens und er ist bereit, sich dem zu stellen. Er spricht mit niemandem darüber, aber seine Briefe sind düster und voller Furcht. Der Kampf ist seine einzige Möglichkeit der Befreiung. Er fliegt beinahe freudige los: Den Boden verlassen heißt, die Weite des Himmels erreichen, die Freiheit der Engel, dem Göttlichen ganz nahe sein. Der Kampf wird zum heiligen Akt. Als begeisterter Leser des Dichters Charles Péguy kennt er dessen klangvolle Zeilen zu diesem Thema. Der Luftkampf wird zum Ballett, dessen tragische Choreographie Saint Exupéry beschreibt; die Kindheit, die kulturellen Werte, an die er glaubt, brechen als strahlende Hymne hervor.

Kämpfen ist Gnade, eine heilige Gabe, die er nur in dieser Form der Lobpreisung entfalten kann. In diesem ungastlichen, eisigen Landstrich an der Marne (auch eine Art Wüste) sagt er noch einmal, was seinen Kampfeswillen stimuliert, seinen Mut hebt: kämpfen, um «die geistige Gemeinschaft» wiederzufinden. Dies wird der Schlüsselbegriff seiner Moral. In Orconte vollzieht sich sein Wandel zum heldenhaften Soldaten, der alle Hemmnisse hinter sich gelassen hat. Als kämpfender Soldat fühlt er sich verbunden, hat endlich das Gefühl, dazuzugehören, eine Herkunft zu haben: ich gehöre *zu* … ich stamme *von* … Von da an sind diese Worte verinnerlicht. Die Identität, von der er geträumt hat, ist endlich gefunden, weit entfernt von seiner Familie, seinen Gepflogenheiten. Angesichts der tragischen Massenflucht der Franzosen – Menschen, die in endlosen Kolonnen über die Straßen flüchten und vom Feind mit Maschinengewehren beschossen werden – fühlt er sich noch stärker als Krieger. Auf dem Flug nach Arras lernt er die letzte Lektion: «Krieg bedeutet nicht, ein Risiko einzugehen, einen Kampf zu riskieren. Für den Kämpfenden ist Krieg die einfache, reine Akzeptanz des Todes.»

Unten: Der Stützpunkt Orconte im Département Marne, wo Antoine de Saint Exupéry 1939 einquartiert wird.
Rechts: Der Pilot und Offizier im Cockpit seiner P38 FA Nr. 273 kurz vor dem Start zu einem Aufklärungsflug, photographiert von John Phillips.

«Wir melden uns alle immer freiwillig für die Aufklärungsflüge. Aus diesem rätselhaften Bedürfnis heraus, an uns zu glauben. Man wächst da ein bißchen über sich selbst hinaus.»
Flug nach Arras

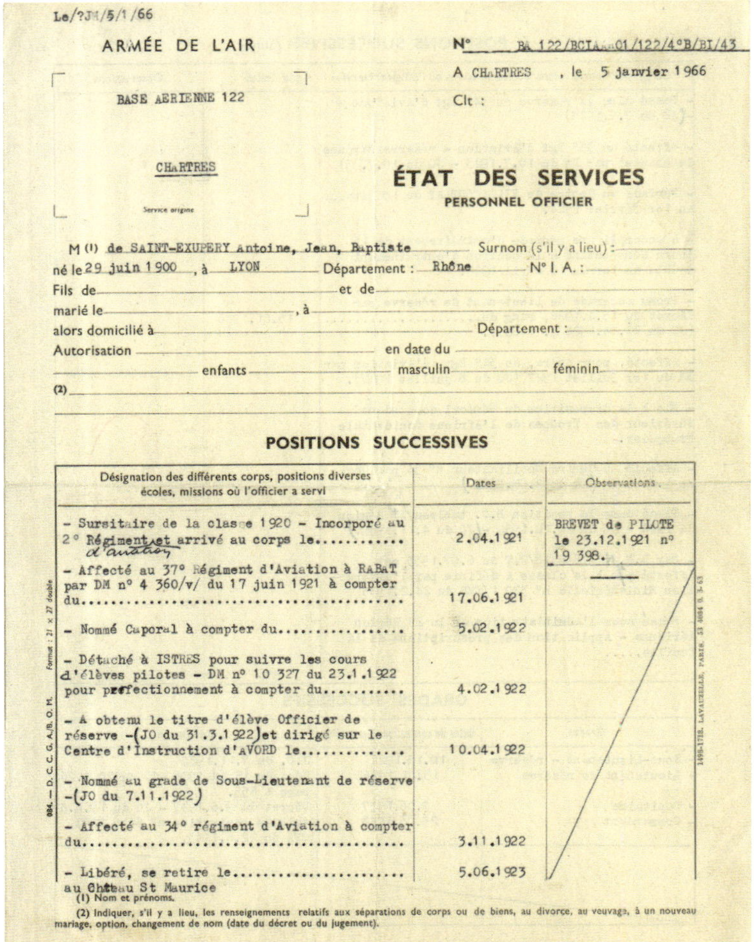

Le/?JM/5/1/66

ARMÉE DE L'AIR

BASE AERIENNE 122

CHARTRES

Service origine

N° BA 122/BCIA..01/122/4°B/BI/43

A CHARTRES, le 5 janvier 1966

Clt :

ÉTAT DES SERVICES
PERSONNEL OFFICIER

M (1) de SAINT-EXUPERY Antoine, Jean, Baptiste Surnom (s'il y a lieu) :

né le 29 juin 1900, à LYON Département : Rhône N° I. A. :

Fils de et de

marié le , à

alors domicilié à Département :

Autorisation en date du

enfants masculin féminin

(2)

POSITIONS SUCCESSIVES

Désignation des différents corps, positions diverses écoles, missions où l'officier a servi	Dates	Observations
- Sursitaire de la classe 1920 - Incorporé au 2° Régiment d'aviation et arrivé au corps le............	2.04.1921	BREVET de PILOTE le 23.12.1921 n° 19 398.
- Affecté au 37° Régiment d'Aviation à RABAT par DM n° 4 360/v/ du 17 juin 1921 à compter du..	17.06.1921	
- Nommé Caporal à compter du.................	5.02.1922	
- Détaché à ISTRES pour suivre les cours d'élèves pilotes - DM n° 10 327 du 23.1.1922 pour perfectionnement à compter du...........	4.02.1922	
- A obtenu le titre d'élève Officier de réserve -(JO du 31.3.1922) et dirigé sur le Centre d'Instruction d'AVORD le.............	10.04.1922	
- Nommé au grade de Sous-Lieutenant de réserve -(JO du 7.11.1922)		
- Affecté au 34° régiment d'Aviation à compter du..	3.11.1922	
- Libéré, se retire le...................... au Château St Maurice	5.06.1923	

(1) Nom et prénoms.

(2) Indiquer, s'il y a lieu, les renseignements relatifs aux séparations de corps ou de biens, au divorce, au veuvage, à un nouveau mariage, option, changement de nom (date du décret ou du jugement).

084. — D. C. C. G. A/B. O. M. Format : 21 × 27 double

1498-1718. LAVAUZELLE, PARIS. 53 4084 B. 3-63

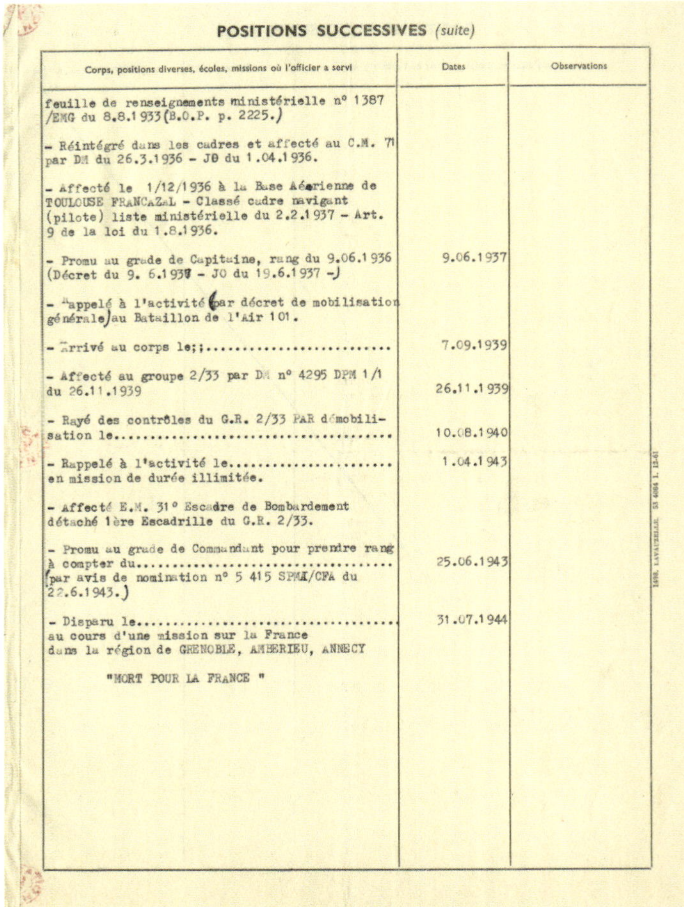

POSITIONS SUCCESSIVES *(suite)*

Corps, positions diverses, écoles, missions où l'officier a servi	Dates	Observations
feuille de renseignements ministérielle n° 1387 /EMG du 8.8.1933 (B.O.P. p. 2225.)		
- Réintégré dans les cadres et affecté au C.M. 71 par DM du 26.3.1936 - JO du 1.04.1936.		
- Affecté le 1/12/1936 à la Base Aérienne de TOULOUSE FRANCAZAL - Classé cadre navigant (pilote) liste ministérielle du 2.2.1937 - Art. 9 de la loi du 1.8.1936.		
- Promu au grade de Capitaine, rang du 9.06.1936 (Décret du 9. 6.1937 - JO du 19.6.1937 -)	9.06.1937	
- Rappelé à l'activité (par décret de mobilisation générale) au Bataillon de l'Air 101.		
- Arrivé au corps le;;..........................	7.09.1939	
- Affecté au groupe 2/33 par DM n° 4295 DPM 1/1 du 26.11.1939	26.11.1939	
- Rayé des contrôles du G.R. 2/33 PAR démobilisation le....................................	10.08.1940	
- Rappelé à l'activité le...................... en mission de durée illimitée.	1.04.1943	
- Affecté E.M. 31° Escadre de Bombardement détaché 1ère Escadrille du G.R. 2/33.		
- Promu au grade de Commandant pour prendre rang à compter du................................ (par avis de nomination n° 5 415 SPMA/CFA du 22.6.1943.)	25.06.1943	
- Disparu le.................................. au cours d'une mission sur la France dans la région de GRENOBLE, AMBERIEU, ANNECY "MORT POUR LA FRANCE "	31.07.1944	

1498. LAVAUZELLE. 53 4084 L. 12-61

Verzeichnis der geleisteten Dienste des Piloten Antoine de Saint Exupéry.

Sich engagieren

Der Begriff des «Engagements» bedeutet nicht für jeden das gleiche. Die befreundeten Intellektuellen und Schriftsteller, mit denen Saint Exupéry in den USA verkehrte, haben sich als «Widerständler» bezeichnet, weit weg vom Ort der Kampfeshandlungen, im sorglosen Luxus Manhattans. Diese für ihn erniedrigende und demütigende Erfahrung will er hinter sich lassen. Er will dem Tod ins Gesicht sehen, dem Maschinengewehrfeuer, der brutalen Wirklichkeit des Krieges. Weil es ihm um Zugehörigkeit geht, muß er unter Landsleuten sein, in seiner Heimat, und zu ihrer Befreiung beitragen, höchstpersönlich, unter Einsatz seines Lebens. Dieser Gedanke nimmt ihn immer stärker in Anspruch. Intellektuelle Spekulationen widern ihn an. Die Front ist der Ort, an dem sich alles abspielt, im Angesicht des Feindes, ohne Sicherheitsabstand. Er will sich ganz und gar einbringen, in der Anonymität der Truppe aufgehen, keine Privilegien genießen, einfach nur Teil dieser Gemeinschaft sein, die das Böse aus der Welt schaffen will. Nie hat er den Kampf des Heiligen Georg gegen den Drachen besser verstanden. Sich ins Gewehrfeuer werfen bedeutet auch, sich von allen Sünden reinwaschen, in den Kreis des Lichts treten, dem Licht des Erzengels, und sich auf den Weg zu den Sternen begeben. Man muß Saint Exupérys Engagement im Kontext der Ritter- und Engelssagen sehen, dem mythologischen Ideal seiner Kindheit, in dem das Gute über das Böse siegt. In *Die Stadt in der Wüste* schreibt er dazu: «Wichtig und Nährboden für echte Gedichte ist nur jener Teil deines Lebens, der dich in die Pflicht nimmt, der dich hungrig und durstig macht, dem es um das Brot deiner Kinder und um Gerechtigkeit geht, ob diese dir nun gewährt wird oder nicht.»

«Ich ging in meiner Erinnerung bis in die Kindheit zurück, um das Gefühl, von einer höheren Macht beschützt zu werden, wiederzufinden. Für die Erwachsenen gibt es keinen Schutz; sobald du ein Mann bist, lassen sie dich gehen. Aber wer kann einem kleinen Jungen etwas anhaben, den eine allmächtige Paula fest an der Hand hält? Meine Paula, ich habe deinen Schatten als Schutzschild benutzt …» Flug nach Arras

ACTIONS D'ÉCLAT ET CITATIONS

"CITE A L'ORDRE DE L'ARMEE AERIENNE : Ordre "C" n° 44 du 2 juin 1940, du Général commandant en Chef VUILLEMIN, Commandant en Chef des Forces Aériennes.

TEXTE

-"Officier Pilote réunissant les plus belles qualités intellectuelles et morales, se proposant constamment pour les missions les plus périlleuses. A réussi brillamment deux missions de reconnaissance photographiques.

Le 22 mai 1940, violemment pris à parti pour une défense anti-aérienne intense et puissante, n'a interrompu sa mission que lorsque son avion eut été gravement endommagé;

Est pour le personnel de l'Unité un modèle du devoir et d'esprit de sacrifice."

"CITE A L'ORDRE DE L'ARMEE AERIENNE le 3.11.1944 - Décision n° 115 du Général de GAULLE, Président du Gouvernement Provisoire, Chef des Armées.

TEXTE

Commandant Pilote de grande reconnaissance, faisant toujours preuve des plus belles qualités d'audace et d'adresse. Au cours des mois de Juin et de Juillet 1944, a exécuté au-dessus de la FRANCE, sur Monoplace non armé, une très belles série de grandes reconnaissances photo à très longue distance. A notamment, le 23 juin, effectué une excellente reconnaissance photo au-dessus de la FRANCE , à la fin de la quelle il a intercepté par deux chasseurs ennemis. A réussi à s'échapper par la manoeuvre et à ramener les renseignements receuillis. été

Le 29 juin 1940, des ennuis mécaniques l'ayant contraint de stopper un moteur au cours d'une mission cartographique, a réussi à ramener son avion et les renseignements recueillis, après avoir survolé plus de 250 Kms. de territoire ennemi et 200Kms. de mer.

LE MINISTRE DE LA DEFENSE NATIONALE, cite à l'Ordre de :

- L'ARMEE AERIENNE
à titre posthume

- Monsieur le Commandant Antoine DE SAINT-EXUPERY du Groupe de Reconnaissance n° 11/33

"Pionnier des lignes aériennes, a par sa ténacité sans défaillance et son audace réfléchie, fait briller d'un nouvel éclat les ailes Françaises.

"Ardent pilote de guerre, a prouvé en 1940 comme 1943 sa passion de servir et sa foi dans le destin de la Patrie.

"A su exprimer son goût de l'action et la générosité de son idéal dans une oeuvre littéraire qui compte parmi les plus importantes de notre temps et qui célèbre la mission spirituelle de la FRANCE.

"A trouvé une mort glorieuse le 31 juillet 1944 au retour d'une mission de reconnaissance lointaine sur son pays occupé par l'ennemi.

CETTE CITATION COMPORTE L'ATTRIBUTION DE LA CROIX DE GUERRE 1939-1945 AVEC PALME.

PARIS, le 8 mars 1950

"Saint-Exupery missing in action"

"Antoine de Saint-Exupery missing in action."

"Antoine de Saint-Exupery did not return from a mission over Southern France..."

J'ai lu et relu dix, vingt, cent fois, l'atroce nouvelle. Je ne peux y croire. Il n'est pas possible que Saint-Ex disparaisse q u e l q u e s semaines avant la libération de Paris. Il n'est pas possible que Saint-Ex soit absent le jour où la France fêtera la victoire.

S'il manque aujourd'hui à l'appel, c'est qu'après un atterrissage forcé ou un saut en parachute, il les a déjà rejoints, ces 40 millions d'otages qui hantaient son esprit, qu'il portait dans son âme, si grande et si claire. Je le vois caché dans quelque village de France, entouré de ces gens simples qui ne savent pas parler de leur bravoure, mais dont il disait, lui, dans le lointain New York: "Il n'est pas de commune mesure entre le métier de soldat et le métier d'otage. Vous êtes des saints."

J'avoue qu'en évoquant avec une tendresse angoissée l'image de Saint-Ex, ce n'est pas à l'écrivain, le plus grand de son temps, que je pense. Je pense à l'Homme, au Chevalier.

Maxime Gorki, en décrivant sa rencontre avec Tolstoï, disait: "Il était comme un immense clocher de cathédrale, au-milieu de petites maisons aux toits plats."

Saint-Ex était bien cela parmi les Français de l'exil. Une haute et noble cathédrale. Rien de surprenant qu'il s'attirait la haine d'une certaine catégorie d'exilés,— ceux qu'il appelait "enfants prodigues, sans maison vers quoi revenir." Les doucereux théoriciens de la haine le sommaient de "choisir"; les combattants de la cinquième avenue lui conseillaient de "prouver son amour de la France." Saint-Ex était, parmi les gratte-ciels de New York, trop grand, trop vrai, trop pur, trop Français. Il répondait à tous dans cette page véritablement extraordiaire de son "Pilote de guerre":

"J'ai fondé mon a m o u r pour les miens par le don du sang, comme la mère fonde le sien par le don du lait . . . Il faut commencer par le sacrifice pour fonder l'amour. . . .

"Je suis revenu de mission, ayant fondé ma parenté avec la petite fermière. Son sourire m'a été transparent, et, à travers lui, j'ai vu mon village. A travers mon village, mon pays. A travers mon pays, les autres pays. Car je suis d'une civilisation qui a choisi l'Homme pour clef de voûte. Je suis du groupe 2-33 qui souhaitait combattre pour la Norvège".

L'homme qui a écrit cela ne peut être ailleurs que dans son pays, que dans son village, le jour où la civilisation "qui a choisi l'homme pour clef de voûte" sort enfin de la nuit.

Nous retrouverons Saint-Ex.

Et comme il disait de ses camarades de mission en été 1940: "nous trinquerons avec une tendresse profonde".

MICHEL POBERS

New York

POUR LA VICTOIRE (19 août 1944)

«Das Wesen, auf das der Mensch sich beruft und gründet, erwächst in ihm nur durch Taten. [...] Unser Humanismus hat das Handeln vernachlässigt. Sein Versuch ist gescheitert. Die wichtigste Handlung hat hier einen Namen erhalten; er lautet: Aufopferung.» Flug nach Arras

Linke Seite: Artikel aus einer amerikanisch-französischen Zeitung vom August 1944 über den verschollenen Antoine de Saint Exupéry. Unten: Brief des mit Saint Exupéry eng befreundeten Journalisten Jean-Gérard Fleury an Consuelo, mehrere Monate nach dem Verschwinden ihres Mannes.

Als Soldat sterben

Saint Exupérys innerem Ruf wohnte jedoch keine Todessehnsucht oder Morbidität inne. Ganz im Gegenteil: Ihn hungerte schon immer nach Leben und Liebe, und er war von dem eisernen Willen beseelt, die Freuden der Welt zu genießen. Die Kampferfahrung erlebt er wie eine Prüfung im religiösen Sinne, die ihm auferlegt wurde und die er annimmt. Er kennt den Einsatz und schreckt nicht davor zurück, denn ein höherer Wille beseelt ihn und hilft ihm über alles hinweg. Als Soldat zu sterben entspricht dem Gleichnis des Samenkorns, das in der Erde vergeht. Es gibt keine Erneuerung, kein neues fruchtbares Land, ohne diese Prüfung zu durchschreiten. Frankreich, das unter dem Feind ächzt, kann und darf nicht zerstört werden: Seine Söhne müssen das Land retten und ihm neues Leben einhauchen. Die Herausforderung ist beträchtlich, aber Saint Exupéry stellt sich ihr gerne. Daß er dem Tode trotzig ins Auge blickt, ist keine Sache seines *Egos*, sondern entspringt seiner Bereitschaft, sich selbst hinzugeben. Diese Hingabe ist pure Lebenskraft. Deswegen erfüllt ihn, als er zu seinen letzten Missionen aufbricht, eine Art tiefe Freude. Mitten im Kampfgetümmel wundert er sich über diese Fülle an Leben. Sogar die Flugbahnen der Geschosse haben «die Farbe von reifem Weizen», schreibt er in *Flug nach Arras*. In diesem großen Feuergewirr existiert der Körper nicht mehr. Der «Fleischeskult» hat ausgedient, «der Mensch interessiert sich nicht mehr für sich selbst.» Er hat auch keine Angst mehr. Saint Exupéry offenbart, immer noch in *Flug nach Arras*, seine Empfindung: «Ich lebe in der Wiederauferstehung, denn jede Sekunde, die vergeht, wurde dem Tod geraubt.» So ist jeder Augenblick, der vergeht, Rausch des Lebens, «eine breite Spur der Freude». «Es ist, als würde mir mein Leben in jeder Sekunde aufs Neue geschenkt. [...] Ich lebe. Ich bin am Leben. Ich bin noch am Leben. Ich bleibe am Leben.» Die Bereitschaft zum Kampf wird zur Bereitschaft zu sterben. Dabei stellt der Tod für ihn kein Ende dar, sondern ist immer Befreiung und niemals Niederlage, ist die Macht der besiegten Samenkörner in der dunklen Erde, diese fruchtbar zu machen. So lautet auch das Credo von *Flug nach Arras*. «Meine Liebe zu den Meinen gründet darauf, daß ich mein Blut hingebe, wie die Mutterliebe darauf gründet, daß sie mit ihrer Milch ihr Kind nährt. Darin liegt das Mysterium. Man muß mit einem Opfer beginnen, damit die Liebe in die Welt kommt.»

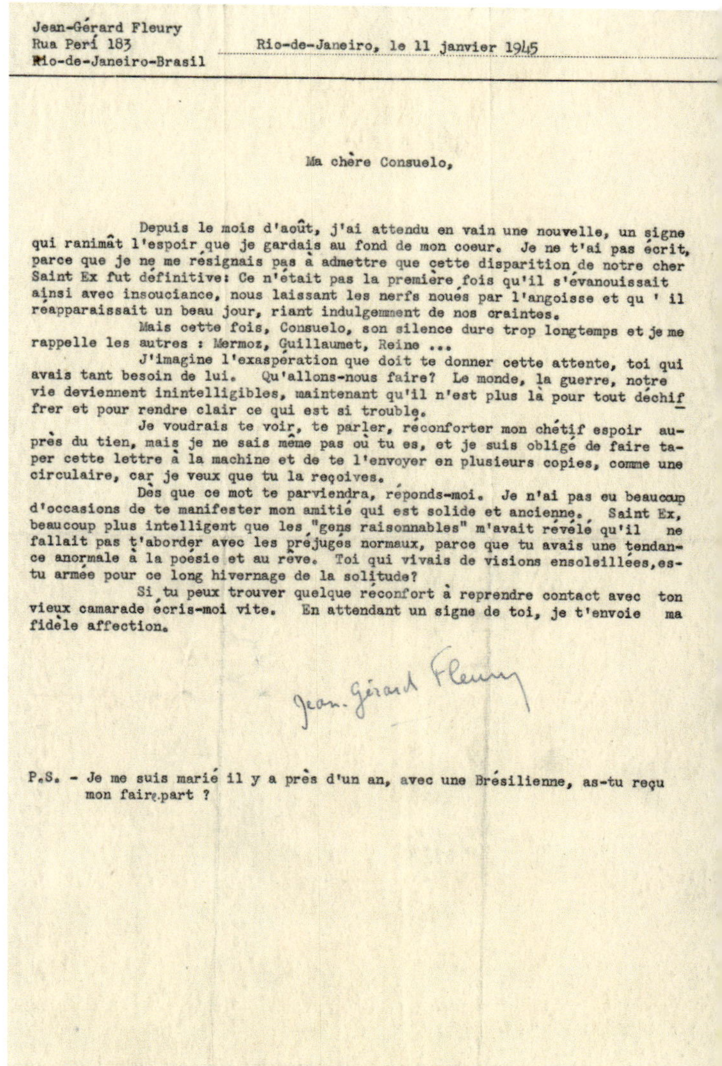

Jean-Gérard Fleury
Rua Perí 183
Rio-de-Janeiro-Brasil

Rio-de-Janeiro, le 11 janvier 1945

Ma chère Consuelo,

Depuis le mois d'août, j'ai attendu en vain une nouvelle, un signe qui ranimât l'espoir que je gardais au fond de mon coeur. Je ne t'ai pas écrit, parce que je ne me résignais pas à admettre que cette disparition de notre cher Saint Ex fut définitive: Ce n'était pas la première fois qu'il s'évanouissait ainsi avec insouciance, nous laissant les nerfs noués par l'angoisse et qu ' il réapparaissait un beau jour, riant indulgemment de nos craintes.

Mais cette fois, Consuelo, son silence dure trop longtemps et je me rappelle les autres : Mermoz, Guillaumet, Reine ...

J'imagine l'exaspération que doit te donner cette attente, toi qui avais tant besoin de lui. Qu'allons-nous faire? Le monde, la guerre, notre vie deviennent inintelligibles, maintenant qu'il n'est plus là pour tout déchiffrer et pour rendre clair ce qui est si trouble.

Je voudrais te voir, te parler, réconforter mon chétif espoir auprès du tien, mais je ne sais même pas où tu es, et je suis obligé de faire taper cette lettre à la machine et de te l'envoyer en plusieurs copies, comme une circulaire, car je veux que tu la reçoives.

Dès que ce mot te parviendra, réponds-moi. Je n'ai pas eu beaucoup d'occasions de te manifester mon amitié qui est solide et ancienne. Saint Ex, beaucoup plus intelligent que les "gens raisonnables" m'avait révélé qu'il ne fallait pas t'aborder avec les préjugés normaux, parce que tu avais une tendance anormale à la poésie et au rêve. Toi qui vivais de visions ensoleillées, es-tu armée pour ce long hivernage de la solitude?

Si tu peux trouver quelque réconfort à reprendre contact avec ton vieux camarade écris-moi vite. En attendant un signe de toi, je t'envoie ma fidèle affection.

Jean-Gérard Fleury

P.S. - Je me suis marié il y a près d'un an, avec une Brésilienne, as-tu reçu mon faire-part ?

Verschiedene Auszeichnungen der französischen Armee an Antoine de Saint Exupéry und eine Urkunde der einflußreichen amerikanischen Militärorganisation American Legion.

Ein Held?

Ist Saint Exupéry ein Held im Sinne des Bildes, das man ihm übergestülpt hat? Paßt diese Sagengestalt wirklich zu dem, was er tat und dachte? Vielleicht liegt Saint Exupérys Heldentum, jenseits der Ehrerbietungen und salbungsvollen Worte von offizieller Seite, ganz woanders. Sein Heldentum gründet sich darauf, daß er Mensch bleiben wollte bis zum Ende seines Menschseins, daß er bis zum Tode den inneren Antrieb der Menschen verteidigen und verhindern wollte, daß sich das Bewußtsein der Menschheit im großen Stimmengewirr Babels auflöst. Das bedeutet in keinster Weise eine Herabsetzung Saint Exupérys, wie sein guter Bekannter Jules Roy weiß: «Man beleidigt einen Menschen nicht, indem man sagt, daß er ein Mensch war oder daß er sich der Verzweiflung anheimgegeben hat. Man erhöht ihn, da er Engstirnigkeit in Größe zu verwandeln wußte und den Lehm, aus dem wir einst geformt wurden, in Gold.» Und er betont: «Der Schmuck, mit dem wir ihn überhäufen, die Denkmäler, die wir ihm zu Ehren errichten, nutzen ihm nichts. Einzig seine Bücher und sein Vorbild werden ihm gerecht, sie sind aus dem gleichen Holz geschnitzt wie er. [...] Der Mensch besteht in seinem Werk fort, das die Sonnenstrahlen vor allen anderen berühren, und verweilt noch im Licht, wenn die Täler bereits im Schatten liegen.»

Wer also war Antoine de Saint Exupéry? «Alles ist viel schlichter, und die Legende, die man ihm anzuhängen versucht, zerstört die, die er eigenhändig erschaffen hat», erklärt Jules Roy. Saint Exupéry? Ein Kind, das mit seiner Unschuld und Intelligenz Licht in das Leben seine Mutter, seines Bruder und seiner Schwestern gebracht hat, ein junger Mann voller Esprit und Charme, mit hellwachem Bewußtsein, ein Melancholiker und Tausendsassa, Bohemien und Aristokrat, ein despotischer und überaktiver Träumer, reich an inneren Werten und arm an materiellen Gütern, wagemutig bis zur Leichtsinnigkeit, wankelmütig und zugleich treu in der Liebe, differenziert in einem Jahrhundert der Pauschalisierungen, leidenschaftlicher Verfechter der Freiheit und Wahrheit, auf der Suche nach Einheit und Harmonie, Künstler, Weiser, maskulin und feminin, genialer Schriftsteller und Ritter in jeder Hinsicht. Auf jeden Fall ein Mensch. Der vor allem glaubte, daß man, bevor man existiert, zuerst geboren werden muß.

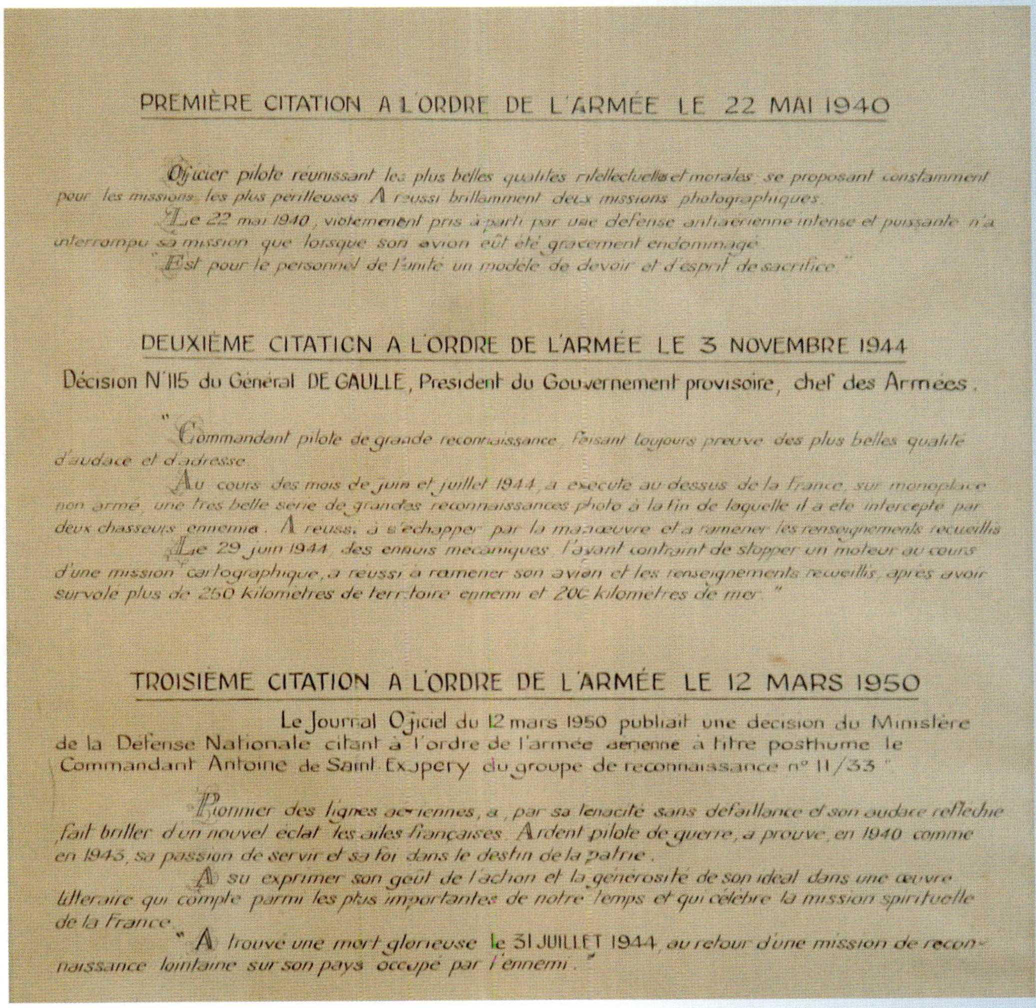

PREMIÈRE CITATION A L'ORDRE DE L'ARMÉE LE 22 MAI 1940

Officier pilote reunissant les plus belles qualites intellectuelles et morales se proposant constamment pour les missions les plus perilleuses A reussi brillamment deux missions photographiques.
Le 22 mai 1940, violemment pris à parti par une defense antiaérienne intense et puissante n'a interrompu sa mission que lorsque son avion eût été gravement endommagé.
Est pour le personnel de l'unité un modèle de devoir et d'esprit de sacrifice."

DEUXIÈME CITATION A L'ORDRE DE L'ARMÉE LE 3 NOVEMBRE 1944

Décision N°115 du Général DE GAULLE, President du Gouvernement provisoire, chef des Armées.

"Commandant pilote de grande reconnaissance, faisant toujours preuve des plus belles qualité d'audace et d'adresse.
Au cours des mois de juin et juillet 1944, a execute au dessus de la france, sur monoplace non armé, une tres belle serie de grandes reconnaissances photo à la fin de laquelle il a ete intercepte par deux chasseurs ennemis. A reussi à s'echapper par la manœuvre et a ramener les renseignements recueillis.
Le 29 juin 1944, des ennuis mecaniques l'ayant contraint de stopper un moteur au cours d'une mission cartographique, a reussi à ramener son avion et les renseignements recueillis, après avoir survolé plus de 250 kilometres de territoire ennemi et 200 kilometres de mer."

TROISIEME CITATION A L'ORDRE DE L'ARMÉE LE 12 MARS 1950

Le Journal Officiel du 12 mars 1950 publiait une decision du Ministère de la Defense Nationale citant à l'ordre de l'armée aerienne à titre posthume le Commandant Antoine de Saint Exupery du groupe de reconnaissance n° II/33."

Pionnier des lignes aériennes, a, par sa tenacité sans defaillance et son audace reflechie fait briller d'un nouvel eclat les ailes françaises. Ardent pilote de guerre, a prouve, en 1940 comme en 1943, sa passion de servir et sa foi dans le destin de la patrie.
A su exprimer son goût de l'action et la générosité de son idéal dans une œuvre litteraire qui compte parmi les plus importantes de notre temps et qui célèbre la mission spirituelle de la France.
"A trouvé une mort glorieuse le 31 JUILLET 1944, au retour d'une mission de reconnaissance lointaine sur son pays occupé par l'ennemi."

«Ich habe in diesem Abenteuer mein Leben aufs Spiel gesetzt, Leib und Leben. Ich habe alles gesetzt, in diesem Spiel, in dem man nur verlieren kann. Ich habe alles gegeben, was mir im Rahmen der Spielregeln möglich war.» *Flug nach Arras*

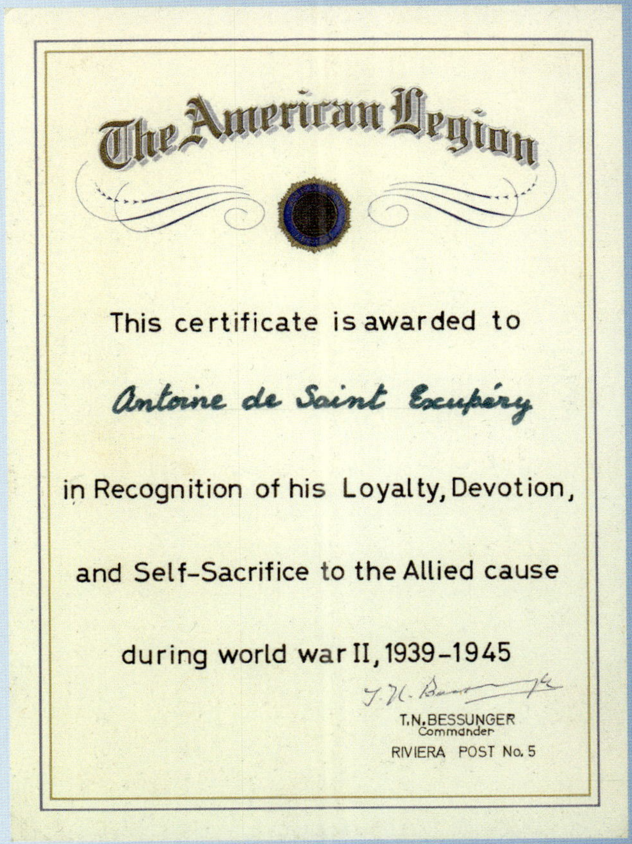

The American Legion

This certificate is awarded to

Antoine de Saint Excupéry

in Recognition of his Loyalty, Devotion, and Self-Sacrifice to the Allied cause during world war II, 1939-1945

T.N. BESSUNGER
Commander
RIVIERA POST No. 5

Hatte Consuelo eine Vorstellung davon, welchen Ruhm ihr Mann posthum erlangen würde? Zwar hat sie nie an seinem Charisma und seiner Überzeugungskraft gezweifelt, hat immer daran geglaubt, daß er ein ganz großer Schriftseller war, der durch die Kraft seiner Gedanken das Leid der Menschen lindern konnte und hat die universale Bedeutung seiner Morallehre erkannt, aber daß sein Einfluß weltweit derartige Dimensionen annehmen sollte, konnte sie sich wahrscheinlich nicht vorstellen, und Marie de Saint Exupéry und die Schwestern des Schriftstellers ebensowenig. Der Erfolg des *Kleinen Prinzen,* den er nicht mehr erlebt hat, spielte eine entscheidende Rolle für die allgemeine Zuneigung und schwärmerische Begeisterung, die Saint Exupéry ausgelöst hat. Sein tragischer Tod machte ihn zum Mythos und förderte die Legendenbildung – trotz all der Steine, die die Universität und seine falschen Freunde, gewollt oder ungewollt, dem Werk in den Weg legten, trotz der gefährlichen Glorifizierung, die man ihm angedeihen ließ. Saint Exupéry ist auch heute noch erstaunlich modern und visionär. Seine Launen und sein Hang zur Boheme, seine Meisterwerke und seine Heldentaten haben an seiner statt ihre Wirkung entfaltet, auch wenn er selbst nicht unter uns weilt. Statt von Akademikern oder Hütern des kulturellen Erbes vereinnahmt zu werden, ist Saint Exupéry nah an den Menschen und am Menschlichen. Er schaffte es, sich den Mystifizierungen und Verfälschungen der Legendenbildung zu entziehen. Er spricht, wie der Fuchs im *Kleinen Prinzen,* in verblüffend einfachen Worten, die jedoch so wirkungsvoll sind, daß die ganze Welt von ihnen berührt ist. Dieser Schriftsteller überschreitet Grenzen, auch sprachliche, durchquert Kontinente und Ozeane und erreicht das Herz – das Herz der wahren Dinge, der Wahrhaftigkeiten, der Wesen. Wie ist dieses Mysterium zu erklären?

DER MYTHOS:

DER UNVORSTELLBARE TRAUM

Ein hagiographischer Ansatz

Mit der definitiven Bekanntgabe seines Todes beginnt der Mythos zu wachsen. Jene, die ihn verunglimpft oder seine Bedeutung kleingeredet haben, gerieren sich plötzlich als Bewunderer und loben seinen Mut und die Kraft seiner Texte. Sogar General de Gaulle, der während des Krieges an seinem eigenen Mythos gearbeitet und alle auf Abstand gehalten hat, die einen Schatten auf ihn werfen könnten (und Saint Exupéry war einer von ihnen), kommt nicht umhin, ihn lobend zu erwähnen. Mit Datum des 3. November 1944 ehrt er ihn offiziell für seine Verdienste um die französische Luftwaffe als «Fliegerkommandanten der Fernaufklärerstaffel, der stets seine Kühnheit und Geschicklichkeit unter Beweis stellte» usw. Seine falschen Freunde waren vorsichtig genug zu schweigen. Zurück im befreiten Frankreich, nahmen sie ihre Tätigkeiten als Schriftsteller, Universitätsprofessoren und Verleger wieder auf ... Doch da die Universitäten vornehmlich unter dem Einfluß der Kommunisten standen, wurde Saint Exupéry nicht in den Kreis der großen zeitgenössischen Autoren aufgenommen, die es wert sind, wissenschaftlich studiert zu werden. Man nahm ihn lieber in den Literaturkanon für Grundschule und Sekundarstufe auf.

Seine wahren Freunde legten mit bewegenden Texten Zeugnis von ihrer Trauer ab: Léon Werth, André Gide, André Rouchaud, Pierre Dalloz, Michel Pobers, Anne Lindbergh, die ihn beinahe heimlich liebte, alle beschworen den «größten Schriftseller seiner Zeit», aber auch den Mann und Menschen, den «Ritter». Seine Mutter, die ihn so sehr liebte, erinnerte in herzzerreißend einfachen Worten an den Tod ihres Sohnes, der, wie sie sagte, über alles in Entzücken geraten konnte: «Jede Sekunde reißt etwas mit sich fort, Antoines Stimme, sein Lachen, dieses Lächeln ...» Consuelo verpackt ihren Schmerz diskret in ihren letzten «Sonntagsbriefen», die sie ihm seit seiner Abreise allwöchentlich schreibt: Der unvergleichliche Gatte, den sie über alles geliebt hat, ist nun tot. Damit muß sie sich abfinden. Aber ihre innere Stärke, die Lebenskraft, das Erbe ihrer salvadorianischen Herkunft, befehlen ihr weiterzuleben. Sie gibt sich Mühe, beschließt, sich ganz dem Andenken Antoines zu widmen, sie malt, sie formt, sie schreibt, manchmal signiert sie sogar Exemplare des *Kleinen Prinzen*, an dessen Entstehung sie ja auch irgendwie beteiligt war. Nelly de Vogüé und die gesamte Familie Saint Exupéry sorgen dafür, daß Antoine der Harnisch des «bedeutenden Schriftstellers» angelegt wird, des «Helden, der für Frankreich gestorben ist». Sein Leben wird geglättet und poliert. Man vergißt den Menschen, seine Schwächen, seine Brüche, seine Unzulänglichkeiten, sein Nöte, seine Seitensprünge, seinen Egoismus, seine Zwiespältigkeit. Nelly ist die Schirmherrin dieser großangelegten Verherrlichung. Sie verfaßt die erste Biographie über Saint Exupéry unter einem Pseudonym, das offiziell erst im Jahre 2000 gelüftet

Vorangehende Doppelseite: Jahrgang 1967 der Luftfahrtakademie von Toulouse, die in Gegenwart von Consuelo und General Gavoille «Antoine de Saint Exupéry» getauft wird.
Oben: Consuelo de Saint Exupéry mit Didier Daurat anläßlich der Neuzüchtung einer Rose «Antoine de Saint Exupéry» durch den Gärtner Delbard, 1964.
Oben rechts: Gedenkgottesdienst 1947 in der Kirche von Saint-Germain-des-Prés in Paris. General Souard spricht im Namen des französischen Präsidenten der Witwe des Piloten sein Beileid aus.
Darunter: Consuelo mit Piloten und Flugpersonal vor dem neu errichteten Denkmal für Antoine de Saint Exupéry in Santiago de Chile.

wurde. Die Biographie wird zur Hagiographie. Die Autorin läßt Fakten und Personen aus, sogar seine Frau wird lediglich in drei wenig schmeichelhaften Zeilen abgehandelt. Aber mit der Zeit und im Zuge der wissenschaftlichen Forschung dürfen sich endlich die Schattenseiten neben die schöngefärbten Bilder stellen. Heute steht Saint Exupéry in seiner ganzen Wahrheit als Mensch da. Und seine Leser mögen ihn so, wie er ist, zerbrechlich und sensibel, voller Liebe und Wankelmut, krank und sentimental, bescheiden und stolz, als Prophet und Dichter.

Der unverhoffte Erfolg des *Kleinen Prinzen*

Wenn es ein Buch gibt, das das gesamte geistige Erbe Antoine de Saint Exupérys in sich trägt, dann ist es *Der Kleine Prinz*, der weltweite Bestseller mit schwindelerregenden Auflagenzahlen, die bislang nur von der Harry-Potter-Saga übertroffen wurden. *Der Kleine Prinz* wurde in alle Sprachen und Dialekte der Welt übersetzt und wird von Menschen aus ganz unterschiedlichen Kulturen verehrt. Consuelo war immer der Meinung, Antoine habe ein Werk geschaffen, das weit über die Anfangsidee seiner Verleger hinausging. Das Schreiben hatte ihn damals von seiner Depression abgelenkt. Der Durchbruch kam, als er sich im Sommer auf Long Island, in Bevin House, an die Arbeit machte. Die bedrückende Rückkehr nach Frankreich 1946 und die Unmöglichkeit, ihn zu Grabe zu tragen, haben Consuelo dazu gebracht, etwas auf Abstand zu gehen. Der Mythos wuchs auch ohne ihr Zutun und häufig gegen ihren Willen. Dabei war sie es doch, die besser als jeder andere wußte, wie Antoine de Saint Exupéry wirklich war: zerbrechlich und verträumt, Dichter und Kind, voller Furcht und Hingabe. Es schmerzte sie, mitanhören zu müssen, daß die Rose des *Kleinen Prinzen* eigentlich gar nicht für sie stehe, sondern vielmehr für Antoines Mutter, Marie de Saint Exupéry. Die Hypothese, die sich wie ein Gerücht verbreitete, stützte sich auf die zentrale These, die der Psychoanalytiker und Theologe Eugen Drewermann in seinem Buch *Das Eigentliche ist unsichtbar: Der Kleine Prinz tiefenpsychologisch gedeutet* vertrat. Schon lange hatte man versucht, Consuelo diese Identität zu nehmen: die einzige Rose des Kleinen Prinzen, zu der er zurückkehrte, weil er spürte, daß sie einsam und in Gefahr war. Consuelo wußte, daß sie die anderen Rosen auf Antoines Weg vom Tisch fegen mußte, denn es gab nur eine auf der Welt, die so sehr geliebt wurde … Deswegen rief sie sich immer wieder das Telegramm ins Gedächtnis, das er ihr zu Weihnachten 1943 aus Algier geschickt hatte: Er versicherte sie all seiner Liebe, schilderte, wie bitter und deprimierend es war, Weihnachten und Silvester fern von ihr zu verbringen. Nach Consuelos Tod setzte *Der Kleine Prinz* seinen Weg zu den Sternen fort. Sie

hinterließ zahlreichen Bilder und Skulpturen, die ihn zum Gegenstand haben, als sei er ihr Fetisch geworden. Er ist für alle Kinder der Welt zur Ikone geworden, zum verbindenden Element zwischen ihnen: Antoines Wunsch, «die Truppe zusammenzuhalten», hat sich endlich erfüllt. Auch der Handel hat sich der Figur bemächtigt, deren Bild weltweit über CDs, Kleider, Poster und Gegenstände aller Art millionenfach Verbreitung findet. In Japan und Rußland wird der kleine Held regelrecht vergöttert. Es gibt sogar eine Manga-Version des *Kleinen Prinzen*. Der Knabe mit dem Schal schmückt Werbeplakate für Versicherungen, ist auf Theaterbühnen und Restaurantschildern zu sehen, während das Konterfei seines Schöpfers Geldscheine und Briefmarken ziert. Aber die philosophische und poetische Dimension der Erzählung erschöpft sich glücklicherweise nicht in diesem Medienkarussell und weist über die Grenzen der Gattung «Kindermärchen» hinaus – bei der sich Saint Exupéry großzügig bedient hat. Jenseits aller Marktrelevanz ist *Der Kleine Prinz* vor allem eine Geschichte der Begegnungen. Saint Exupéry schrieb sie in einem Augenblick absoluter spiritueller Wahrhaftigkeit und schuf eine universelle Erzählung, die den empfindlichsten Punkt der Phantasie anrührt, in dem sich alle Menschen dieses Planeten, egal welcher Kultur sie angehören, wiederfinden können.

Ein anderer Blick auf Saint Exupéry

Die Fortschritte der Saint-Exupéry-Forschung werden gerade erst richtig bekannt. Es hat ein halbes Jahrhundert gedauert, bis hier neue Wege beschritten wurden und zum Beispiel auf das Archiv des Nachlasses von Consuelo de Saint Exupéry zurückgegriffen werden konnte. Der Schriftsteller löst sich Stück für Stück von seinen Verkrustungen, durchbricht den Panzer der einstigen «offiziellen» Lesart. Er erscheint in seiner ganzen Frische, seiner Naivität und der Bedürftigkeit eines Mannes, der, in einer sich im Umbruch befindlichen Welt und fern seiner Werte, seinen Platz nicht mehr finden kann. Er stellt sich als Mensch dar, dessen Blick über das Übliche hinaus reicht. Der prophetische Charakter vieler seiner Äußerungen verblüfft. Es scheint fast, als hätte Saint Exupéry die Welt der Zukunft durchschaut, die Gefahren, die sich am Horizont abzeichneten, richtig gedeutet, die Risiken, die der Mensch im Wettlauf um materielle Güter eingehen würde, und dabei seine Spiritualität vergißt. Schon früh hat er erkannt, daß die Grundwerte, auf denen das Zusammenleben der Menschen basiert, sich in Auflösung befinden. Er warnte vor den Gefahren dieses Auflösungsprozesses, vor

Rechts oben:
Flugplatz von Bastia Poretta. Eine Stele wird errichtet zum Gedenken an den Piloten Antoine de Saint Exupéry.

Unten:
Jahrgang 1967 der Flugakademie in Toulouse, die, in Gegenwart Consuelos und des Generals Gavoille, «Antoine de Saint Exupéry» getauft wurde.

Rechts unten:
Der Sitz der Alliance française in Madrid.

TOULOUSE

EN PRÉSENCE DE LA VEUVE DE L'ILLUSTRE PILOTE

LES ÉLÈVES DU LYCÉE TECHNIQUE AÉRONAUTIQU

ont reçu le baptême de leur promotion qui portera le nom de SAINT-EXUPÉR

CENT CINQ élèves de première année du lycée technique aéronautique ont reçu jeudi matin le baptême de leur promotion qui prendra le nom hautement symbolique de promotion « Antoine de Saint-Exupéry ».

La cérémonie, selon le rituel en usage, s'est déroulée dans la cour principale de l'établissement dont l'entrée et la façade étaient tapissées d'immenses parachutes déployés. Un portrait de l'illustre parrain ornait la tribune tendue de tricolore sur laquelle avait pris place Mme de SaintExupéry, venue tout exprès de Paris pour cette circonstance si émouvante.

Mme de Saint-Exupéry était entourée de MM. le général Gavoille, Duchevalard, directeur du lycée; le colonel Coudert, commandant la base de Francazal; Duguet, représentant M. Dufour, directeur général de Sud-Aviation; le capitaine Lanata.

Dans l'assistance, on notait la présence de M. et Mme Farran, directeur de l'I.N.S.A. et de Mme, ainsi que de M. Hébrard, amis personnels de Mme de Saint-Exupéry; du commandant Secherin.

Après avoir défilé sous une haie d'honneur formée par leurs camarades de seconde année, les nouveaux promus s'immobilisèrent dans la cour, tandis que résonnait une musique martiale.

Dans l'allocution qu'il prononçait alors, M. Duchevalard exaltait la légendaire figure et le magnifique exemple de Saint-Exupéry.

L'aéronautique, activité des enthousiasmes, constitue un véritable corps où la promotion Saint-Exupéry prendra sa place a-t-il dit notamment en invitant les jeunes élèves à mobiliser leur volonté et leur courage à l'image de leur parrain.

Le général Gavoille a rappelé la carrière exceptionnelle de celui qui « comme Mermoz et Guynemer est tombé en plein ciel de gloire... » et dont la grande aventure qui commença à Toulouse a été jalonnée des plus éclatants succès aussi bien ceux du pilote de ligne que de l'écrivain de race.

A genoux...

C'est ensuite la cérémonie. Au commandement du général, les promus s'agenouillent puis se relèvent. Le capitaine Lanata lit la dernière citation du héros tombé en 1944 dans le ciel de France. On dévoila la façade du

Debout, la promotion Antoine-de-Saint-Exupéry écoute le général GAVOILLE évoquer le légendaire figure du héros qui est maintenant son parrain et son exemple.

Autour de Mme Antoin DE SAINT-EXUPERY, à la tribune d'honneur, le général GAVOILLE et M. DUGUET, représentant le directeur de Sud-Aviation; à sa gauche, le directeur du lycée, M. DUCHEVELARD, et M. SIMON, représentant M. le maire de Toulouse.

dem Fall aller Grenzen, vor der Verhandelbarkeit aller Begrifflichkeiten. Dem globalen Dorf stellt er den Charme des Dorfes seiner Kindheit gegenüber; der Blindheit der Termiten begegnet er mit den Freuden der Freundschaft, einem Tag am Ufer der Loire mit seinem teuren Léon Werth; der Rohheit der modernen Sitten und Gebräuche hält er die Harmonie der Familientreffen entgegen; dem Verlassen des Vaterlands stellt er die Verbundenheit zur heimatlichen Erde gegenüber. Lauter Standpunkte, die bis heute sehr umstritten sind. Das ist gerade das Paradoxe daran: So wenig er auch dem Zeitgeist zu entsprechen schien, bleibt Saint Exupéry doch eine der liebsten Figuren der Franzosen, als wüßten sie intuitiv, daß seine Ansichten gerecht und brüderlich sind. Im Juni 1943 schreibt er einem Freund diese letzten Worte: «Es ist mir egal, ob ich im Krieg getötet werde. Was wird von dem bleiben, was ich liebe? Ich spreche nicht nur von menschlichen Wesen, sondern auch von Gepflogenheiten, Sprachmelodien, unwiederbringlichen Intonationen, von einem gewissen Licht des Geistes, vom Frühstück in einem Bauernhof in der Provence, unter Olivenbäumen, aber auch von Händel.» Und im Grunde ihres Herzens wissen seine Leser, daß er Recht hat.

Hätte er gewußt, was im Namen seines Andenkens alles veranstaltet wird, hätte Saint Exupéry sicher dieses spöttische Lächeln aufgesetzt.

Eine weltweite Symbolfigur

Sein Name und sein Werk werden auch in Zukunft die Menschen faszinieren. Weder die Neuerungen der Technik noch der vorherrschende gedankliche Einheitsbrei konnten ihm etwas anhaben. Als hätte er an etwas gerührt, das unendlich menschlich und unübertrefflich ist, etwas, das den falschen Fortschritt zum Teufel schickt, genauso wie die Ideologien, die den Menschen, wie er es ausdrückt, «koranische Gesetze» aufzwingen. Er zählt zu den am häufigsten übersetzten Autoren der Welt, und überall sieht man in ihm den großen Bruder, der das Herz und den Verstand anspricht. Man hat natürlich versucht, an ihm zu rütteln, ihn in den Schmutz zu ziehen und lächerlich zu machen, sowohl zu Lebzeiten als auch nach seinem Tod. Kein Klischee durfte fehlen: Pétain-Anhänger, Vichy-Sympathisant, Reaktionär, Ewig-Gestriger, Konformist, Empath, Spiritualist, Humanist, fliegender Pfaffe, schulmeisterlicher Schriftsteller, Pfadfinder, «Tim & Struppi der Literatur», «Denken für Anfänger», autodidaktischer Stilist, «Gottheit in blauer Uniform», «Schutzheiliger», «Kretinismus im Cockpit», «Todesengel», «Autor herausragender Werke aus der Reihe *Spurbücher*», vom Kreuz des Südens zum Feuerkreuzler usw.

Aber aller Spott konnte weder seine Bedeutung noch sein Werk beschädigen. Keines seiner Werke, keine seiner Lehren hat Staub angesetzt. «Geh und sei ein Mensch», sagte er einfach. Saint Exupéry ist deswegen noch unter uns, weil er so wandlungsfähig ist. Seine Modernität besteht gerade darin, die Erscheinungsformen der Moderne zu verdammen, die den Menschen verschlingen und ihn bekriegen. Der Weg, den die Welt eingeschlagen hat, sagt Saint Exupéry, führt in die Irre. Dennoch spricht er nicht wie ein Moralprediger, eher wie ein Dichter. «Was muß man sein?», rief er aus. «Ein Feuer muß man sein.» Er gehört zu den Dichtern, die sich mit der Substanz auskennen, denn aus ihr bestehen die Worte, die das Leben verkörpern. Saint Exupéry hat das Leben immer über alles geliebt, mit einer grenzenlosen Melancholie im Herzen, die er fürchtete. Wir wissen, daß er gerne lachte, spielte, aß und trank, sang und Geschichten erzählte, verführte, gärtnerte und bastelte.

Er wünschte sich das Leben eines Bohemiens, ungehemmt, frei und denen zu Diensten, die er liebte, und vor allem von jeglichem Konformismus befreit. Er war nie geizig, was er hatte, gab er gerne. Seine Leser haben diese Charaktereigenschaften gespürt. Deswegen bleibt Saint Exupéry der Wächter, der stets zu verknüpfen und zu verbinden weiß, der «unermüdliche Ruderer», den es dorthin trägt, wo er immer hinwollte: ins Leben.

Zitate

Werke von Antoine de Saint Exupéry

Alle Zitate der französischen Ausgabe wurden den gedruckten Werken von Antoine de Saint Exupéry, Consuelo de Saint Exupéry sowie Simone de Saint Exupéry entnommen. Abgesehen von den Zitaten aus *Der Kleine Prinz* wurden die Zitate von der Übersetzerin ins Deutsche übertragen.
(Alle französischen Ausgaben bei Gallimard erschienen)

Courrier Sud, 1929, dt. *Südkurier*
Vol de nuit, 1931, dt. *Nachtflug*
Terre des hommes, 1939, dt. *Wind, Sand und Sterne* bzw. *Durst*
Pilote de guerre, 1942, dt. *Flug nach Arras*
Lettre à un otage, 1943, dt. *Bekenntnis einer Freundschaft* bzw. *Brief an einen Ausgelieferten*
Le Petit Prince, 1944, *Der Kleine Prinz*
Citadelle, 1948, dt. *Die Stadt in der Wüste* (Folgende Titel enthalten eine Textauswahl aus *Citadelle: Gebete der Einsamkeit, Weisheit der Wüste, Botschaft der Wüste, Den Grund für die Liebe finden)*
Lettres de jeunesse 1923–1931, 1953, dt. *Briefe an Rinette*
Carnets, 1953, dt. *Carnets*
Un sens à la vie, 1956, dt. *Dem Leben einen Sinn geben*
Écrits de guerre, 1982, dt. *Die innere Schwerkraft*
Lettres à sa mère, 1984, dt. *Briefe an seine Mutter* bzw. *Briefe an die Mutter*
Manon, danseuse et autres textes inédits, 2007, dt. *Manon, Tänzerin: eine Erzählung und 13 Liebesbriefe* bzw. *Der Pilot und der Mensch: man reist nicht im All, sondern in sich selbst*
Lettre à l'inconnue, 2008

Werke von Consuelo de Saint Exupéry

Oppède (éd. fr.), New York, Brentano's Inc., 1945, neu aufgelegt bei Gallimard, 1947, 2000
Mémoires de la Rose, Plon, 2000; dt. *Die Rose des kleinen Prinzen: Erinnerungen an eine unsterbliche Liebe*
Lettres du dimanche, Plon, 2001; dt. *Sonntagsbriefe*

Simone de Saint Exupéry

Cinq enfants dans un parc, Gallimard, 2000; dt. *Fünf Kinder in einem Park*

Bildnachweise

Alle in diesem Band reproduzierten Dokumente stammen aus dem Nachlaßfonds Consuelo de Saint Exupéry, mit Ausnahme von:

© Élisabeth Lhomelet/Nachlaßfonds Consuelo de Saint Exupéry: S. 62, 63, 86, 87, 99, 132 oben, 133 oben, 135 oben rechts, 171 Mitte, 181 oben
© Élisabeth Lhomelet/Nachlaßfonds Consuelo de Saint Exupéry/Adagp, Paris 2012: S. 102, 103
© Jérôme Pecnard/Nachlaßfonds Consuelo de Saint Exupéry: S. 94, 95, 170, 171 unten
© John Phillips Foundation: S. 4, 5, 35, 67, 68, 167, 172, 175
© Roger-Viollet: S. 4, 10, 16, 41 unten
© FA/Roger-Viollet: S. 14 links
© Musée Air France: S. 27
© New York Herald Tribune: S. 96, 97
© Rue des archives/Agip: S. 114, 159
© Getty Images: S. 121
© Man Ray Trust/Adagp/Telimage, Paris 2012: S. 142

**Martine Martinez dankt ihrem Mann,
José Martinez Fructuoso.**